JN249739

レジデントのための
腎臓教室

ベストティーチャーに教わる全14章

埼玉医科大学総合医療センター教授
前嶋明人

日本医事新報社

第２版のまえがき

「腎疾患の診療は専門医でないと無理！」と思っている先生は多くいらっしゃると思います。確かに腎炎の治療や透析医療は専門性が高いです。でも、日常臨床ではどうでしょうか。

慢性腎臓病の患者さんは年々増加して約1330万人、成人の８人に１人に相当します。専門医でなくとも、腎機能が低下している患者さんを診察する機会は多いと思います。薬を処方したり、手術をしたり、様々な医療行為が腎臓に影響します。ですから、どの診療科の医師にも、腎臓のことを気にする機会が常にあるわけです。

腎臓専門外来をしていると、様々な診療科の先生から相談を受けます。

「蛋白尿が出ているので精査をお願いします」
「腎機能が少し低下しています。膝の手術をしても大丈夫でしょうか？」
「低Na血症が続いています。鑑別はどのようにしたら？」
「腎機能が徐々に悪化しています。原因は何でしょうか？」

腎臓は内科だけでなく、外科、産婦人科、小児科、皮膚科、整形外科など、どの分野の診療にも関わる重要な臓器と常々思っており、もっと多くの診療科の先生に腎臓のことを知って頂きたい、との思いで本書を執筆させて頂きました。

医者になってもうすぐ30年になります。自分が研修医の頃と比べると腎疾患の診療内容は大きく変化しました。

まず、新規薬剤がたくさん登場しました。ジェネリックも出てきて名前を覚えるのもひと苦労です。RAS阻害薬の登場は腎疾患診療に大きな影響を与えました。降圧薬として開発され使用されていますが、腎保護効果（抗蛋白尿効果）を併せ持つことが分かっています。糖尿病治療薬としてSGLT2阻害薬が承認されました。単に血糖値を下げるだけでなく、腎臓や心臓に対しても臓器保護効果を有することが大規模臨床試験で示されています。また、腎性貧血に対する新たな治療薬としてHIF-PH阻害薬が登場しました。そのほかにも、ミネラルコルチコイド受容体拮抗薬、高尿酸血症治療薬、高カリウム血症治療薬の種類も増えて、治療薬の選択肢が広がっています。

臨床データに基づいたエビデンスを参考にしてガイドラインも複数作成されており、自分が研修医の頃よりも腎疾患の診療レベルは間違いなく向上していると思います。

「高齢化」も忘れてはならないキーワードです。令和3年10月現在、75歳以上の後期高齢者の方は1867万人です（総人口の約15%）。腎臓も老化しますので、高齢者は潜在的な慢性腎臓病患者といっても過言ではありません。腎機能や相互作用の有無を考慮しつつ、薬剤の量の調節を慎重に行う必要があります。

このような日常臨床の進歩や変化を踏まえつつ、本書では下記のポイントを強調して解説しました。

「腎臓は非常に複雑かつ精密な、賢い臓器であること」
「一口に腎炎と言っても、多種多様であること」
「腎疾患は症状もなく、非常にゆっくり慢性的に進行すること」
「全身性疾患が腎臓に影響し、腎臓の不具合が全身に影響すること」
「腎機能低下症例では投与する薬剤に十分注意が必要であること」

検尿異常から、腎炎の診断・治療、腎不全、透析治療に至るまで、腎疾患の診療について説明させて頂きました。誰もが理解しやすいように心がけたつもりですが、それでも多少難しい表現があるかも知れません。その点はご容赦ください。腎疾患診療の大まかなイメージが読者の方々に伝われば幸いです。

本書が医学生や研修医、各診療科の先生にとって少しでも参考になれば嬉しい限りです。

前嶋明人

目次

第1章　腎臓の構造と機能

第2章　検査

第3章 主要症候

第4章　原発性腎疾患

第6章 治療薬

第7章 遺伝性腎疾患

第8章 慢性腎不全

第9章 急性腎障害（AKI）

第10章 慢性腎臓病（CKD）

第11章 高齢者と腎臓

第12章 腎臓病で注意して使用すべき薬剤

第13章 透析治療

第14章 腎臓に関するよもやま話

第1章

腎臓の構造と機能

腎臓はネフロンと呼ばれる基本構造の集合体です。「超小型血液濾過装置である糸球体」と「様々な物質の再吸収・分泌を担う尿細管」から構成されるネフロンは、1つの腎臓に約100万個存在すると言われています。

解剖学的に複雑な構造を有する腎臓は、老廃物を尿として排泄するだけではありません。様々なホルモンを分泌したり、受け取ったりして、繊細かつ巧妙に全身の臓器と協調して体液の恒常性を維持しています。

勉強すればするほど、腎臓は生命の維持に必要な多彩な機能を備えている臓器であることがわかります。腎臓に不具合を生じると全身に影響してしまうのも納得です。

この章では、「賢い臓器」である腎臓がいかに賢いのか、普段どのような仕事をしているのかを紹介したいと思います。

腎臓の多彩な機能

- 腎臓は私たちが寝ている時も起きている時も、常に仕事をしています。患者さんには、「腎臓はおしっこを作る臓器で、体から老廃物を出すために必要です」というように説明しますが、それ以外にも様々な仕事をしています。

腎臓の仕事

- **排泄**
  - 老廃物（尿素、尿酸、クレアチニンなど）
  - 異物（薬物、毒など）
- **体液の恒常性の維持**
  - 体液量や浸透圧
  - イオン（電解質）組成
  - 酸塩基バランス
- **内分泌（ホルモンの産生）**
  - ビタミンＤの活性化
  - レニン産生
  - エリスロポエチン産生

- こんなにいろいろな仕事をいっぺんにこなしている臓器は、ほかに見当たりません。非常に複雑な構造をしている腎臓だからこそ、発揮できる機能と言えます。その名の通り、腎臓はとてもとても「賢い臓器」なのです。
- ですから、腎臓の機能に不具合が生じると、尿が出にくくなるだけでなく、全身の様々な部分に影響が出てしまいます。

- このような腎臓の複雑な機能を理解する前に、まず腎臓の構造について簡単に説明したいと思います。

腎臓の大きさと位置

- 腎臓の大きさはおよそ**こぶし大**です。正常は約 10cm × 5cm くらいですが、腎不全になると徐々に萎縮してきて小さくなります。肝臓も障害が進んで肝硬変になると萎縮しますが、それと同じですね。
- 英語でインゲン豆のことを Kidney bean と言います。腎臓の形に似ているからです。

Kidney Bean

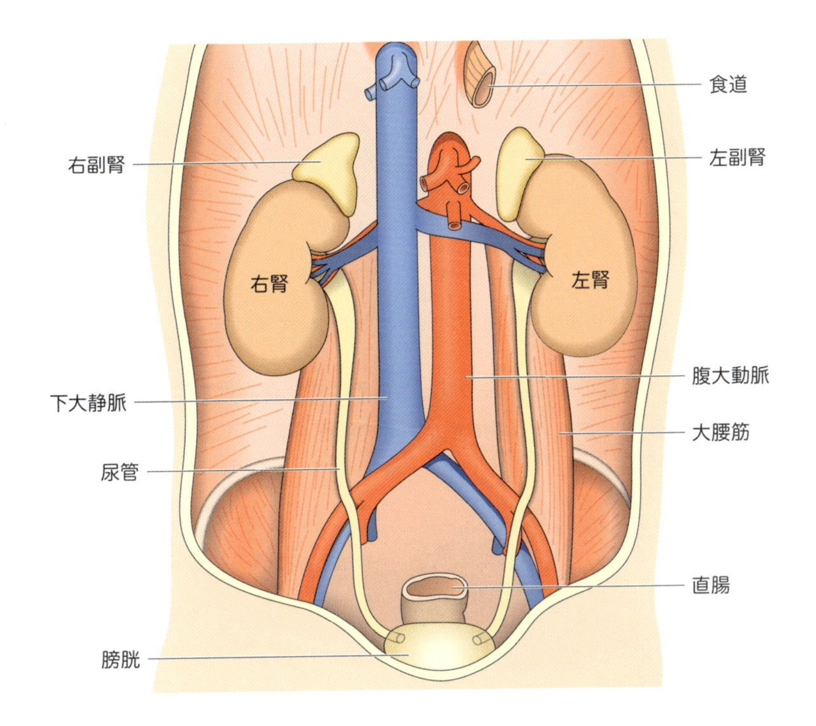

- 腎臓は**後腹膜臓器**の 1 つで、体の背中側にあります。正確に言うと、脊椎の左右、第 12 胸椎から第 3 腰椎の高さに位置しています。
- 腎疾患は通常、症状がありません。蛋白尿が出ていても腎機能が悪くても、痛くもかゆくもありません。そこが腎臓病診療の難しい点です。
- 症状があるのは尿管結石や腎結石などです。腰のあたりが痛くなりますが、腎臓がその位置にあるためです。右には肝臓があるため、左腎よりも右腎の方がやや低い位置にあります。

ネフロンは尿を作る基本構造

- 腎臓の割断面を観察すると、表層の**皮質**（cortex）と内層の**髄質**（medulla）に分けられます。髄質は、さらに髄質外層（outer medulla）と髄質内層（inner medulla）に分かれています。

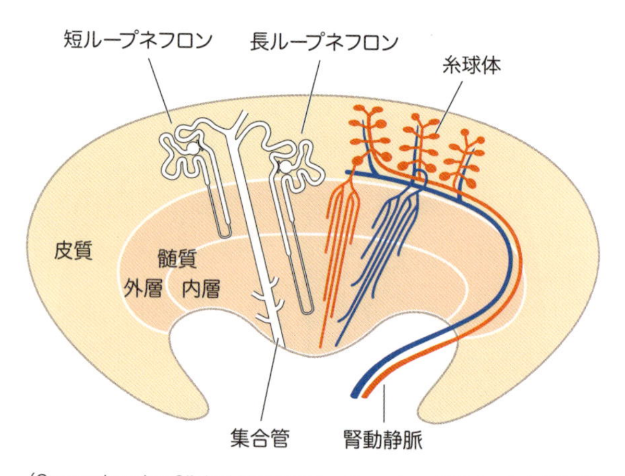

（Comprehensive Clinical Nephrology, Saunders, 2014, p2 より引用）

- 下の写真は、腎臓の皮質を拡大したところです。腎臓は**ネフロン**と呼ばれる構造の集合体でできているのですが、その断面を見ていることになります。

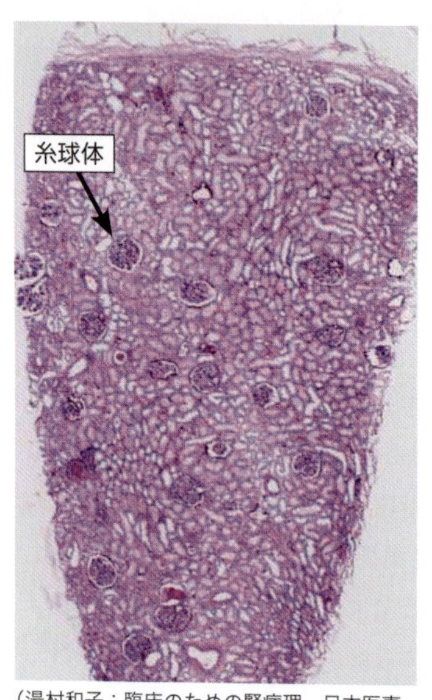

（湯村和子：臨床のための腎病理，日本医事新報社，2010, p10 より引用）

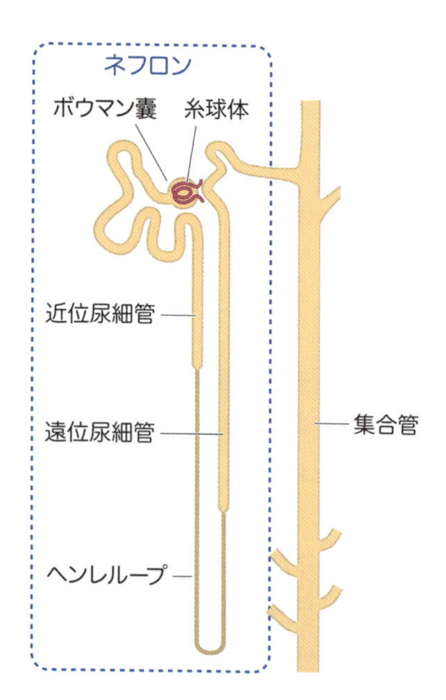

- 断面で丸く見えるのが**糸球体**、それ以外の管状の構造は**尿細管**です（一部に血管の断面も見えています）。糸球体から遠位尿細管までの構造を**ネフロン**（nephron）といい、尿を作る基本構造です。

- ヒトの場合、1つの腎臓に約100万個のネフロンがあると言われています。左右2つあるので、1人あたり約200万個のネフロンがあります。

ネフロンの構成

糸球体 ➡ 近位尿細管 ➡ ヘンレループ ➡ 遠位尿細管

- 各ネフロンは**集合管**で合流し、**腎盂**を形成して尿管へと注ぎます。

尿の流れ

各ネフロンを通過 ➡ 集合管で合流 ➡ 腎盂 ➡ 尿管 ➡ 膀胱

糸球体は超小型の血液濾過装置

- **糸球体**（glomerulus）は、血液を濾過して原尿を作るところです。その名の通り、糸が球体になった構造をしており、毛糸玉のような毛細血管のかたまりが、ボウマン嚢というカプセルの中に入っています。

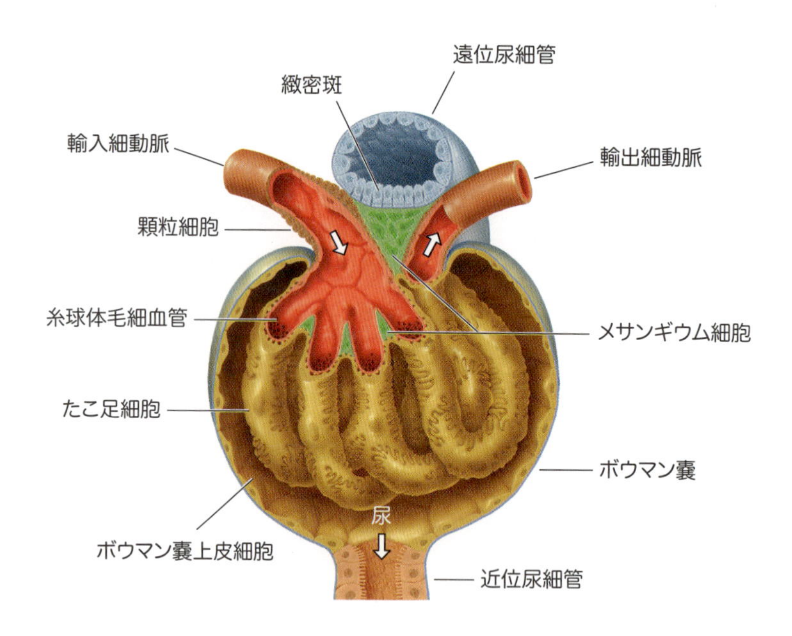

- 糸球体の前には**輸入細動脈**、後ろには**輸出細動脈**がつながっています。
- 糸球体の毛細管には透過性があります。糸球体の血圧（糸球体内圧）によって分子量の小さい蛋白は濾過されますが、分子量の大きい蛋白や血球などは濾過されません。
- 糸球体で濾過される血液量を**糸球体濾過量**(glomerular filtration rate：**GFR**)と呼びます。正常値は1分あたり100mL程度です。つまり、約200万個の糸球体で1分間に100mLの血液が濾過されていることになります。

糸球体の電子顕微鏡写真

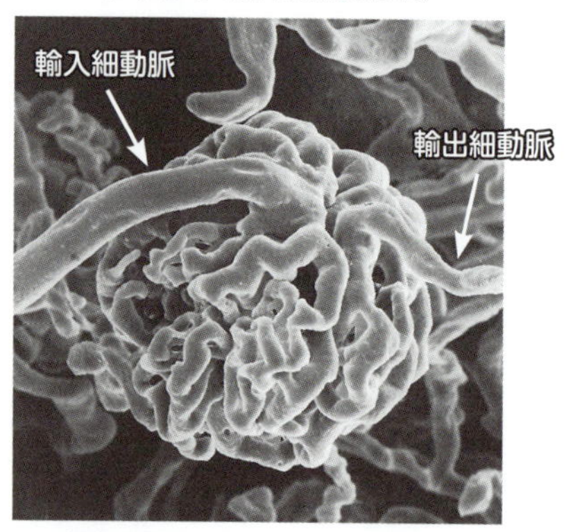

（写真提供：順天堂大学 坂井建雄教授）

糸球体を構成する細胞

- 糸球体は基本的に４種類の細胞で構成されています。

糸球体を構成する細胞

- ボウマン嚢上皮細胞
- 糸球体上皮細胞（タコ足細胞）
- メサンギウム細胞
- 血管内皮細胞

- 下の図は糸球体の断面を模式的に示したものです。一番外側に位置するのが、**ボウマン嚢上皮細胞**で、ボウマン嚢の壁を作ります。
- 糸球体は毛細血管のかたまりなので、血管の輪切りがたくさん見えます。その中に核が見えたら、それは**血管内皮細胞**の核です。
- 血管の外側にくっついているのが糸球体上皮細胞、別名**タコ足細胞**です。タコの足のような突起が毛細血管を覆い、バリアーとして機能します。この細胞が障害を受けて脱落すると、蛋白尿や血尿を生じます。
- 血管と血管の隙間を埋めているのが**メサンギウム細胞**です。毛細血管が動かないように固定する役割を果たしています。

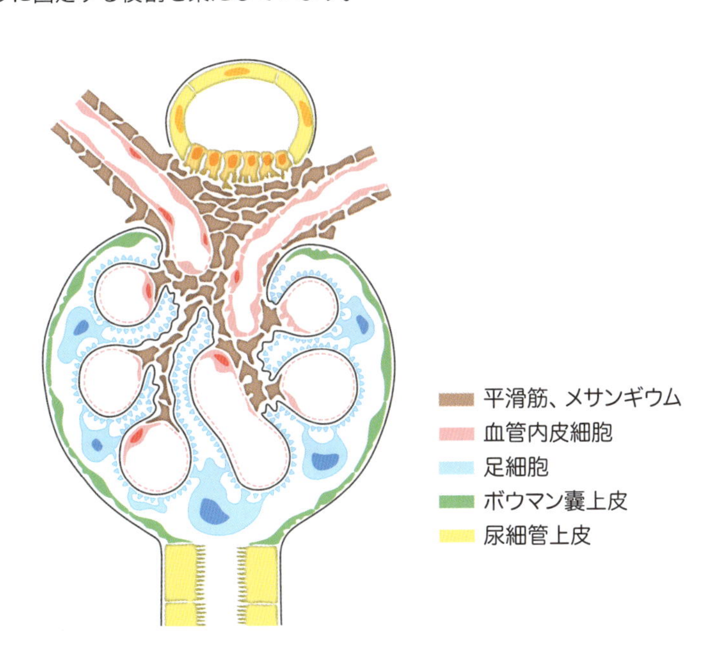

メサンギウム細胞は収縮能を持つ

- メサンギウム（mesangium）の名前の由来は、*metho*（間）＋ *angium*（血管）、すなわち毛細血管の間にある細胞を意味します。

- メサンギウム細胞は、輸入細動脈や輸出細動脈の周りに存在する血管平滑筋と同じ性質を持っています。
- 血管平滑筋の性質とは何でしょう。そう、**収縮能**ですね。血管平滑筋細胞は収縮することによって全身血圧を上昇させます。
- メサンギウム細胞にも収縮能が備わっています。**アンジオテンシンⅡ**などの血管作動物質に反応して収縮し、糸球体の血圧、いわゆる糸球体内圧を適切に維持する役割があります。

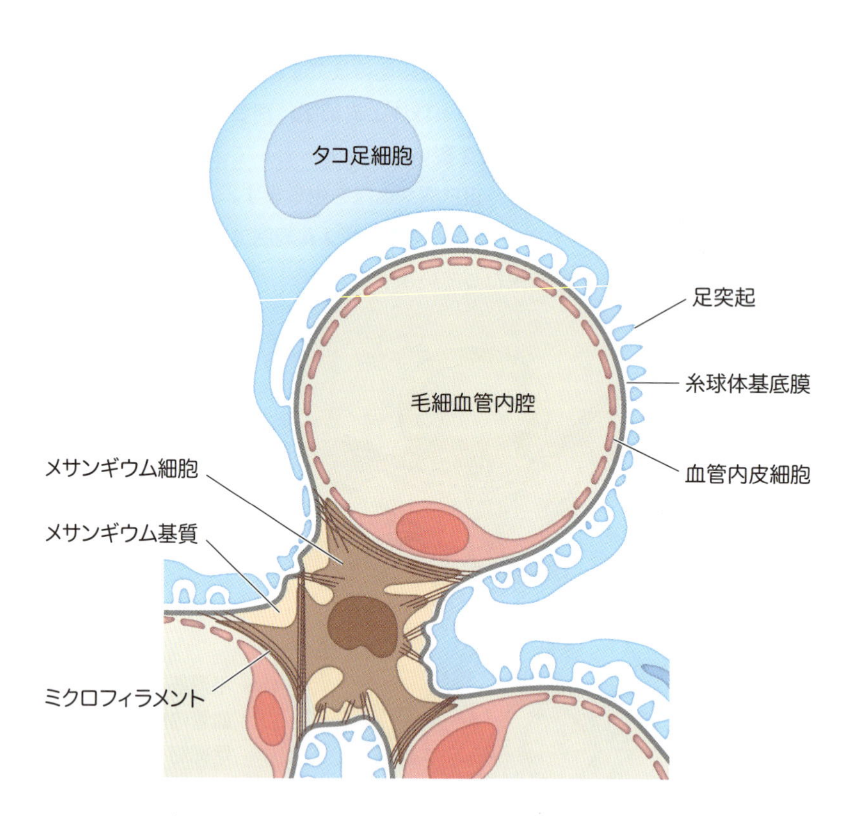

（Comprehensive Clinical Nephrology, Saunders, 2014, p4 より引用）

糸球体上皮細胞は繊細で壊れやすい

- 糸球体上皮細胞は、多数の細胞突起（**足突起**）を伸ばすタコのような形の細胞で、**タコ足細胞**とも呼ばれます。
- 英語では**ポドサイト**（podocyte）といい、*podo-* は「足」を意味するギリシャ語に由来します。
- 足突起は、隣り合う細胞の足突起と規則正しく絡み合って、糸球体の表面全体を覆っています。

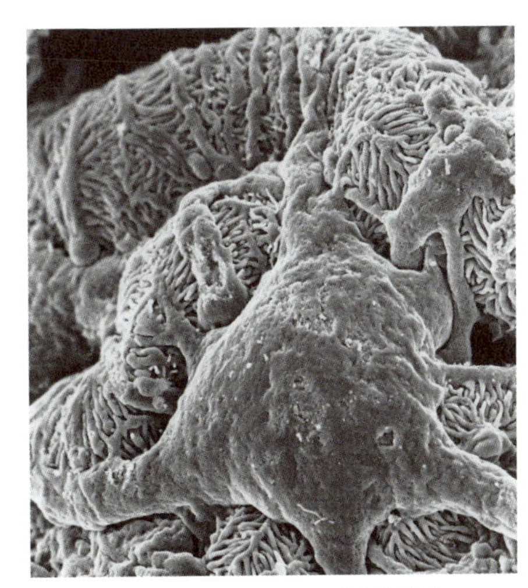

（写真提供：順天堂大学 坂井建雄教授）

スリット膜が壊れると蛋白尿になる

- 隣り合う足突起の間には**濾過スリット**（filtration slit）と呼ばれる隙間があります。この隙間をふさぐようにして、足突起どうしは**スリット膜**（slit diaphragm）を形成しています。
- スリット膜が正常に機能していれば、蛋白は漏れません。糸球体上皮細胞に障害が加わると、スリット膜が壊れて足突起が消失し、蛋白尿を発症します。

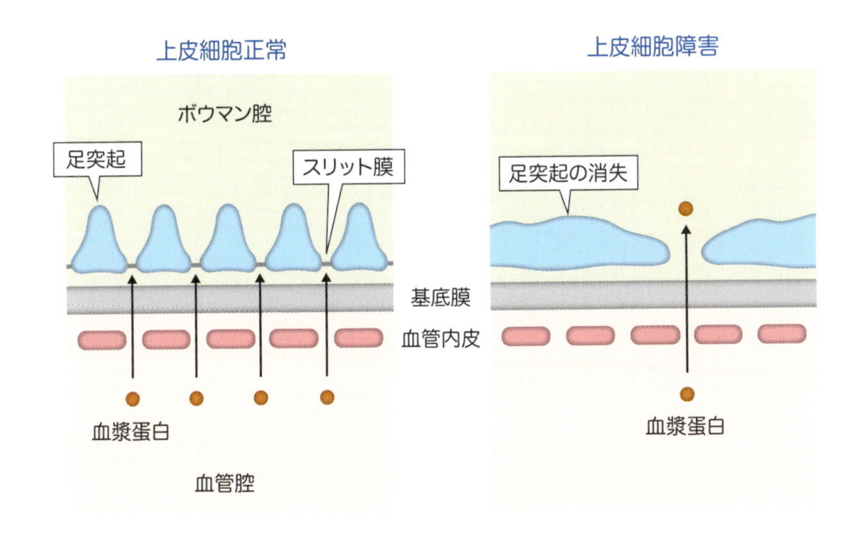

- スリット膜は多くの分子によって構成され、それらの異常が蛋白尿を引き起こします。

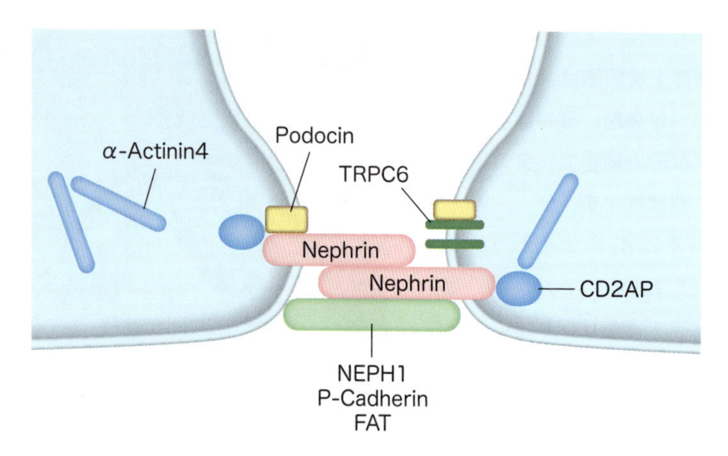

(Comprehensive Clinical Nephrology, Saunders, 2014, p187 より引用)

スリット膜関連蛋白の遺伝子変異によるネフローゼ症候群

- **Nephrin（ネフリン）** ➡ フィンランド型先天性ネフローゼ症候群
- **Podocin（ポドシン）** ➡ ステロイド抵抗性ネフローゼ症候群（常染色体劣性遺伝）
- **α-actinin4** ➡ 家族性 FSGS（常染色体優性遺伝）
- **TRPC6** ➡ 家族性 FSGS（常染色体優性遺伝）
- **CD2AP** ➡ CD2AP 欠損マウスはネフローゼ症候群を発症

糸球体基底膜は老廃物を濾過するフィルターのようなもの

- 糸球体基底膜は、スリット膜とともに糸球体における血液濾過の主役と考えられています。糸球体基底膜は**Ⅳ型コラーゲン**を主成分として、ラミニン、フィブロネクチンなどの糖蛋白、ヘパラン硫酸プロテオグリカンなどの分子で構成されています。

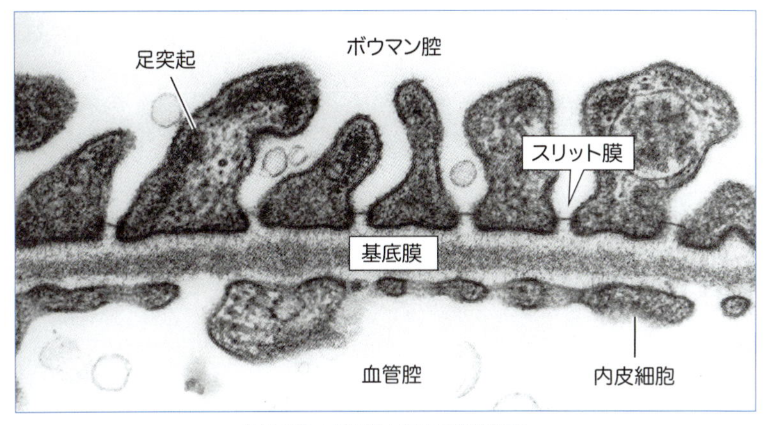

（写真提供：順天堂大学 坂井建雄教授）

- Ⅳ型コラーゲンによる網目状構造は、分子量６万以上の蛋白の透過を妨げる、いわゆる**サイズバリアー**として機能します。
- ヘパラン硫酸プロテオグリカンは陰性荷電を持っています。この陰性荷電は、アルブミンなど陰性荷電をもつ血漿蛋白が通過することを妨げています。これを**チャージバリアー**と呼んでいます。
- これらの機序によって老廃物が濾過されると考えられていますが、現段階ではあくまでも仮説です。

基底膜に関連した腎臓の病気

- 遺伝性疾患の**アルポート症候群**は、糸球体基底膜を構成するⅣ型コラーゲンの遺伝子欠損が原因で蛋白尿や血尿を発症すると考えられています（第７章参照）。
- 糸球体基底膜を構成するⅣ型コラーゲンに対する**自己抗体**（抗基底膜抗体）ができてしまう病気もあります。**抗基底膜病**と呼ばれ、急速進行性糸球体腎炎の形で発症する予後不良な腎疾患です。

尿細管は物質輸送を担う重要なシステム

- 4ページの写真で見たように、腎臓の大部分は**尿細管**（renal tubule）で占められています。尿細管はその名の通り、尿が通過する細い管状の構造です。
- 皮質の糸球体で濾過された原尿は**近位尿細管**へと入り、いったん髄質に入ったあとにもう一度、皮質に戻ってきます。この迂回ルートを**ヘンレループ**（Henle loop）と呼びます（ドイツ人医師のHenleが発見しました）。

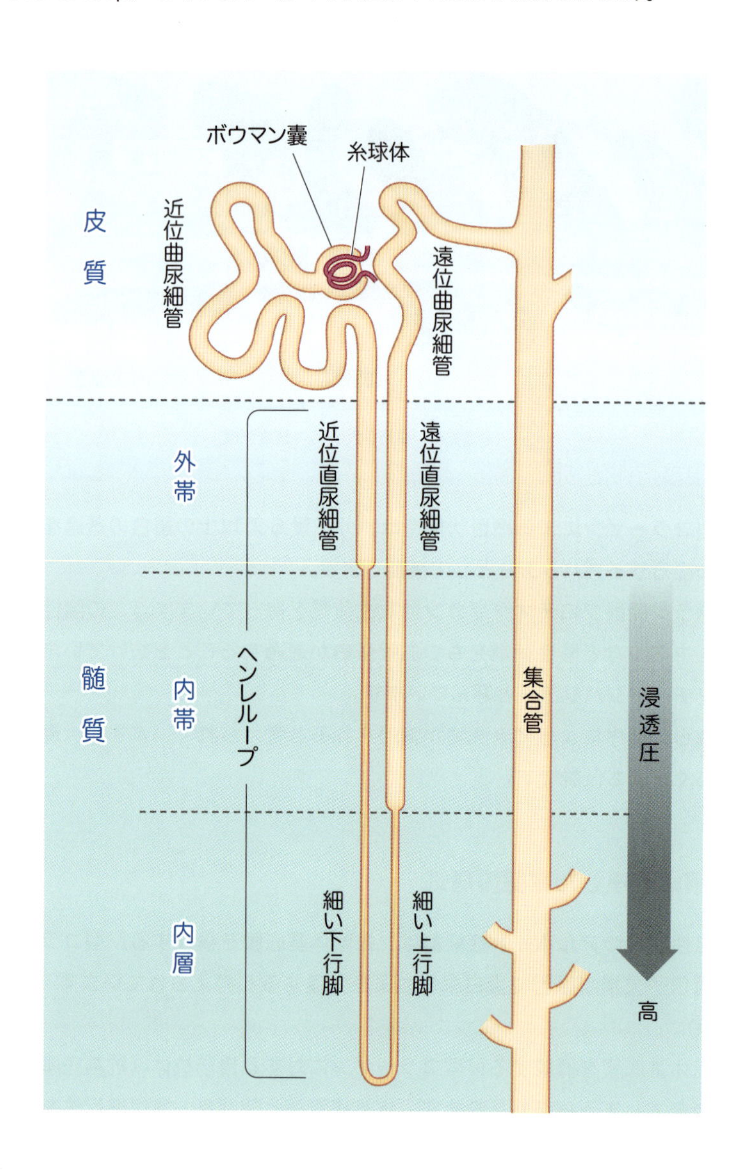

浸透圧勾配により尿が濃縮される

- 皮質と比べて髄質は浸透圧が高くなっているため、原尿はヘンレループを通過する過程で**浸透圧勾配**によって水分が取り除かれます。ここで尿の濃縮が行われるわけです。
- ヘンレループを通過すると、尿は皮質の**遠位尿細管**を通り、髄質の**集合管**へと流れます。ここで再び水分が再吸収され、尿が濃縮されることになります。

近位尿細管で大量の物質が再吸収される

- 近位尿細管細胞を拡大して見ると、内腔側に**刷子縁**（さっしえん）（brush border）と呼ばれるブラシのような構造を備えています。

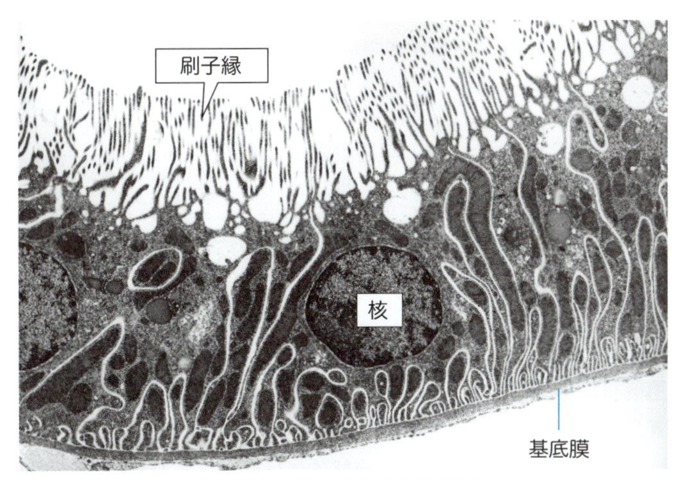

（写真提供：順天堂大学 坂井建雄教授）

- 刷子縁は、長い**微絨毛**（びじゅうもう）が密に集まった構造です。非常に多くのチャネルやトランスポーターを発現しており、様々な物質の輸送を行っています。
- 近位尿細管では常にいろんなもの（水、電解質、ブドウ糖など）を大量に再吸収しており、糸球体濾過量の 50 ～ 75% がここで再吸収されます。
- 微絨毛は、尿と接する面積を広くすることにより、大量の再吸収を効率よく行うために必要な構造なのですね。

必要な物質は尿細管で再吸収される

- 腎臓の機能といえば、何といっても排泄機能ですね。老廃物だけでなく、異物や毒素、薬剤なども尿から排泄されています。
- 基本的に腎臓は、[糸球体濾過] と [尿細管での再吸収・分泌] の 2 段階で尿を生成しています。
- まずは糸球体でドバッと濾過して、その後必要なものを尿細管で**再吸収**や**分泌**しながら、尿を生成しているわけです。ただし、その様式は物質により異なります。

尿の生成

尿 = [糸球体濾過] − [尿細管での再吸収] + [尿細管での分泌]

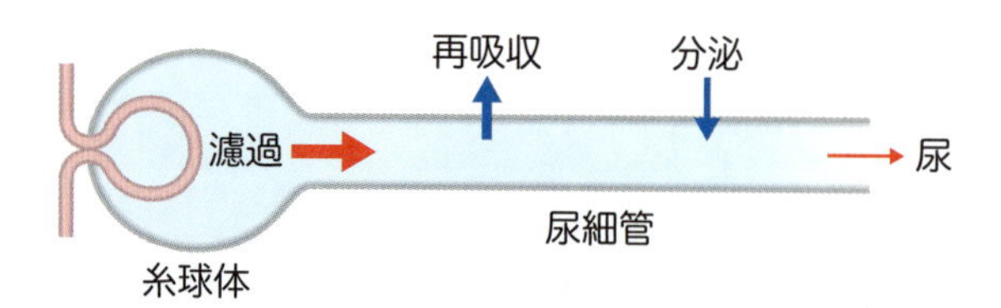

- **水**と**電解質**は分子量が小さいので、糸球体で 100%濾過されます。でも、そのまま尿に出ていくわけではありません。長い長い尿細管を通過しながら再吸収されたり分泌されたりして、最終的には濾過された量のごく一部が尿として出ていきます。
- 糸球体で濾過される血液量、すなわち**糸球体濾過量**（glomerular filtration rate：GFR）の正常値は、およそ 100（mL/min）です。つまり、1 分間に 100 mL の水分が糸球体を通過していることになります。
- 1 日量に換算するとどれくらいでしょうか。

1 日の糸球体濾過量（原尿）

100 mL × 60（分）× 24（時間）= 144,000 mL = 144 リットル

- 1 日に約 144 リットルの血液が糸球体を通過している（濾過される）ことになります。しかし、そのすべてが尿になるわけではありません。99%は尿細

管で再吸収されるため、実際に尿として排泄されるのは原尿の1%、約1.5リットルになります。

- **Na**も糸球体で濾過されたもののうち、99%が尿細管で再吸収されます。その比率は、60%が近位尿細管、25%がヘンレの上行脚、10%が遠位尿細管、数パーセントが集合管で、残りの1%が尿中に排泄されます。

- **ブドウ糖**は糸球体で濾過されますが、近位尿細管で100%再吸収されるので尿には出ません。しかし、血糖値が高くなると、糸球体で濾過されるブドウ糖の量が増えて、近位尿細管での再吸収の限度を超えるため、尿に出てきます。これが尿糖です。

- **クレアチニン**は筋肉で産生される老廃物です。糸球体で濾過され、再吸収も分泌も受けずに（本当は少し分泌されますが）、そのまま尿中に排泄されます。水やNaは99%が再吸収されるので、クレアチニンの濃度は最終的に100倍に濃縮されることになります。

体内の水分量を一定に保つのも腎臓の仕事

- 腎臓が尿を生成する目的は、単に老廃物を排泄するだけでなく、体内の水分量を調節するためでもあります。
- よく教科書には「体液の量および質的な恒常性を維持する重要な働き」と記載されています。といっても、抽象的でよくわかりませんね。具体的な例で説明しましょう。

尿量を調節することで体液量を一定に保つ

- たとえば、真夏の炎天下、汗をたくさんかいても、脱水になって倒れたりしません。このとき腎臓は頑張って尿を濃縮することで、体の水分を維持し、脱水になるのを防いでいます。おしっこは、色の濃い**濃縮尿**になります。
- 逆に、水分（たとえばビール）をたくさん飲んでも、体に水分が貯留してむくんだりすることはありません。このとき腎臓は一生懸命、余分な水分を尿として排泄することで、体液量を一定に保っています。おしっこは、色の薄い**希釈尿**になります。
- つまり、体内の水分量を一定に保つために腎臓は必要不可欠と言うことです。

- また、健康な方であれば、塩分（たとえばカップラーメン、フライドポテト）をたくさん摂取しても高血圧になったり、むくんだりしません（ずっと続ければ高血圧になりますが）。これも腎臓が頑張って余分な塩分を尿として排泄してくれるからです。

- このように腎臓は水分や塩分の排泄を調節することにより、血圧や体液のバランスを一定に保っています。
- ということは、腎機能が低下すると、この体液バランスの調節が破綻してしまいます。全身の様々な部分に不具合を生じるのは容易に想像できますね。

体重の何パーセントが水分か？

- では、体内に水分はどのくらい存在するのでしょうか。下の図は成人の体液区分を示しています。体重の約 60%は水分でできています。
- 体液は**細胞内液**と**細胞外液**に分かれます。細胞外液はさらに**間質液**と**血液**に分かれます。いわゆる「浮腫」は、間質液が増加することによって生じます。

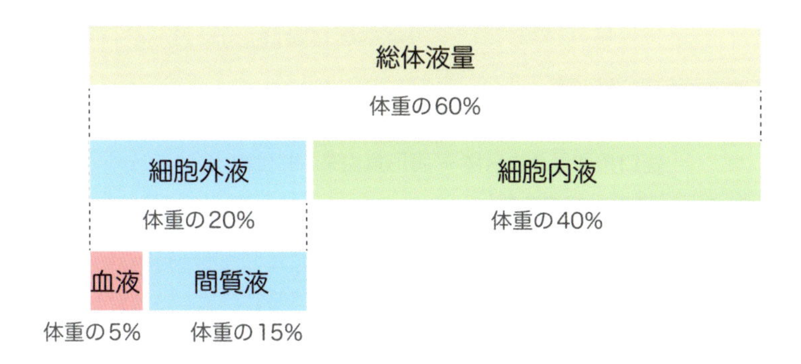

- 体内の水分量の割合は、加齢とともに減少します。小児では 70 ～ 80%であるのに対し、成人は 60%、高齢者では 50%と低下します。高齢者が脱水に弱いのは体液量がもともと少ないからとも言えます。

加齢に伴う体液量の減少（イメージ）

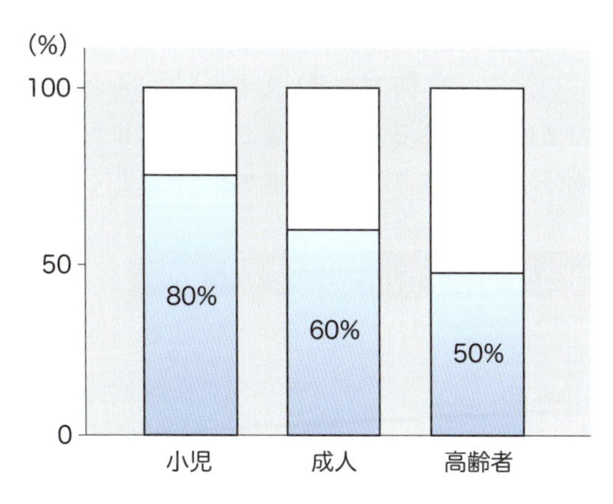

腎臓は1日の水分バランスを精密に調節している

- 1日の水分バランスは、INとOUTに分けて考えます。
- INは単に飲水量だけでなく、食事にも水分が含まれています。さらに代謝水として体内でも水が作られています。**代謝水**とは、栄養素が燃焼して生じる水のことです。
- 一方、OUTは尿量だけでなく、汗や不感蒸泄も含まれます。**不感蒸泄**とは、呼気や皮膚表面から蒸発する水のことです。

1日の水分バランス

- **IN** = 経口摂取量（飲水量＋固形食由来）＋代謝水
- **OUT** = 尿量＋不感蒸泄

INとOUTは常に等しい

- ここで重要なのは、INとOUTは常に等しいということです。INがOUTよりも多ければ、体内に水分が残って**浮腫**を生じます。OUTがINよりも多ければ、**脱水**になってしまいます。
- 健常人では、何もしなくても自動的にこのバランスが保たれています。しかし医療現場では、このバランスが保てない患者さんが多くいます。たとえば、ICU入室中で全身状態の悪い方、脳梗塞後で意識レベルの低い方、人工呼吸器装着中の方は、脱水になっても、喉の渇きを伝えることができません。
- また、発熱していたら、汗（不感蒸泄）も考慮してIN/OUTバランスを計算しなければなりません。もちろん、輸液量にも影響します。
- したがって、水分バランスをきちんと把握することはとても重要なのです。

水分バランスがうまくコントロールできない病態

- 意識障害
- 人工呼吸器装着中
- 腎不全
- 心不全

腎臓は内分泌臓器である

- 腎臓は**レニン**や**エリスロポエチン**といったホルモンを産生する内分泌臓器であり、**ビタミンD**の活性化も行っています。腎臓はまた、他臓器で作られたホルモンの作用部位でもあります。

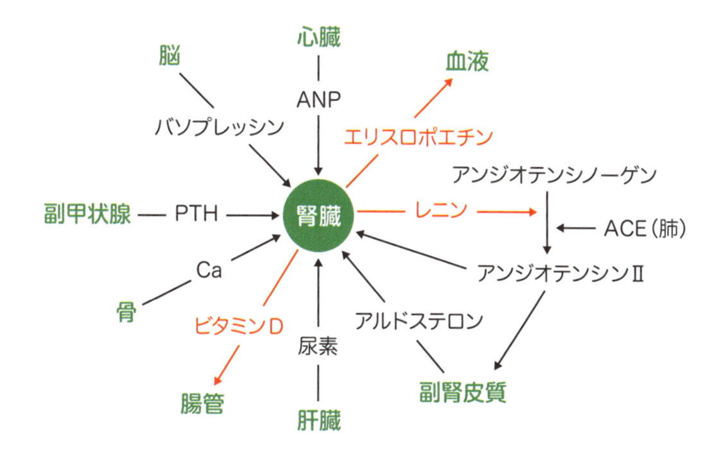

- 腎臓における尿の生成や体液バランスは、主に下記のホルモンによって制御されています。全身の各臓器から産生される複数のホルモンが腎臓に作用して、それらが協調して体液バランスを一定に保つように働いています。

体液バランスを調節するホルモン

- **バソプレッシン**：下垂体後葉から分泌される抗利尿ホルモン（ADH）
  - ➡ 集合管のバソプレッシン受容体に作用
    - ➡ **水の再吸収を促進**（尿を濃縮する）
- **アンジオテンシンⅡ**：肝臓由来アンジオテンシノーゲンから変換
  - ➡ 血管収縮（血圧上昇）
  - ➡ 近位尿細管での **Na 再吸収を促進**
  - ➡ アルドステロン分泌を促す
- **アルドステロン**：副腎皮質で合成・分泌
  - ➡ 集合管での **Na 再吸収を促進**、K 排泄を促進
    - ➡ 血圧上昇
- **心房性 Na 利尿ペプチド（ANP）**：心房で合成・分泌
  - ➡ 集合管での **Na 再吸収を抑制**（Na 利尿）
    - ➡ 全身の血管を拡張（血圧低下）

アルドステロン

副腎 ➡ 腎臓

- **アルドステロン**は、アンジオテンシンⅡの作用によって副腎皮質で合成・分泌されるステロイドホルモン（ミネラルコルチコイド）です。
- アルドステロンは、腎臓の集合管に存在する**ミネラルコルチコイド受容体**に結合します。すると、**上皮型 Na チャネル（ENaC）**（イーナックと読みます）が増加し、Na の再吸収を促します。
- Na は主要な浸透圧物質であり、Na の移動に伴って水も移動します。そのため二次的に水の再吸収が促進され、体液量が増加します。
- アルドステロンは、K 分泌、H 分泌を増加させる作用も有しています。

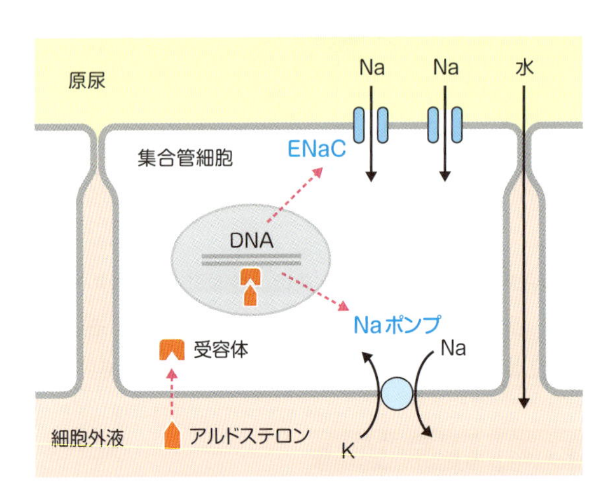

アルドステロンは体液量を増加させ、血圧を上げる

- このようにアルドステロンは腎臓に作用し、Na と水を体内に貯め込むことによって血圧を上昇させます。
- したがって、その阻害薬である**抗アルドステロン薬**は降圧薬として作用し、Na と水がより多く尿中に排泄されます。代表的な薬剤にスピロノラクトン（アルダクトン A®）があります。尿細管における K 分泌も阻害されるため、副作用として高カリウム血症に注意が必要です。

アルドステロンの作用

- **Na と水の再吸収を促進**
- **K 分泌を促進**

心房性Na利尿ペプチド（ANP）

心臓 ➡ 腎臓

- **心房性Na利尿ペプチド（ANP）**はその名の通り心房から分泌され、腎臓に働くホルモンです。循環血漿量の増加などによって心房に負荷がかかったとき、心房筋から分泌され、血圧を下げる方向に働きます。

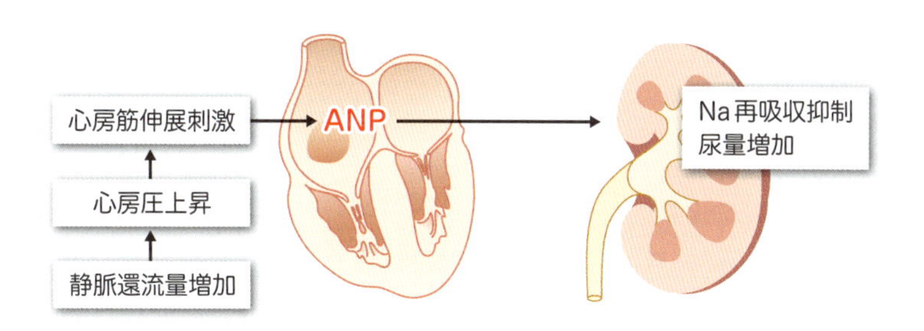

- ANPは、腎臓の集合管に存在するANP受容体に結合して上皮型Naチャネル（ENaC）の数を減らします。アルドステロンの作用に拮抗するよう働くわけです。これによってNaの再吸収が抑制され、尿細管腔の浸透圧が上昇し、水の再吸収も抑制されます。
- 利尿薬の主な作用機序は尿細管でのNaの再吸収阻害ですが、ANPはまさに体内で合成される利尿薬のようなものです。

- 遺伝子組換えANP製剤として、カルペリチド（ハンプ®）があります。利尿作用、血管拡張作用により心負荷を軽減する薬です。心不全の急性期に、尿量の確保が困難な重症例に使用します。
- 血中ANP濃度は心不全の指標として有用です。ANPは心房筋の伸展刺激により産生・分泌されるため、心房圧の上昇や体液量の増加をきたす病態で異常高値を示します。

ANPの作用

- **Naと水の排泄促進**
- **血管拡張による血圧低下**

体液量を一定に保つシステム

2つの調節系

- 夏の暑い日に運動して、汗をたくさんかいたとします。当然、脱水傾向になりますが、そのとき体内ではどのようなことが起こっているのでしょうか。
- 大まかに2つの調節系が働いています。**浸透圧調節系**と**容量調節系**です。

浸透圧調節系

- **体液浸透圧の上昇**
  → **抗利尿ホルモン**⇑ → 腎での水再吸収⇑ → 体液浸透圧の正常化
  → 口渇 → 飲水 → 体液浸透圧の正常化

容量調節系

- **循環血液量の低下（血圧低下）**
  →**レニン・アンジオテンシン系活性化** → 血管壁の緊張 → 血圧正常化

- 脱水になると体液の浸透圧が上昇します。すると、もちろん喉が渇きますが、それよりも前に**抗利尿ホルモン（ADH）**である**バソプレッシン**が下垂体後葉から分泌されます。このホルモンは腎臓の集合管に存在する受容体に作用し、水の再吸収を増やすことで脱水を防いでいます。
- 一方、循環血液量が減り血圧が低下すると、容量調節系である**レニン・アンジオテンシン・アルドステロン系**が活性化します。アンジオテンシンⅡは血管を収縮させ、アルドステロンは腎臓でのNa再吸収を促進することによって、血圧を保つように働きます。
- 脱水傾向になっても倒れないのは、このような調節系が働いているからなのです。体液量の調節には腎臓以外にも心臓、交感神経、視床下部・下垂体などの臓器が関わっています。

血漿浸透圧を規定する因子

- 血漿浸透圧を規定している因子は、**Na**、**グルコース**、**BUN**です。次の式で計算できますが、ざっくりと「Na濃度の約2倍」と覚えてもよいでしょう。

血漿浸透圧（275～295 mOsm/kg）

$$P_{osm} = 2 \times Na + (グルコース/18) + (BUN/2.8)$$

尿浸透圧はとても広い範囲で調節されている

- 血漿浸透圧と尿浸透圧、そして ADH 濃度の関係を示したグラフを使って説明しましょう。

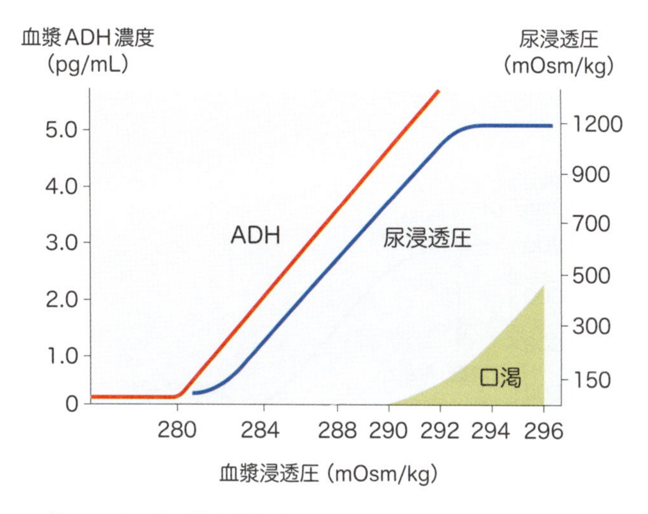

（Comprehensive Clinical Nephrology, Saunders, 2014, p93 より引用）

- 脱水になると血漿浸透圧（横軸）が上昇し、290 mOsm/kg を超えると、喉が渇いてきます。でも実は体内では、喉が渇く前から ADH の分泌が亢進していることがわかります。
- では、血中の ADH が上昇すると何が起こるのでしょう。右軸の尿浸透圧を見てみましょう。ADH 濃度が上昇するに伴い、尿の浸透圧が高くなります。水の再吸収が促進され、尿が濃縮されるためです。

- 腎臓が正常なら、ADH によって尿浸透圧は 50 ～ 1300 mOsm/kg の範囲で調節されています。100 mOsm/kg 以下を**低張尿**、280 mOsm/kg 前後を**等張尿**、そして 500 mOsm/kg 以上を**高張尿**といいます。
- ここでびっくりするのは、尿浸透圧の正常値が非常に幅広いことです。腎臓がいかにフレキシブルに対応しているかがわかります。このように尿を希釈・濃縮することで、体液量を常に一定に維持しているわけです。

GFR が低下すると尿浸透圧の調節ができなくなる

- 体液浸透圧の変化に対応して、腎臓が尿の浸透圧を自在に変えていることを学びました。尿浸透圧を 50 ～ 1300 mOsm/kg の範囲で調節できるのでしたね。
- 問題が生じるのは、腎不全のときです。
- 下のグラフは腎機能と尿浸透圧の範囲を示しています。GFR が 25 mL/min 以上のときは、フレキシブルに尿を濃縮したり、希釈したりできます。ところが GFR が低下してくると、その幅が狭くなり、尿の濃縮や希釈が困難になっています。

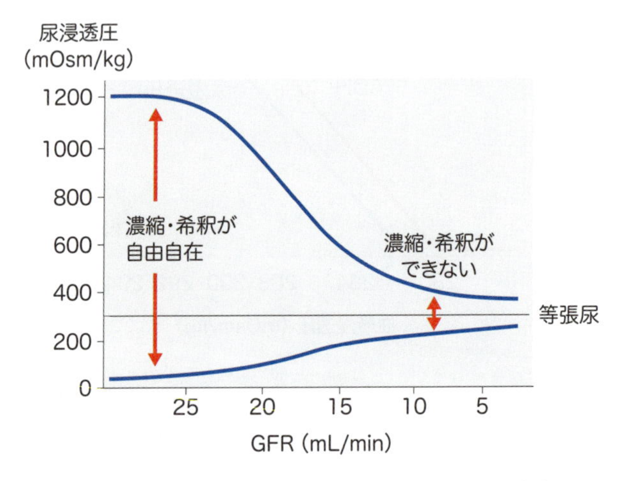

(Bricker NS, *et al. J Clin Invest* 1959;38:516-523 より引用)

- このように、腎不全になると尿を濃縮・希釈する力が低下し、等張尿しか出せないようになるため、水分管理が非常に重要になってきます。

尿浸透圧の調節幅

- **腎機能正常** ➡ 尿の希釈や濃縮が自由自在（50 ～ 1300 mOsm/kg）
- **腎機能低下** ➡ 等張尿しか出せない

抗利尿ホルモン（ADH）

下垂体 ➡ 腎臓

- **バソプレッシン**は視床下部で産生され、高浸透圧刺激により下垂体後葉から分泌されます。脱水に対抗して体内に水を蓄えるホルモン、すなわち抗利尿ホルモン（antidiuretic hormone：ADH）です。

- バソプレッシンは、腎臓の集合管に存在する**V_2受容体**に結合します。すると、細胞内の**アクアポリン**と呼ばれる蛋白質が管腔膜に移動して水チャネルとして機能し、水の再吸収を行います。

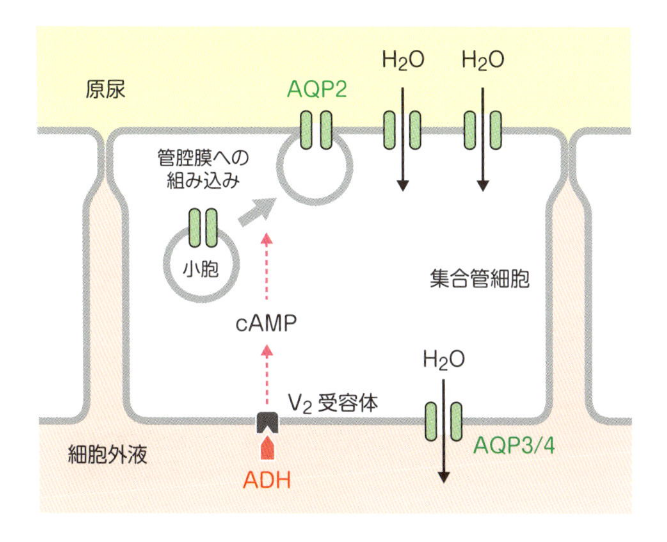

- アクアポリンとは、*aqua*（水）*porin*（孔）、すなわち水を通す孔のことで、水分子を選択的に透過させ、イオンや他の物質は透過させない**水チャネル**です。
- 現在 13 種類が知られており、そのうち腎臓には 7 種類が存在します。**AQP2** は、ADH 刺激により管腔膜に組み込まれ、ADH 刺激がなくなると再び細胞内に取り込まれます。AQP3 と AQP4 は、ホルモン刺激に関わりなく、常時、側底膜に発現しています。
- つまり、AQP2 が集合管における水再吸収の主役であり、それを調節しているのが ADH＝バソプレッシンということになります。

レニン・アンジオテンシン・アルドステロン系

各臓器が協調して連鎖的に反応が進行する

- レニン・アンジオテンシン・アルドステロン系は、生理学や腎臓病学だけでなく、循環器内科学、内分泌学など、各科の教科書に繰り返し登場してきます。全身血圧を規定するシステムの 1 つであり、臨床の現場で非常に重要だからです。
- この系は、下図のように複数の臓器が連携して進行するカスケード反応です。

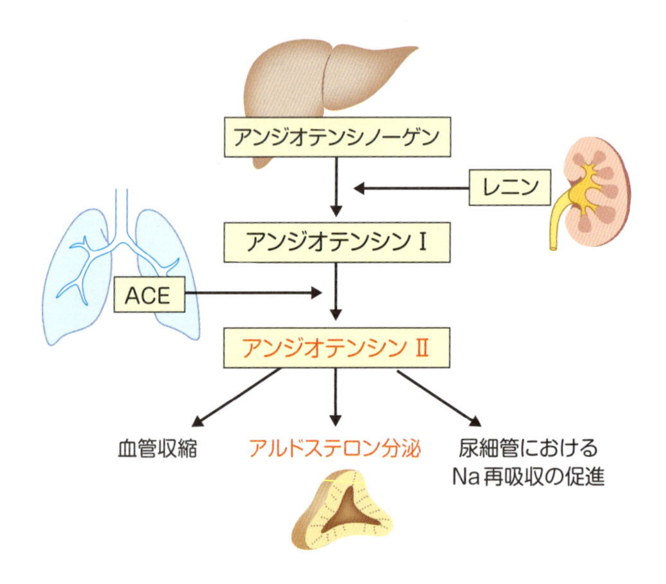

- 腎臓の傍糸球体細胞で産生された**レニン**は、肝臓由来の血中**アンジオテンシノーゲン**を分解して**アンジオテンシンⅠ**に変換します。
- アンジオテンシンⅠは、さらにアンジオテンシン変換酵素（**ACE**）によって**アンジオテンシンⅡ**に変換されます。ACE は肺血管に豊富に存在します。
- アンジオテンシンⅡは、全身の血管平滑筋に存在する **AT 受容体**に作用して血管を収縮させ、血圧を上げる働きがあります。
- さらにアンジオテンシンⅡは、副腎皮質に作用して**アルドステロン**分泌を促進します。アルドステロンは尿細管に作用して Na 再吸収を促進し、その結果、有効循環血液量が増加して血圧が上昇します。

全身血圧が低下してもGFRは一定に保たれる

- 以上のシステムをレニン・アンジオテンシン系（RAS）といいます。肝臓、肺、副腎、腎臓、血管平滑筋が協調して、体内のNa量を維持し、血圧を正常に保つ働きがあるわけです。
- 腎臓において特徴的なことは、アンジオテンシンⅡは糸球体の輸入細動脈・輸出細動脈の両方を収縮させますが、輸出細動脈を収縮させる作用がより強いため、糸球体血圧は低下せず、GFRを維持することが可能です。つまり、レニン・アンジオテンシン系は、全身血圧が低下してもGFRを維持するためのシステムといえます。

レニン・アンジオテンシン系に作用する薬剤

- ということは、このシステムを抑制する薬剤が開発できたら、非常に強力な降圧薬となるわけです。最初に**ACE阻害薬**が開発されました。その後アンジオテンシンⅡ受容体拮抗薬（**ARB**）、**アルドステロン阻害薬**が登場し、最近では**レニン阻害薬**も登場しています。

RAS阻害薬の種類

- アンジオテンシン変換酵素（ACE）阻害薬
- アンジオテンシンⅡ受容体拮抗薬（ARB）
- 抗アルドステロン薬
- 直接的レニン阻害薬

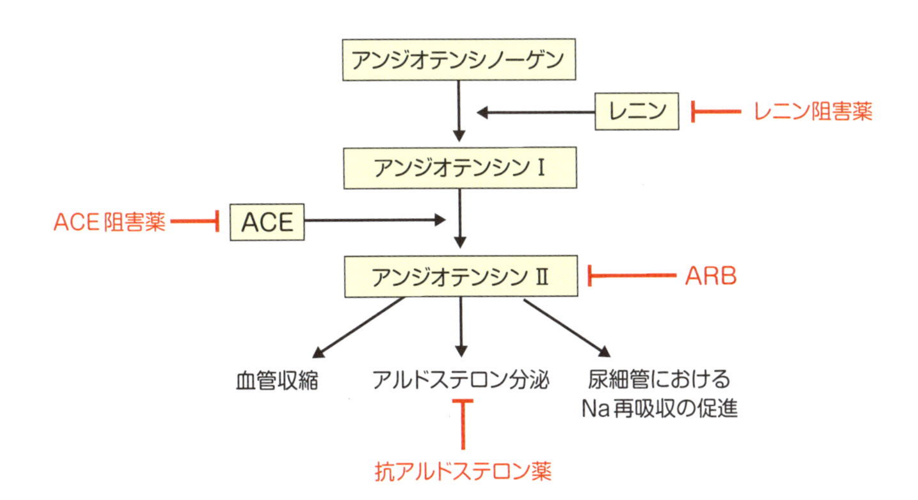

レニン分泌の調節メカニズム

レニン産生細胞は腎臓のどこにある？

- もしレニンが大量に分泌され続けたら、アンジオテンシンⅡが増えて高血圧になってしまいます。当然、何らかの変化に応じて、レニン分泌が調節されているはずです。
- ここで重要なのは、尿細管の走行です。糸球体から出た尿細管は、髄質へ向かいヘンレループで折り返して、再び皮質に向かいます。そして、元の糸球体の血管極に戻り、糸球体に出入りする細動脈に接触します。この接触部分を**傍糸球体装置**（juxtaglomerular apparatus：JGA）と呼びます。
- 輸入細動脈の壁を構成する平滑筋細胞は、糸球体の近くで**顆粒細胞**に置き換わります。レニンはこの顆粒細胞で産生されています。この細胞は、レニンを含んだ顆粒を血中に分泌する働きがあります。

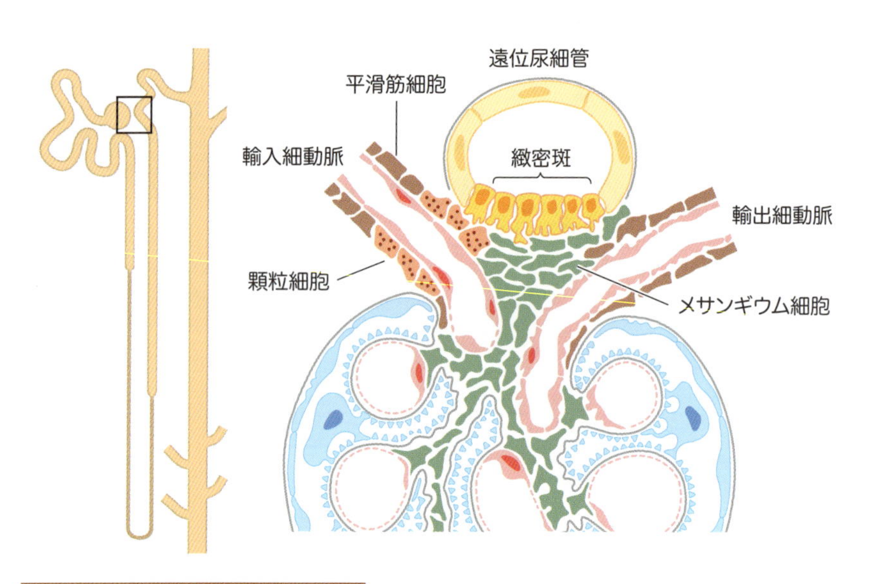

傍糸球体装置を構成する細胞

- 遠位尿細管の緻密斑の細胞
- 輸入細動脈の平滑筋細胞
- 輸入細動脈の顆粒細胞
- 輸出細動脈の平滑筋細胞
- 輸入・輸出細動脈と緻密斑に挟まれた糸球体外メサンギウム細胞

レニン分泌を促進する因子

- 顆粒細胞は何をきっかけとしてレニンを放出するのでしょうか。レニン分泌を促進する因子として、次の３つが重要です。

①腎血流量が低下し、**糸球体の灌流圧**が低下するとレニン分泌が刺激されます。レニンを含む顆粒細胞は平滑筋細胞でもあります。血圧によって伸展させられます。血圧（伸展力）が低下すると、レニンを放出するわけです。

②遠位尿細管が糸球体に接する部分は、**緻密斑**（**macula densa**）という特殊な上皮を形成しています。緻密斑は、ここに到達する濾液量（**尿中 Cl 濃度**）を監視しており、尿中 Cl 濃度が減少するとレニン分泌が刺激されます。

③**交感神経**によってレニン分泌が刺激されます。立位や運動時は、交感神経のβアドレナリン受容体を介してレニン分泌が刺激されます。

レニン分泌促進因子

- 輸入細動脈圧の低下
- 緻密斑を流れる濾液量（NaCl 濃度）の低下
- 交感神経活性化

GFR は緻密斑によって自動調節されている

- 糸球体濾過量（GFR）は、血圧が変動したり塩分摂取量が変化しても、常に一定に保たれています。これは**緻密斑**によって、糸球体濾過量が精密に自動調節されているからです。

下流の流量によって上流の濾過量が調節される

- 糸球体で濾過された原尿は、近位尿細管、ヘンレループ、遠位尿細管、集合管の順に通過し、最終的に尿として排泄されます。
- 糸球体濾過量が増加して、遠位尿細管の緻密斑の部位で濾液量（Cl 濃度）が増加すると、輸入細動脈は**収縮**し糸球体濾過量が減少します。
- 反対に、糸球体濾過量が減少して、緻密斑の部位で濾液量（Cl 濃度）が低下すると、輸入細動脈は**拡張**し糸球体濾過量が増加します。
- つまり、下流（遠位尿細管）の流量を感知して上流（糸球体）の濾過量を調節するフィードバック機構が存在するのです。これを**尿細管糸球体フィードバック**（tubuloglomerular feedback：TGF）と呼びます。
- 糸球体濾過量は緻密斑によって自動調節されているのですね。

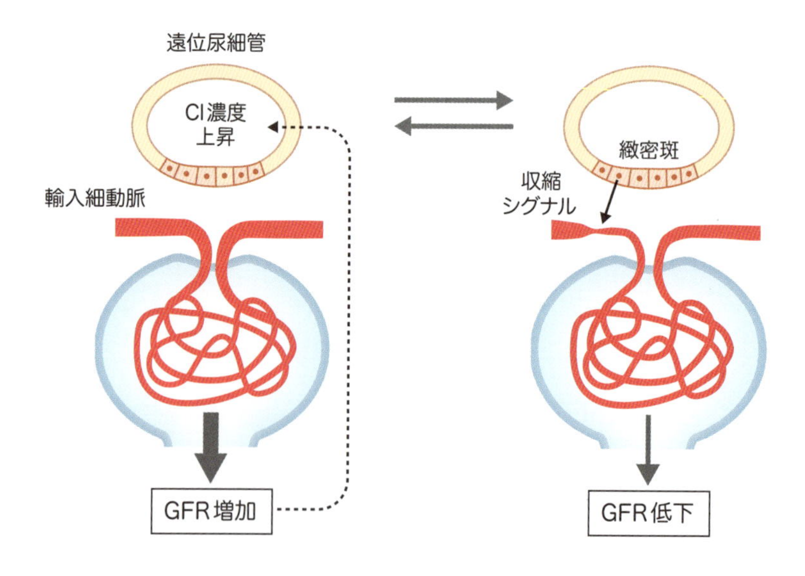

利尿薬の作用機序

利尿薬はNa排泄量を増加させる

- Naの排泄メカニズムは、利尿薬の作用機序を理解する上で非常に重要です。というのは、利尿薬のほとんどはNa排泄を増加させる薬剤だからです。
- 利尿薬は、主として尿細管でのNaの再吸収を阻害することにより、尿中へのNa排泄量を増加させます。水分はNaとともに移動するため、尿中Na排泄量を増やすことによって、同時に尿量も増加させています。

利尿薬の主な作用機序

尿細管でのNa再吸収**阻害** → 尿中Na排泄量**増加** → 尿量**増加**

- 高血圧の患者さんに利尿薬を処方するとき、「どうして尿を出す薬が高血圧に効くのですか」と聞かれることがあります。そんなときは「利尿薬は塩分をおしっこに出す薬です。食事でとりすぎた塩分を体の外に出すことで血圧を下げましょう」と説明しています。

利尿薬は尿細管のどこに効いているか

- **炭酸脱水酵素阻害薬**であるアセタゾラミド（ダイアモックス®）は、近位尿細管で炭酸脱水酵素を阻害します。炭酸脱水酵素によって炭酸（H_2CO_3）からH^+とHCO_3^-が遊離し、H^+はNa^+と交換することで尿中へと排泄されます。このとき、Na^+とともに水も再吸収されます。炭酸脱水酵素を阻害すると、水が再吸収されず、尿量を増加させます。
- **ループ利尿薬**であるフロセミド（ラシックス®）は、ヘンレループ上行脚に作用して、Na^+-K^+-Cl^-共役輸送系を阻害します。
- **サイアザイド系利尿薬**は、遠位尿細管でNa^+-Cl^-共役輸送系を阻害します。トリクロルメチアジド（フルイトラン®）、ヒドロクロロチアジドがあります。
- 上記の利尿薬は副作用として低カリウム血症が起こります。濾液量の増加に伴ってNa/K交換系が亢進し、皮質集合管でのK分泌が増加するためです。
- **ミネラルコルチコイド受容体拮抗薬**であるスピロノラクトン（アルダクトンA®）は、血管側から皮質集合管に入り、ミネラルコルチコイド受容体を拮抗阻害します。Naの再吸収は阻害され、Naと交換に尿中に分泌されるはずの

K は血中に保持されることから、**カリウム保持性利尿薬**と呼ばれます。

- 同じカリウム保持性利尿薬の仲間にトリアムテレン（トリテレン®）があります。こちらは遠位尿細管に直接作用して、Na/K 交換を阻害します。
- **バソプレッシン V_2 受容体拮抗薬**のトルバプタン（サムスカ®）は、集合管で ADH の作用を阻害し、水の再吸収を抑制します。尿量は増えますが、Na 排泄には影響しない点が他の利尿薬と違います。

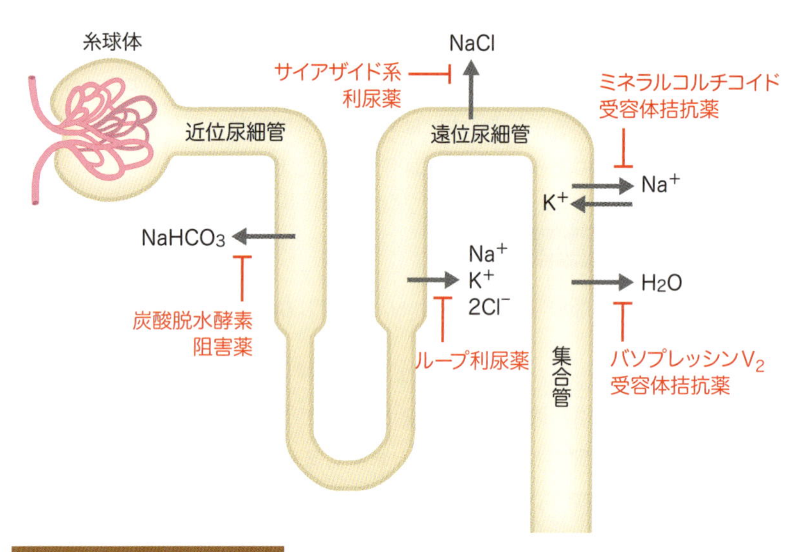

利尿薬の作用と副作用

- **炭酸脱水酵素阻害薬（アセタゾラミド）**
  近位尿細管で炭酸脱水酵素を阻害。副作用は**低 K 血症**。
- **ループ利尿薬（フロセミド）**
  ヘンレループ上行脚で Na-K-Cl 再吸収を阻害。
  副作用は**低 K 血症**、高血糖、高尿酸血症、聴力障害。
- **サイアザイド系利尿薬（トリクロルメチアジド / ヒドロクロロチアジド）**
  遠位尿細管で Na-Cl 再吸収を阻害。
  副作用は**低 K 血症**、高血糖、高尿酸血症、光線過敏。
- **ミネラルコルチコイド受容体拮抗薬（スピノロラクトン / エプレレノン / エサキセレノン / フィネレノン）**
  集合管でアルドステロンと競合的に拮抗。副作用は**高 K 血症**。
- **カリウム保持性利尿薬（トリアムテレン）**
  遠位尿細管で Na-K 交換を阻害。副作用は**高 K 血症**。
- **バソプレッシン V_2 受容体拮抗薬（トルバプタン）**
  集合管でバソプレッシンの作用を阻害し、水の再吸収を抑制。副作用は脱水、**高 Na 血症**。

第2章 検査

腎臓病の特徴は、何といっても症状が出ないことです。大量の蛋白尿があれば下肢のむくみとして症状が出ますが、通常は蛋白尿や血尿が出ていても無症状です。尿検査をしてはじめて疑われます。その意味で早期発見が重要です。

もう1つの特徴は、慢性疾患であるということです。腎臓病は年単位でゆっくり進行していきます。患者さんも特に重症感はありません。でも、過去数年間の数値を振り返ってみると徐々に腎機能が低下していた、といったエピソードはよく経験されます。

尿検査、血液検査、腎生検、画像検査の結果を総合的に判断して、腎臓がどのような状態にあるのかを明らかにする必要があります。

検 査		ページ
尿検査	尿糖	39
	尿蛋白	42
	潜血	47
	尿沈渣	48
腎機能検査	クレアチニン・クリアランス	54
	eGFR	55
	血清クレアチニン	56
	血中尿素窒素（BUN）	58
	イヌリン・クリアランス	59
	血清シスタチン C	62
腎生検		67

尿の異常は全身の異常を反映する

- 腎臓病を疑ったらまず何をしますか？　もちろん、いろんな検査をして診断しなければならないのですが、まずは尿の状態がどうなっているかを調べてみましょう。なぜなら、「尿は全身の異常を映し出す鏡」だからです。
- 尿検査から得られる情報は非常に多いです。痛みもなく、安い費用で、手技も簡単です。
- ほとんどの腎疾患は自覚症状がありません。したがって、早期の腎臓の異常を確実に検出することが重要になります。腎臓病を疑ったら、蛋白尿や血尿の有無、尿沈渣を調べて**腎実質障害**があるかどうかを判断します。

尿検査で腎臓以外の異常もわかる

- 尿検査は、腎臓病の有無だけでなく、他にもいろいろなことがわかります。たとえば、こんな感じです。

尿に異常が現れる病態

- **尿比重や尿中電解質異常** ……… 体液バランスの異常（脱水など）
- **尿糖** ……… 糖尿病
- **尿中ケトン体** ……… 飢餓状態
- **尿中ビリルビン** ……… 肝障害
- **尿中白血球** ……… 尿路感染

- このように腎臓以外の臓器の異常も、尿の状態で推測することができます。「尿は全身状態を映し出す鏡」というのは、決して大げさな表現ではないのです。

尿検査からわかること

- 一口に尿検査と言っても、たくさんの項目があります。尿検査でどのようなことがわかるのか、その種類と意義を知っておきましょう。
- 一般的に尿検査は定性、定量、沈渣に分けられます。

- **定性検査**はテープを用いた検査で、試験紙法とも言います。色の変化で陽性か陰性かを判断します。(−)(±)(+)(++)(+++)などで表現されます。

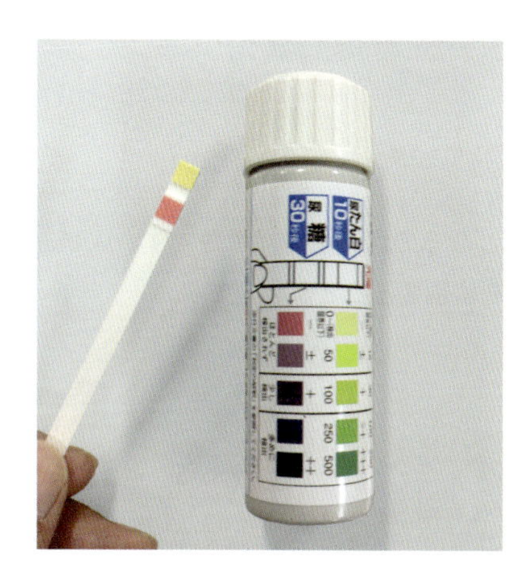

- **定量検査**は通常、尿蛋白定量のことを指しています。尿蛋白の濃度を数値化したもので、単位は「mg/dL」で表示されます。

- **尿沈渣**は、尿を遠心分離して得られた沈殿物のことです。腎疾患では様々な細胞成分や円柱、結晶成分を認める場合があります。

- それぞれの項目の異常がどのような病態を反映しているのか、以降のページで解説していきます。

尿の色で何がわかる？

- 尿の色は淡い黄色ですが、状況により多少変化します。たとえば、汗をたくさんかくと黄褐色の濃縮尿になり、水分を大量に摂取すると無色透明の希釈尿になります。このように尿の濃縮度合いで尿の色は変化しますが、これが臨床に役立つケースがあります。
- たとえば、「意識がない」「挿管中」「消化管手術後のため絶飲食中」などの患者さんは自分で水分を経口摂取できません。そこで、IN/OUT バランスを計算しながら点滴量を決めるわけですが、このとき尿カテーテルが入っていれば、尿の色からある程度、体液バランスがチェックできます。

着色尿の鑑別

- 臨床上、最も問題となるのは**赤色～褐色尿**です。尿が赤いときはいろんな可能性があり、以下を鑑別することが必要です。

赤色～褐色尿

- 腎疾患に伴う**血尿**
- **ミオグロビン尿**や**ヘモグロビン尿**
- 薬物や食べ物による**着色尿**

- **ヘモグロビン尿**や**ミオグロビン尿**では、試験紙法の尿潜血反応が陽性になりますが、尿沈渣では赤血球を認めません。つまり、尿潜血定性と沈渣所見に乖離がある場合は、遊離ヘモグロビンあるいはミオグロビンの存在を考えます。

薬物による着色尿

- 抗結核薬（**リファンピシン**）………… 赤色尿
- 抗てんかん薬（**フェニトイン**）………… 赤色尿
- 麻酔薬（**プロポフォール**）………… 白色尿や緑色尿

- もし尿が混濁していたら、白血球や細菌の混入が原因です。この場合は、尿路感染を示唆しています。

尿比重は何を反映しているのか？

- 尿比重および尿浸透圧の測定は、腎臓における**尿の濃縮・希釈能**を知る上でとても重要です。

正常範囲

- **尿比重**：　1.005 ～ 1.030（通常 1.010 ～ 1.025）
- **尿浸透圧**：　50 ～ 1300 mOsm/kg・H_2O

- 正常範囲がこれほど幅広く設定されている検査項目はなかなかないですね。それだけ腎臓はフレキシブルに尿を希釈・濃縮しているということです。

- 尿比重は多くの場合、尿浸透圧と相関します。尿比重は比較的簡単に測定できるので、尿浸透圧を類推するのに有用です。
- ただし、ブドウ糖や造影剤のように大きな分子量を持つ溶質が存在する場合は、尿浸透圧と相関しないので注意が必要です。

尿比重の異常

- **低比重**（1.008 以下）➡ 尿崩症、腎炎、腎不全
- **高比重**（1.030 以上）➡ 脱水、糖尿病、造影剤使用後、運動後

早朝尿をチェックする意味

随時尿で蛋白陽性のときは必ず早朝尿もチェックする

- 尿検査をする場合、外来患者さんは来院時に尿カップに排尿してもらい、検査を行います。これを**随時尿**といいます。
- **早朝尿**とは、前日就寝前に排尿し、それ以後一切の飲食をせず、朝起きたときの第一尿のことです。あらかじめ患者さんに採尿用の容器を渡しておき、外来受診日の朝の第一尿を持ってきてもらいます。これは、安静時の尿ということになります。
- 随時尿で尿蛋白陽性を認めた場合、必ず早朝尿でもチェックを行います。

早朝尿で蛋白陰性なら心配ない

- 早朝尿は何のために検査するのでしょうか。病的意義のない**生理的蛋白尿**を除外するためです。
- 尿蛋白は腎疾患を早期発見するのに大変有用ですが、偽陽性もたまにあります。偽陽性の代表的な原因が**体位性蛋白尿**、**機能性蛋白尿**です。これらの蛋白尿は病的意義はないとされています。

生理的蛋白尿

- **体位性蛋白尿**：起立時、または立位で背中を後方へ反らす体位をとったときに出現する
- **機能性蛋白尿**：激しい運動や発熱、ストレスなどによって生じる

- つまり、早朝尿と随時尿の比較は「腎疾患に伴う病的な蛋白尿なのか、生理的蛋白尿なのか」を見極めるために必要です。
- 基本的に、早朝尿で尿蛋白陰性であれば生理的蛋白尿の可能性が高く、あまり心配ないということです。

尿糖陽性と血糖値の関係

- 尿糖陽性とは、ブドウ糖が尿中に漏れていることを意味します。尿糖はどのような機序で起きるのでしょうか。
- まず、腎臓におけるブドウ糖の動きを理解しましょう。ブドウ糖は分子量が小さいので糸球体で100%濾過されます。しかし、近位尿細管でほとんど再吸収されるため、正常では試験紙法では検出されません。

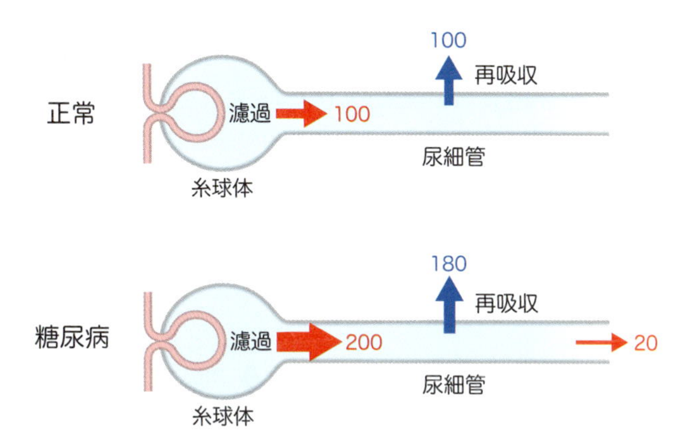

尿糖陽性＝血糖値 180mg/dL 以上の可能性を示唆する

- 糖尿病の患者さんでは血糖値が高くなり、糸球体で濾過されるブドウ糖も増加します。原尿のブドウ糖濃度がある閾値（いきち）を越えると、尿細管で再吸収しきれず、尿中にブドウ糖が漏れてしまいます。
- 尿細管でのブドウ糖再吸収の閾値は180mg/dLと考えられています。つまり、尿糖陽性は血糖値が高いこと（180mg/dL 以上）、すなわち糖尿病の可能性を示唆しているわけです。

尿糖陽性＝糖尿病とは限らない

- 前のページで「尿糖陽性は血糖値が高いことを示唆する」と言いました。ただし、尿糖陽性は必ずしも100％糖尿病を意味するわけではありません。実は例外があります。つまり、血糖値が正常範囲でも尿糖が陽性になる場合があります。

腎性糖尿は高血糖を伴わない

- 尿細管でのブドウ糖の再吸収が阻害されることで、血糖値が正常であるにもかかわらず尿糖が陽性になる場合があります。これを**腎性糖尿**といいます。
- その多くは先天性で、尿細管でのブドウ糖再吸収の閾値が低いために起こります。つまり、生まれつき尿細管でブドウ糖を再吸収する力が弱いためで、病的意義はないとされています。

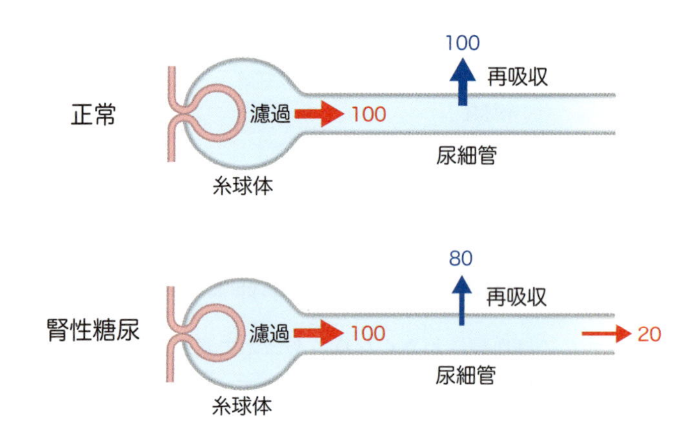

- それでは、糖尿病による尿糖と腎性糖尿はどうやって区別すればよいでしょうか。両者を鑑別するには、検尿と同時に血糖測定を行いましょう。血糖が180 mg/dL 以上であれば、糖尿病の可能性が高いです。血糖が正常なのに尿糖が陽性であれば、腎性糖尿ということになります。
- その意味でも、糖尿病のスクリーニング目的には、**食後2時間尿**を用いた検尿が適しています。食事前の血糖値が低いときに採尿すると、糖尿病があっても尿糖陽性になりにくいのです。一方、血糖値が上昇する食後2時間に採った尿で尿糖陰性であれば、糖尿病の可能性は低いでしょう。

尿糖（4+）なのに、血糖コントロール良好？

- 尿糖検査は健診の際、糖尿病のスクリーニングとして有用です。わざわざ血糖値を測らなくても、尿糖陽性であれば糖尿病の可能性が高いことがわかります。
- 日常診療でも尿糖検査は役に立ちます。すでに糖尿病と診断され治療中の患者さんで、尿糖陽性であれば血糖コントロールがうまくいっていないことがわかります。

- ところが最近、尿糖（4+）だけど血糖コントロールが良い、という患者さんが増えています。なぜでしょうか。**SGLT 阻害薬**という新しい糖尿病治療薬が登場したからです。
- ブドウ糖は糸球体で 100%濾過されますが、近位尿細管でほとんど再吸収されます。近位尿細管で再吸収されるときに活躍するのが、**SGLT**（sodium glucose cotransporter）と呼ばれるブドウ糖のトランスポーターです。
- SGLT 阻害薬は、このトランスポーターを阻害し、尿中にたくさんブドウ糖を排泄させることで、血糖値が上がらないようにする、という薬です。したがって、この薬剤を内服している患者さんは常に尿糖（4+）になりますが、血糖コントロールは良いのです。

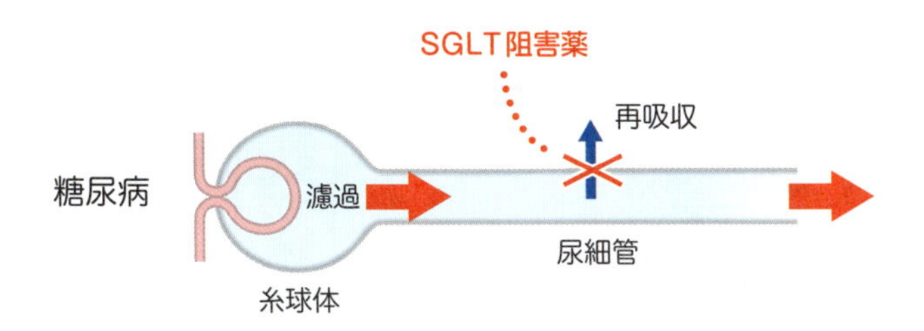

血糖と尿糖のパターン

- **健常人**　血糖正常　尿糖（－）
- **糖尿病**　血糖コントロール良好　尿糖（－）
- **糖尿病**　血糖コントロール不良　尿糖（2+）
- **糖尿病**　血糖コントロール良好　尿糖（4+）　SGLT 阻害薬内服中

尿蛋白の検査法

- 蛋白尿の検出には**試験紙法**が用いられます。
- 蛋白といっても様々な種類がありますが、基本的に尿中の**アルブミン**を検出しています。したがって、アルブミン以外の蛋白が漏れ出ていても、試験紙法ではわかりづらいです。

試験紙法で検出する蛋白

◎ **アルブミン**
△ **尿細管由来の低分子蛋白**
△ **Bence Jones 蛋白**（免疫グロブリン軽鎖）

- 試験紙法による評価は、濃度による評価です。簡便であり、尿混濁やX線造影剤などに影響されません。
- しかし、あくまでも濃度を反映するので、濃縮尿では偽陽性に、希釈尿では偽陰性になることがあります。
- 色の変化を調べるため、判定者による誤差も認められます。
- 高度のアルカリ尿では偽陽性を示すことがあります。

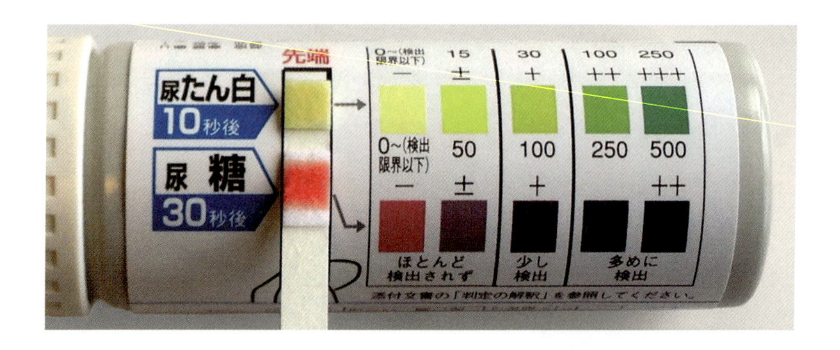

尿蛋白	−	±	＋	++	+++
濃度 mg/dL	0 ～（検出限界以下）	約 15	約 30	約 100	約 250

尿糖	−	±	＋	++	
濃度 mg/dL	0 ～（検出限界以下）	約 50	約 100	約 250	約 500

外来で1日尿蛋白量を推定する方法

- 尿蛋白量を正確に評価するには、24時間蓄尿による**1日尿蛋白量**を測定する必要があります。でも入院していないと蓄尿検査は難しいですね。そのような場合、24時間蓄尿による値ではなく、外来で採取した随時尿を用いる方法があります。

随時尿を用いた推定1日尿蛋白量

$$1日尿蛋白量(g/日) \fallingdotseq \frac{尿蛋白定量(mg/dL)}{尿中クレアチニン(mg/dL)}$$

- 尿蛋白濃度（mg/dL）と尿中クレアチニン濃度（mg/dL）を同時に定量して、その比を計算します。実は、この比が24時間蓄尿の1日尿蛋白量（g/日）とほぼ同等であることがわかっています。**尿蛋白/クレアチニン比**といい、単位は**g/gCr**です。1gのクレアチニンが排泄されるときに尿蛋白がどれくらい排泄されているかを示しています。

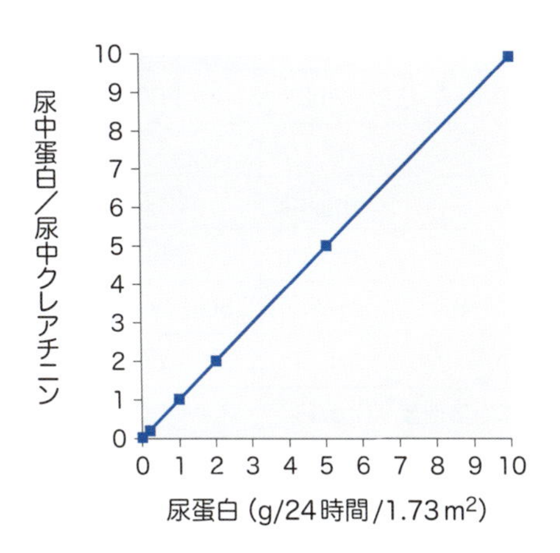

- クレアチニンは、筋肉に存在するクレアチンの終末代謝産物です。体格にもよりますが、1日に排泄される量は**約1g**です。したがって、尿蛋白/クレアチニン比は1日あたりの尿蛋白量の目安となるわけです。尿蛋白/クレアチニン比2.0であれば、1日尿蛋白量は2.0gということになります。

クレアチニン補正が必要な理由

- 外来で採取した随時尿から1日尿蛋白量を推定する方法を、前のページでお話ししました。この方法は、外来患者さんの蛋白尿を評価するのに非常に有効ですので、是非使ってみてください。
- 実際の症例で練習してみましょう。

Case study 1

- 症例Aと症例Bで24時間蓄尿して尿検査を行ったところ、次のような結果が得られました。一見すると症例Bの方が尿蛋白量が多いように見えますが、本当でしょうか。

症例A

尿量 2000mL

尿蛋白定性 1+
尿蛋白定量 50mg/dL

症例B

尿量 1000mL

尿蛋白定性 2+
尿蛋白定量 100mg/dL

		症例A	症例B
尿量	mL	2000	1000
尿蛋白定性		1+	2+
尿蛋白定量	mg/dL	50	100
尿中クレアチニン濃度	mg/dL	50	100
尿蛋白／クレアチニン比	g/gCr	50÷50＝1.0	100÷100＝1.0
1日尿蛋白量	g/日	1.0	1.0
1日尿中クレアチニン排泄量	g/日	1.0	1.0

- 1日尿蛋白量を計算すると、両者とも1.0g/日でした。さらに、尿蛋白/クレアチニン比を計算してみると、両者とも1.0と同じ結果でした。

- 症例Aの方が症例Bよりも尿量が多いため、同じ尿蛋白量でも定性検査では薄まって見えたということです。つまり、試験紙法による尿蛋白の定性検査は、必ずしも定量結果を反映しているとは言えないわけです。

Case study 2

- 次の 3 症例を比べてみましょう。3 症例とも同じ尿蛋白（2+）です。
- しかし、尿蛋白 / 尿中クレアチニン比で評価すると、尿蛋白量は症例 A が最も多く、症例Cが少ないことがわかります。

	尿蛋白定性	尿蛋白定量	尿中クレアチニン濃度	尿蛋白／クレアチニン比
		mg/dL	mg/dL	g/gCr
症例 A	2+	100	50	2.0
症例 B	2+	100	100	1.0
症例 C	2+	100	200	0.5

- このように、定性検査では同じ結果でしたが、**クレアチニン補正**を行うことで尿蛋白量をきちんと定量化することができました。
- 正常なのか有意な蛋白尿なのかを鑑別するためにも、クレアチニン補正は重要です。

尿蛋白が陽性のときは・・・

- **必ず尿蛋白 / クレアチニン比を測定すること！！**

微量アルブミン尿と蛋白尿の違い

- 尿中アルブミン排泄が30～300mg/日を**微量アルブミン尿**と定義しています。これは、**糖尿病性腎症**の早期診断の臨床指標として重要です。
- 糖尿病において、腎からのアルブミン排泄のごく小さな増加（＞30mg/日）が、その後の糖尿病性腎症発症の強い予測因子となることがわかっています。そして、アルブミン排泄の増加が試験紙法で検出される頃には、すでに重度の糸球体障害が起きている可能性が高いです。

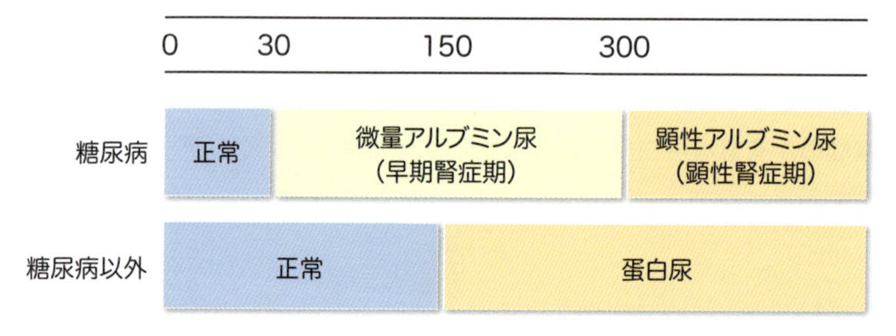

糖尿病性腎症の早期診断

- そこで、糖尿病性腎症をより早期に診断するために、微量の尿中アルブミンを特異的に測定する感度の高い検査が行われるようになりました。
- 蛋白排泄量が正常範囲（＜150mg/日）にとどまっていても、微量アルブミン尿は起こりえます。つまり、試験紙法で陰性でも微量アルブミン尿が出ている可能性は十分あります。
- そのため、1型および2型糖尿病の患者さんについては、定期的に尿中微量アルブミンを測定することが推奨されています。

試験紙で潜血陽性の意味は何か？

- 試験紙法による**尿潜血反応**は、ヘモグロビンのペルオキシダーゼ様活性を利用して赤血球を検出しています。この反応はヘモグロビンでもミオグロビンでも陽性になります。
- 尿潜血が陽性になるのは、基本的にヘモグロビンを含む赤血球が存在するからです。しかし、赤血球から遊離したヘモグロビンが、糸球体で濾過され尿中に流出することがあります。**遊離ヘモグロビン**は、血中ではハプトグロビンと結合していますが、ハプトグロビンの量を超える遊離ヘモグロビンは、尿に漏れて出てきます。いわゆるヘモグロビン尿です。
- 遊離ヘモグロビンの増加の主な原因は**溶血**です。何らかの原因で赤血球が破壊され、ヘモグロビンが血漿に出てきた状態です。
- 一方、**横紋筋融解症**ではミオグロビン尿が起きます。つまり、尿中に赤血球を認めなくても、溶血や横紋筋融解症では尿潜血陽性になるということです。

尿潜血陽性の意味

- **赤血球が漏れ出ている** ……… 腎炎、尿路感染症など
- **ヘモグロビン尿** ………………… 溶血
- **ミオグロビン尿** ………………… 横紋筋融解症

ビタミンCは尿検査に影響する

- アスコルビン酸（ビタミンC）を多く含む清涼飲料水やサプリメントは、尿検査に影響を与える場合があります。
- アスコルビン酸には強い還元作用があります。尿試験紙のうち酸化反応によって発色する「ブドウ糖」、「潜血」、「ビリルビン」、「亜硝酸塩」は反応が弱められ、偽陰性になることがあります。

尿沈渣でわかること

- 尿沈渣は、尿中の有形成分を観察する形態検査です。尿を遠心分離することで得られた沈殿物を顕微鏡で調べます。
- 赤血球、白血球、上皮細胞、円柱、結晶などがあります。これらが顕微鏡の強拡大（HPF；high power field = 400 倍）1 視野中にどれくらい存在するのかを調べます。
- たとえば、尿中に**白血球**を認めた場合、その大部分は好中球です。これが著増している場合は、細菌感染症が強く示唆されます。つまり、尿中白血球の有無によって、腎から尿道までの炎症を知ることができるわけです。
- **上皮細胞**は、尿の通り道である尿細管、尿管、膀胱、尿道から脱落したものです。それぞれ細胞の形が違います。
- **円柱**というのは聞き慣れない言葉ですね。名前の通り円柱形をしており、尿の成分が尿細管内で固まったものをいいます。いろいろな種類があり、次のページで詳しく説明します。

尿沈渣でわかること

- **赤血球** ➡ 腎炎、腎・膀胱腫瘍、尿路結石、膀胱炎など
- **白血球** ➡ 腎盂腎炎、膀胱炎など
- **円柱** ➡ 糸球体腎炎、腎盂腎炎、ネフローゼ症候群など
- **上皮細胞** ➡ 膀胱炎、尿道炎など
- **結晶** ➡ 腎結石、痛風、急性肝炎など
- **細菌** ➡ 尿路感染

生理的な円柱と病的な円柱

- **尿円柱**とは、遠位尿細管から分泌される**Tamm-Horsfall 蛋白**（THP）に各種細胞成分が取り込まれ、尿細管腔を鋳型として固まったものです。病的な円柱とそうでない円柱があります。

- **硝子円柱**：無構造で均一な円柱で、細胞成分をほとんど含みません。正常でもみられ、特に運動後や脱水時に多くみられます。病的意義はありません。

病的円柱

- **赤血球円柱**：内部に赤血球を含む円柱です。糸球体や尿細管からの赤血球の逸脱を意味し、激しい糸球体腎炎を示唆します。
- **白血球円柱**：糸球体または間質・尿細管から白血球が逸脱したことを意味しています。腎盂腎炎、激しい糸球体腎炎や尿細管・間質の炎症を示唆します。
- **上皮円柱**：内部に尿細管上皮細胞を含む円柱です。多数の尿細管上皮細胞の出現と同様、急性尿細管壊死を示唆します。
- **脂肪円柱**：内部に卵円形脂肪体や脂肪顆粒を含む円柱です。尿細管上皮などの細胞成分が脂肪変性をきたしたものと考えられ、ネフローゼ症候群など高度の蛋白尿患者で認められます。
- **顆粒円柱**：内部に多数の顆粒を含む円柱です。円柱内の細胞が変性し、蛋白質が凝集して顆粒状になったと考えられています。
- **ろう様円柱**：ロウソクのような無構造の円柱です。尿細管内に長時間とどまっている間に、蛋白質や脂肪が変性・凝集して均一に固まったものと考えられます。尿の流れが滞るほどの高度の腎機能障害を示唆します。

円柱の種類と想定される障害部位

- **赤血球円柱**：糸球体や尿細管の障害
- **白血球円柱**：糸球体、間質・尿細管の炎症
- **上皮円柱**：尿細管障害
- **脂肪円柱**：高度の蛋白尿
- **顆粒円柱**：糸球体や尿細管の障害
- **ろう様円柱**：高度の腎機能障害

尿細管障害マーカー

- 尿細管障害を反映するマーカーにはいくつかあります。

尿細管障害マーカー

- NAG（*N*-acetyl-β-D-glucosaminidase）
- β_2ミクログロブリン（β_2MG）
- α_1ミクログロブリン（α_1MG）
- L-FABP（liver-type fatty acid binding protein）

- いずれも近位尿細管障害により尿中排泄量が増加しますが、その機序は異なります。

NAG は器質的障害を反映する

- **NAG** は近位尿細管細胞に豊富に存在する加水分解酵素です。尿細管細胞が破壊されると、NAG の尿中への排泄量が増加します。そのため、近位尿細管障害の早期発見、治療効果確認、予後の推定に利用されます。

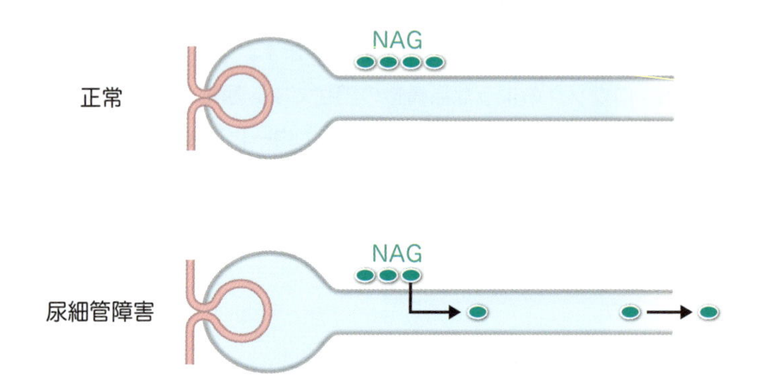

ミクログロブリンは機能的障害を反映する

- β_2 および α_1 ミクログロブリンは糸球体から濾過される低分子蛋白です。通常、尿細管で再吸収されますが、尿細管機能が障害されると再吸収できず、尿に出てきます。

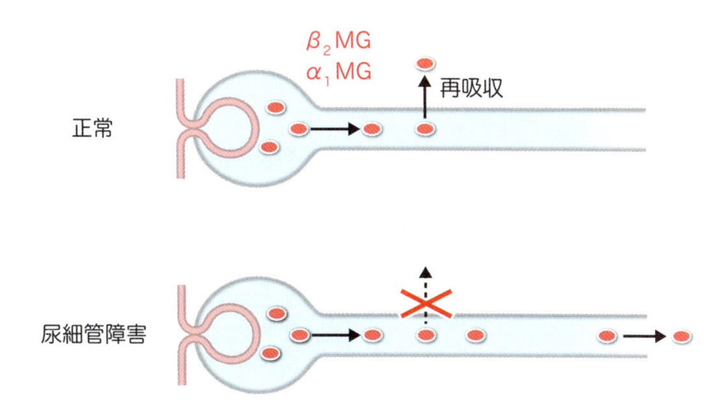

L-FABP は虚血やストレスを反映する

- 新しい尿細管障害マーカーとして、**L-FABP** があります。L-FABP とは liver-type fatty acid binding protein（肝臓型脂肪酸結合蛋白）の略で、近位尿細管細胞の細胞質に局在する分子量 14kDa の脂肪酸結合蛋白質です。
- L-FABP は、組織障害が進行する前の尿細管の虚血や酸化ストレスにより、尿中に排泄されます。そのため、尿細管機能障害を伴う腎疾患の早期診断に有用とされています。

尿検査のまとめ

- 尿検査をオーダーすると、下のような報告書が主治医に戻ってきます。それぞれの項目の異常がどのような病態を反映しているのか、きちんと理解しておきましょう。

尿検査項目と考えられる病態

	検査項目	基準値	病態
定性	外観（混濁）		尿路感染
	SG（比重）	1.005～1.030	高比重：脱水、糖尿病
			低比重：尿崩症
	pH	5.0～7.5	酸性尿：糖尿病、痛風、腎炎
	蛋白	（－）	腎臓病
	糖	（－）	高血糖、腎性糖尿
	ケトン体	（－）	飢餓状態、糖尿病、下痢・嘔吐、妊娠悪阻
	潜血	（－）	腎臓病、結石、尿路系腫瘍、尿路感染、前立腺炎
	ウロビリノーゲン	（±）	急性肝炎、肝硬変、胆道閉塞
	ビリルビン	（－）	
	亜硝酸塩	（－）	尿路感染
	白血球反応	（－）	
沈渣	赤血球		腎炎、膀胱炎、結石
	白血球		尿路感染
	細菌		
	扁平上皮		尿道炎
	移行上皮		尿路感染、結石
	尿細管上皮		尿細管障害
	円柱		腎炎

尿所見から病気を推測してみよう

- 尿所見だけで病気の診断をすることは無理ですが、ある程度の推測をすることは可能です。
- 尿の所見に何らかの特徴があれば、それに対応する疾患がいくつか浮かびます。その意味でも、最初のスクリーニングとして尿検査は重要です。具体例をいくつか挙げましたので、参考にしてください。

尿所見から疾患を推測すると・・・

- **血尿、蛋白尿、変形赤血球、赤血球円柱**
  → 糸球体に炎症が起こっている → 何らかの腎炎
- **血尿、蛋白尿、赤血球円柱、白血球円柱、顆粒円柱、脂肪円柱**
  → 激しい腎炎が起こっている（telescoped sediment）※
  → ループス腎炎、半月体形成性腎炎など
- **肉眼的血尿** → IgA 腎症（高齢者では尿路系腫瘍）
- **尿糖** → 糖尿病、腎性糖尿
- **多数の白血球** → 尿路感染
- **蛋白尿（3+）、血尿（−）、急な発症** → 微小変化型ネフローゼ症候群
- **蛋白尿（3+）、血尿（−）、中高年** → 膜性腎症
- **蛋白尿（3+）、血尿（2+）** → IgA 腎症、膜性増殖性糸球体腎炎
- **蛋白尿（+）、血尿（−）、1 日尿蛋白 3g**
  → 定性結果と定量結果の乖離 → 多発性骨髄腫（骨髄腫腎）

※ telescoped sediment：赤血球、白血球および各種の円柱を認める多彩な尿沈渣像。活動性の腎炎を示唆する。

クレアチニン・クリアランス

- 腎機能の指標といえば、すぐに血清クレアチニン値を思い浮かべますが、そのほかにもいろんな指標があります。

臨床で使われる腎機能の指標

- 血清クレアチニン値（Cr）
- 血中尿素窒素（BUN）
- イヌリン・クリアランス（Cin）
- クレアチニン・クリアランス（Ccr）
- 推定糸球体濾過値（eGFR）
- 血清シスタチン C

- 基本的に腎機能は**糸球体濾過値（GFR）**で表現されます。単位は mL/min です。つまり、1 分間に何 mL の血液が糸球体で濾過されているかを表します。正常値は 90 mL/min 以上です。
- 臨床で最も正確に GFR を反映する指標は何でしょうか？　それは**イヌリン・クリアランス**です。ただし、測定が煩雑であり、経時的に行う検査ではありません。

クレアチニン・クリアランスは 24 時間蓄尿が必要

- もう少し簡単に検査できる方法はないでしょうか。それが**クレアチニン・クリアランス**です。主に入院患者さんで測定されます。それでも蓄尿が必要であり、やや煩雑です。

$$\text{クレアチニン・クリアランス (mL/min)} = \frac{\text{尿中クレアチニン濃度 (mg/dL)} \times 1\text{日尿量 (mL)}}{\text{血清クレアチニン濃度 (mg/dL)} \times 24 \times 60\text{ (min)}}$$

- 血清クレアチニン値を用いてクレアチニン・クリアランスを推定する計算式があります。欧米人を対象にした **Cockcroft-Gault 式**というものです。体格が大きい欧米人を対象にした計算式なので、日本人では正確でない場合があります。

血清クレアチニンから eGFR を算出する

- そこで日本腎臓学会は、新たに日本人のための GFR 推算式を考案しました。それが**推定糸球体濾過値（eGFR）**です。年齢、性別、血清クレアチニン値から簡単に算出できます。

男性　eGFR (mL/分/1.73 m^2) ＝194×血清 Cr 値 $^{-1.904}$ × 年齢 $^{-0.287}$
女性　eGFR (mL/分/1.73 m^2) ＝194×血清 Cr 値 $^{-1.904}$ × 年齢 $^{-0.287}$ ×0.739

- 推算式は、実際にイヌリン・クリアランス測定を行った 763 名のデータをもとにして作成されました。この研究には筆者らも参加しました。ちなみに eGFR の "e" は、"estimated" の意味です。

実測 GFR（イヌリン・クリアランス）≒ 推算 GFR

腎機能検査の特徴

測定の簡便さ	正確性	指　標
非常に簡便	やや不正確	血清クレアチニン値 血中尿素窒素（BUN）
非常に簡便	まあまあ正確	推定糸球体濾過値（eGFR） 血清シスタチン C
やや煩雑	正確	クレアチニン・クリアランス
煩雑	最も正確	イヌリン・クリアランス

- それぞれの測定法と特徴をしっかりと理解した上で活用しましょう。

血清クレアチニン値が腎機能の指標になる理由

- 血清クレアチニン値はなぜ腎機能の指標として用いられるのでしょうか？ここで、その理由をまとめてみます。

クレアチニンは日々一定量が産生される

- **クレアチニン**は、筋肉中に存在する**クレアチン**の終末代謝産物です。
- クレアチンは筋細胞内でリン酸化され、エネルギー源として貯えられています。運動時にはリン酸基がはずれてATPを供給します。

$$\text{クレアチン} + \text{ATP} \underset{}{\overset{\text{クレアチンキナーゼ}}{\rightleftarrows}} \text{クレアチンリン酸} + \text{ADP}$$

- 筋肉中のクレアチンは日々一定量が代謝されて、クレアチニンとして腎臓から排泄されます。

クレアチニンは100%糸球体で濾過される

- 腎臓内でのクレアチニンの動きを考えてみましょう。

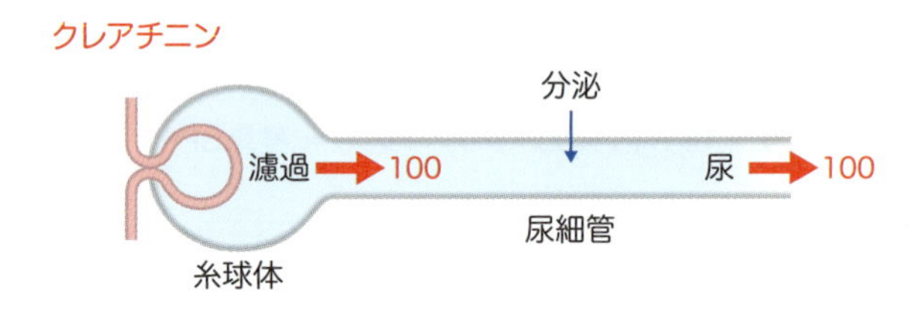

- 分子量が113と小さいため、クレアチニンは100%糸球体で濾過されます。尿細管での再吸収はなく、ほとんどそのまま尿中に排泄されます（実際には尿細管でほんの少し分泌されるのですが、ここでは無視します）。
- したがって、糸球体濾過能力が低下すると、クレアチニンの尿中排泄が減少し、血中クレアチニン濃度が高くなります。つまり、血中クレアチニン値の上昇は腎機能（糸球体濾過値）の低下を反映しているわけです。

血清クレアチニン値の弱点

- 血清クレアチニン値は非常に有用な腎機能の指標ですが、弱点もあります。クレアチニンは、筋肉中に存在するクレアチンの終末代謝産物であるため、血清クレアチニン値は筋肉量の影響を受けます。
- したがって、筋肉量が多い人ほど正常値が高めになります。正常範囲が男性の方が高いのはこのためです。

血清クレアチニン値の正常範囲

- **男性**　0.61～1.04 mg/dL
- **女性**　0.47～0.79 mg/dL

筋肉量の少ない人では要注意

- 逆に言うと、筋肉量が少なくても血清クレアチニン値に影響が出るということです。高齢になると筋肉量が少なくなり、クレアチニン産生量は低下します。また、やせている人、長期臥床している入院患者さんでも筋肉量は少なくなります。
- このような方は、腎機能が低下しても筋肉量が少ないために血清クレアチニン値は上昇しにくく、腎機能が過大評価されてしまう可能性があります。

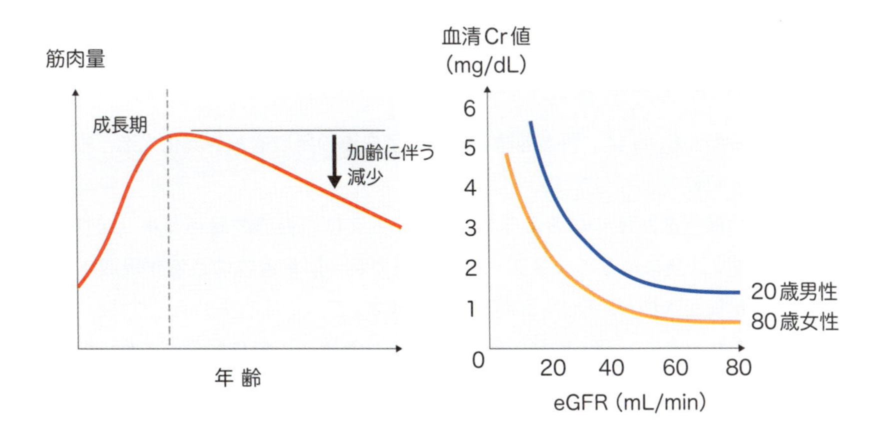

血中尿素窒素 (BUN)

- **血中尿素窒素**（blood urea nitrogen：**BUN**）は血中の尿素の量を表します。尿素は蛋白質の終末代謝産物であり、肝臓で合成され、腎臓から排泄されます。
- 尿素は窒素を含んでいますので、その窒素を測定しているわけです。

血清 Cr 値と同様の意義を持つ

- 尿素の腎臓内での動きを見てみましょう。尿素はクレアチニンよりもさらに小さい物質なので、糸球体で 100%濾過されます。そして、一部は尿細管で再吸収されますが、大部分は尿中に排泄されます。
- したがって、腎機能が低下して尿中排泄量が低下すれば、血液中の尿素、すなわち BUN は上昇します。腎機能の低下とともに血清クレアチニン値が上昇するのと同じ理屈ですね。

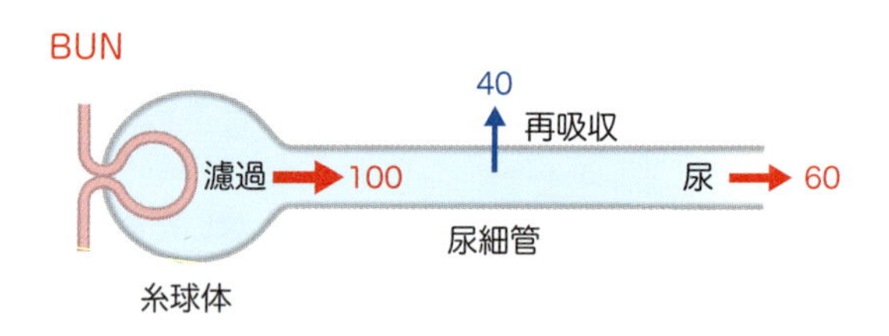

食事の影響に注意

- ところが、BUN は、腎機能障害以外に蛋白質の摂取過多や異化亢進、細胞外液減少時にも上昇します。
- 尿素の産生量が多くなるような状況、たとえば蛋白摂取量が多かったりすると BUN は高めになります。消化管出血でも、消化管内の血液が吸収されて蛋白負荷が増加し、BUN は高めになります。
- 血清クレアチニン値と同様、BUN は有用な腎機能の指標なのですが、様々な影響を受けることを理解する必要があります。

イヌリン・クリアランス

- 理想的な腎機能マーカーは、糸球体で100%濾過され、尿細管での再吸収や分泌が全くない物質です。**イヌリン**がそれに相当します。
- イヌリンは、キク科の植物の球根に多く含まれる果糖の重合体で、生体には存在しない物質です。ヒトはイヌリンを分解する酵素を持っていないため、摂取してもほとんど吸収されずに体外へ排出されます。

イヌリンは尿細管で分泌も再吸収もされない

- 腎臓内でのイヌリンの動きを見てみましょう。投与されたイヌリンは糸球体で100%濾過され、100%そのまま尿中に出てきます。尿細管で分泌されることも再吸収されることもありません。
- この場合、糸球体濾過値（GFR）の低下は、そのまま血中濃度の上昇につながります。ですから、イヌリンの排泄率はそのままGFRになるわけです。

- 現時点でイヌリン・クリアランスは、最も正確にGFRを反映する指標と考えられています。

イヌリン・クリアランスの弱点

- イヌリン・クリアランスの弱点は、検査の煩雑さにあります。イヌリンは内因性物質ではありません。イヌリンは加熱・溶解して使用しますが、なかなか溶けないため、準備に時間がかかります。
- 準備ができたら、イヌリンを持続点滴（120 分）します。投与前と投与後の計 4 回採血・採尿を繰り返します。それぞれの時点のイヌリン・クリアランスを計算し、3 回の平均値が最終的なイヌリン・クリアランス（糸球体濾過値）になります。

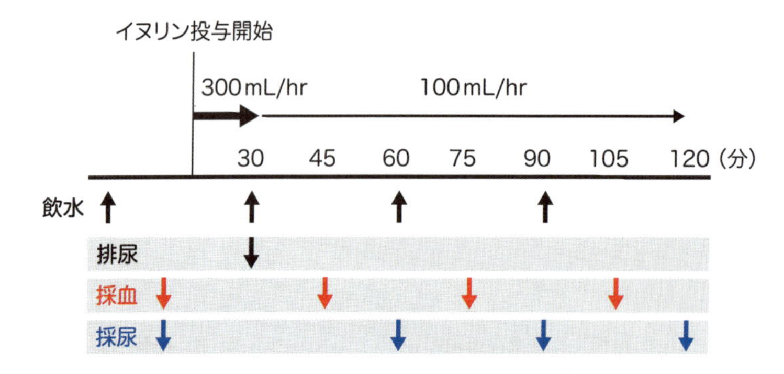

- 下図のような簡易法もありますが、それでも採血 2 回、採尿 1 回が必要です。ルーチンでは実施困難ですが、正確な GFR 評価が必要な場合には、ぜひ実施しなければならない検査です。

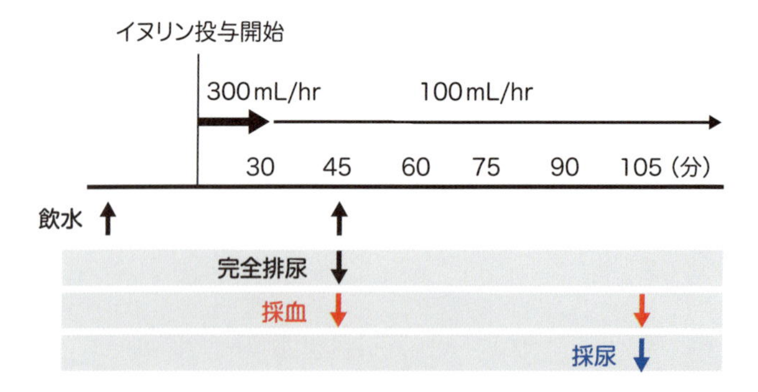

イヌリン・クリアランスとクレアチニン・クリアランスの違い

- イヌリン同様、クレアチニンも糸球体で 100%濾過され、ほぼそのまま尿中に出てきます。ですから、その排泄率はそのまま糸球体濾過値になる、と言いたいところなのですが、イヌリンと異なり、クレアチニンは少し尿細管から分泌されるのでしたね。

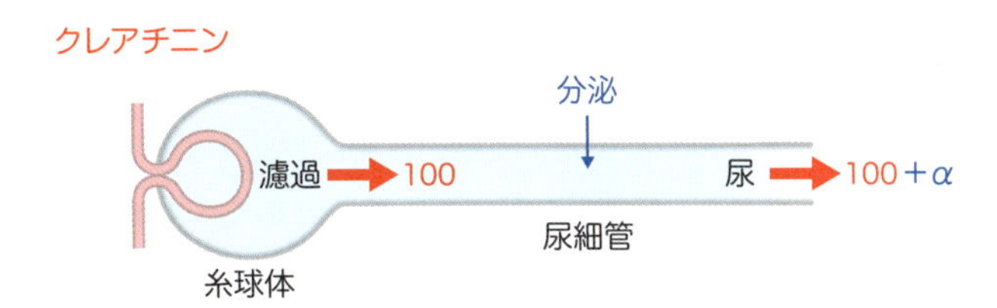

- したがって、その排泄率はイヌリンよりも高めになります。クレアチニン・クリアランスは、イヌリン・クリアランスよりも 30%ほど高めに出るとされています。
- クレアチニン・クリアランスに 0.715 を掛けると、推定 GFR（イヌリン・クリアランス）に相当すると考えられています。

eGFR (Cin) = Ccr × 0.715

- さらに腎機能が低下するほど、クレアチニン・クリアランスは見かけ上、高くなることが知られています。

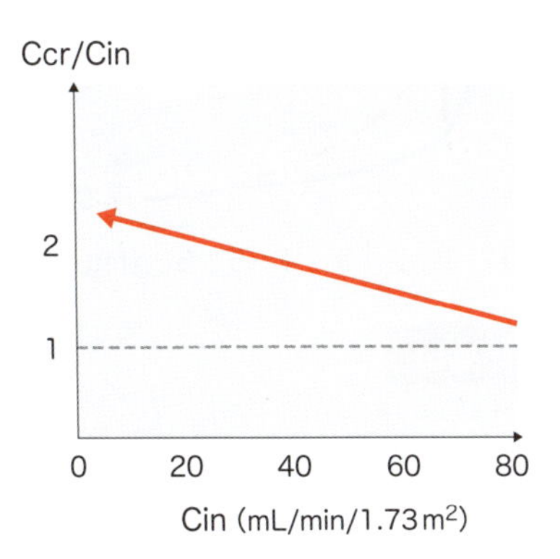

血清シスタチンC

- **シスタチンC**は、体内のすべての有核細胞で一定量産生されている分子量約1.3万の低分子蛋白で、システインプロテアーゼインヒビターとして働いています。
- 血中のシスタチンCは糸球体で濾過され、近位尿細管で再吸収・分解されます。したがって、GFRが低下すると血清シスタチンCは上昇し、その上昇の程度はGFRの低下を反映します。
- 血清クレアチニン値や尿素窒素は食事や筋肉量、運動の影響を受けますが、血清シスタチンCは食事や筋肉量、炎症、年齢、性差の影響を受けません。したがって、小児や老人、妊産婦などでも正確に測定できます。

血清Cr値より感度が高い

- メリットはもう1つあります。血清クレアチニン値よりも感度が高いことです。GFRが30mL/min前後（腎不全レベル）まで低下してから、血清Cr値は上昇するのに対し、シスタチンCはGFRが70mL/min前後の軽度～中等度の腎機能障害で上昇しはじめます。そのため早期診断に大変有用です。
- 血清Cr値がすでに高値であれば、シスタチンCを測定する意義はありませんが、軽度上昇例で評価が困難な場合は測定してみましょう。

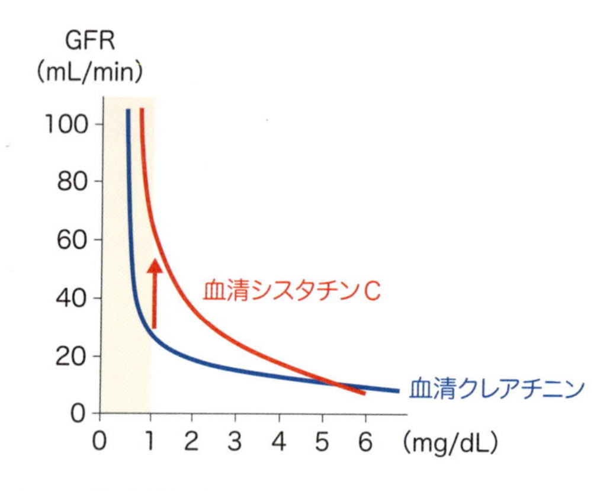

シスタチンCは感度が高い

- **血清クレアチニン値**：GFR 30mL/min前後まで悪化しないと上昇しない
- **血清シスタチンC値**：GFR 70mL/min前後から上昇する

1/Cr のグラフを作ろう

- 腎臓病は長い年月をかけてゆっくり進行する慢性疾患です。血清 Cr 値が急に上昇すれば、悪化していることは明白です。でも、血清 Cr 値がほとんど変わらない場合、腎機能は悪化していないと本当に言えるのでしょうか。
- 患者さんから「私の病気は悪化しているのですか？」と聞かれて、「血清 Cr 値はここ数ヵ月変化していないから大丈夫ですよ。でも、過去数年間で振り返って見ると少し悪くなっているかも…」といった曖昧な返事しかできないこともあります。
- そんなときは、**1/Cr のグラフ**を作ってみましょう。過去数年間の腎機能のデータがあれば、1/Cr のグラフから今後の腎機能の推移をある程度予想することができるのです。

- たとえば、次のようなデータをもつ患者さんがいたとします。

	患者 A		患者 B	
	Cr	1/Cr	Cr	1/Cr
2010 年	0.90	1.11	0.90	1.11
2011 年	1.00	1.00	0.96	1.04
2012 年	1.10	0.91	1.10	0.91
2013 年	1.30	0.77	1.11	0.90
2014 年	1.20	0.83	1.09	0.92
2015 年	1.50	0.67	1.09	0.92
2016 年	1.60	0.63	1.21	0.83

- まず、血清 Cr 値から 1/Cr を計算します。この値を Excel にプロットして、縦軸を 1/Cr、横軸を西暦にした散布図を作ります。そうすると、下のようなグラフができます。

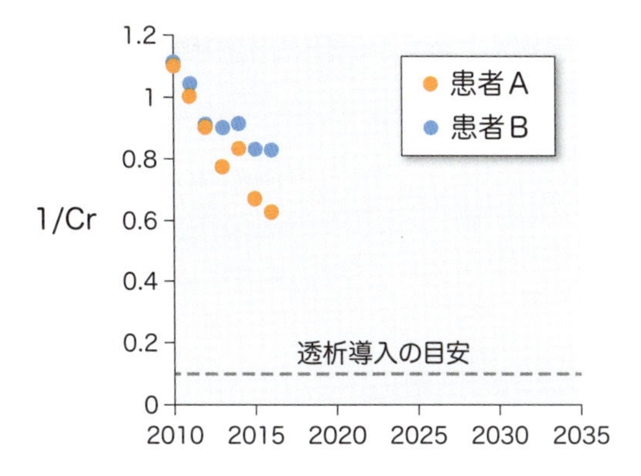

第2章 検査

1/Cr を使って透析導入時期を予測する

- ここで、1/Cr が 0.1 を下回るとき、すなわち血清 Cr 値が 10mg/dL を超えるときを透析導入の目安とします。
- 患者 A、患者 B それぞれのプロットに近似線を書いてみましょう。「近似線が 1/Cr = 0.1 の線と交差する年」が透析導入の時期と予想できます。
- A さんは、このままだと 2023 年頃に透析導入になりそうです。B さんは、当面は透析の心配はなさそうです。

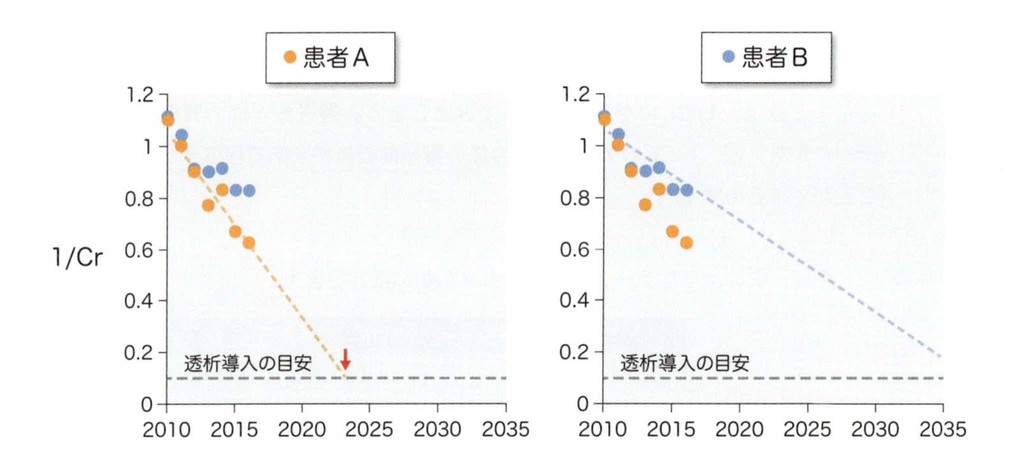

- このように過去数年間の血清 Cr 値があれば、今後の腎機能の推移を予想できます。縦軸は eGFR（mL/min）に置き換えても構いません。

- 腎臓専門外来では、実際にこのような 1/Cr のグラフを患者さんに見て頂いて、「現在内服しているお薬は、このグラフの傾きを緩やかにするために使っているのです」と説明しています。
- 「あと何年したら透析を始めなければならないのか。それとも透析は考えなくても大丈夫そうなのか」。おそらく慢性腎臓病患者さんの一番知りたいことだと思います。

レノグラムの意味

- 腎臓に関する核医学検査の 1 つに **MAG3（マグスリー）シンチ**があります。静脈投与したラジオアイソトープ（RI）が腎臓に行き、腎盂から尿管、膀胱へと排泄される様子を連続的に画像化したものです。
- 具体的には、テクネシウムで標識した ^{99m}Tc-MAG3（mercaptoacetyltriglycine；メルカプトアセチルトリグリシン）を使用します。MAG3 は蛋白結合率が高いため糸球体で濾過されず、近位尿細管で分泌されます。
- 正常な腎臓では、まず腎臓に RI が流入し（**血管相**）、次いでゆっくりと集積し（**機能相**）、その後洗い出されていきます（**排泄相**）。この RI の変化を、左右の腎臓それぞれについてグラフに描いたものを**レノグラム**といいます。

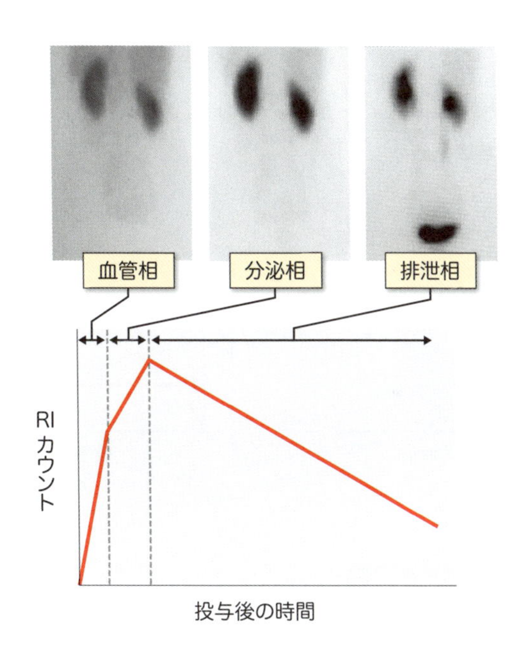

正常レノグラム

- **血管相**：静注した RI が腎臓に流入し、急峻な立ち上がりを示す相
  → **腎血流量を反映**
- **分泌相**：その後 2 〜 4 分間でゆるやかな上昇を示す相
  → **糸球体濾過、尿細管分泌を反映**
- **排泄相**：腎盂腎杯から尿管への排泄過程

レノグラムでわかること

- 腎機能に異常があると、レノグラムは正常と異なるカーブを描きます。尿路に閉塞性病変があると、RI が蓄積するばかりで排泄されません（**閉塞型**）。腎機能が低下すると、分泌相のピークは低く遅くなります（**機能低下型**）。さらに腎機能が低下すると、RI は蓄積も排泄もされません（**無機能型**）。
- MAG3 シンチのメリットは、このような腎機能の変化を左右別々に評価できるということです。これを**分腎機能**といいます。

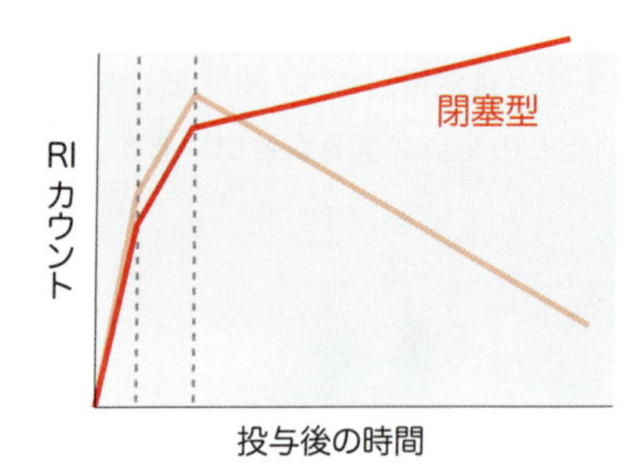

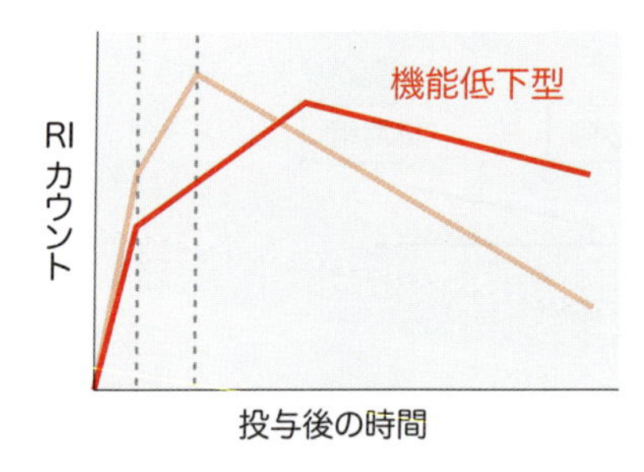

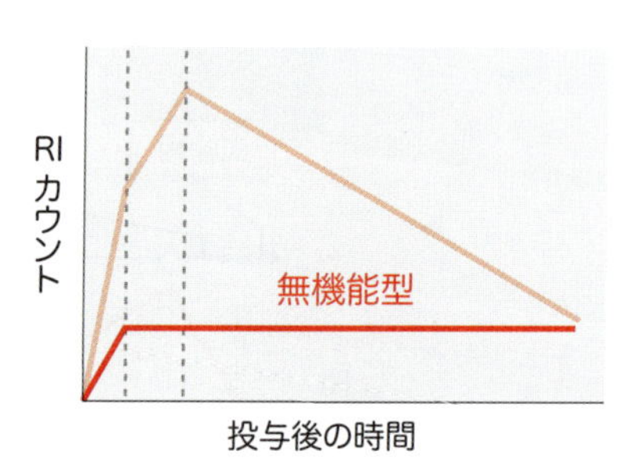

MAG3 シンチの対象疾患

- 閉塞性腎疾患
- 腎血管性高血圧症の診断と治療効果判定
- 移植腎の機能評価

腎生検の目的

- 腎生検は何のために行うのでしょうか。
- 第一の目的は**組織学的診断**です。腎臓にどのような変化が起こっているかを調べます。組織像を調べることで、重症度や活動性なども明らかになります。

- 臨床像が同じ（同じ病名、同程度の尿蛋白量）でも、組織学的な活動性の違いによって治療方針が異なる場合があります。その意味においても、腎生検は治療方針の決定に必要不可欠な検査といえます。
- 治療効果の予測や予後の推定ができるため、患者さんに、より具体的に治療方針を説明することができます。

「組織学的に予後不良なため、しっかり免疫抑制療法を行いましょう」

「組織学的な変化は軽いので、将来腎不全になる可能性は低いと思われます」

「この組織変化はステロイドが効くタイプです」

腎生検の目的

- 正確な組織診断を得ること
- 病気の見通しを予測すること
- 適切な治療法を決定すること

腎生検の適応

- 腎生検は、生検で得られる利益が不利益を上回る場合に適応となります。つまり、生検を行うことが、患者さんの予後の改善につながらないと意味がないわけです。不利益とは、出血などの生検に伴う合併症を指しています。
- 検尿異常を認める場合、多くのケースで腎生検の適応になりますが、高齢者の場合、迷うことがあります。

高齢者における腎生検の考え方

- たとえば、次の症例はどうでしょうか。

Case study

【症例】 80代男性。20年前から高血圧と境界型糖尿病があり、降圧薬を内服している。肺気腫にて呼吸器内科通院中。自覚症状は認めない。蛋白尿（1＋）、血尿（－）。血清Cr値0.60mg/dL。

- この症例では、もちろん定量は必要ですが、尿蛋白量はそれほど多くなさそうです。病歴からは高血圧性腎硬化症が疑われますが、何らかの腎炎の可能性も否定はできません。
- 腎生検の結果、腎硬化症であれば現在の降圧療法を継続することになります。現時点でRAS阻害薬を内服していなければ、追加処方するかも知れません。

- 一方、何らかの腎炎が見つかった場合、積極的にステロイドなどの免疫抑制療法を行うでしょうか。少し躊躇するかも知れません。高齢で肺気腫もあり、免疫抑制療法によって肺炎などの日和見感染のリスクが高くなるからです。
- また、長期入院により筋力低下をきたす恐れもあります。健康寿命を延ばすことにつながらないかも知れません。腎機能は正常ですし、尿蛋白（1＋）程度であれば、ARBを使いながら経過観察していても良いように思います。
- となると、結局のところ腎生検をしてもしなくても、治療方針は変わらないことになります。

- 腎生検の適応は、年齢、基礎疾患、臨床症状、社会的背景、合併症のリスクなどを総合的に判断することが必要です。
- 高齢者において腎生検による合併症リスクが有意に高いとするエビデンスはありません。したがって、「高齢だから腎生検は禁忌」とする根拠はありませんが、腎生検の適応がある場合には、腎機能の予後と生命予後とを考慮して、その実施の判断には慎重を期すべきとされています。

腎生検の適応まとめ

- 以下に腎生検の適応がある場合とない場合を示します。個々の症例で腎生検の必要性を検討し、どのような治療方針にするべきかを決めていきます。

腎生検の適応あり

- 血尿が持続し、進行する慢性腎炎が疑われるとき
- 1日0.3～0.5g以上の蛋白尿があるとき
- 大量の蛋白尿、浮腫がみられるとき（ネフローゼ症候群など）
- 急速進行性腎炎が疑われるとき
- 原因不明の腎不全（まだ腎萎縮を認めていない場合）

腎生検の適応なし

- 長期間にわたる腎機能の低下があり、すでに腎萎縮を認める場合
- 多発性嚢胞腎
- 出血傾向、高血圧、腎および腎周囲の感染があるとき
- 腎生検中の指示や腎生検後の安静が守れない可能性があるとき
- 患者さんやご家族の了承や協力が得られないとき

腎生検の禁忌

- 腎生検は 100%安全ではなく、リスクを伴います。合併症を生じるリスクの高い症例や、合併症を生じた場合に腎不全に陥る可能性が高い症例には行うことはできません。

腎生検の禁忌

- **絶対禁忌**：出血傾向、感染症合併時、呼吸停止が不可能な患者、麻酔薬に対するアレルギー、末期腎不全
- **相対的禁忌**：非協力的患者、片腎、嚢胞腎、腎動脈瘤、形態異常（形成不全、馬蹄腎など）、管理困難な合併症（高血圧、うっ血性心不全）

- 腎臓の数や形に異常がある場合は禁忌です。たとえば、一方の腎臓が低形成や高度の萎縮腎である場合は、禁忌になります。万が一、腎生検により出血などの合併症が生じて機能不全に陥ったら、そのまま透析導入になる可能性があるからです。
- 腎臓に嚢胞を認める場合も禁忌です。嚢胞が 1 個だけでも、大きな嚢胞があると穿刺針の刺入が困難なケースもあります。この場合、開放腎生検の適応について検討し、泌尿器科の先生に相談することになります。嚢胞の有無は、腎生検前に必ず腹部エコーで確認しておきましょう。

- 最も問題になるのは**出血傾向**です。出血傾向の有無は、血小板数、出血時間、PT、APTT などの凝固系検査から総合的に判断します。

腎生検前チェックリスト

- 検査に対する理解は十分か
- 検査に協力的かどうか
- 患者さんの精神状態は安定しているか
- 数秒間の息止めは可能か（生検針を刺す瞬間は、腎臓が動かないよう呼吸を止める必要がある）
- うつぶせになれるか（慢性肺疾患のある人はうつぶせになると苦しくなる）
- 長時間の臥位が可能か（生検後は臥位での安静時間が長いため）
- 薬剤歴（休薬すべき薬剤を確認する）

腎生検前に休薬すべき薬剤

- **抗凝固療法**（抗凝固薬、抗血小板薬、DOACなど）を行っている場合は、事前に休薬が必要です。心房細動の血栓予防や脳梗塞の再発予防の目的で、抗凝固薬や抗血小板薬を服用している方は少なくありません。休薬が可能か、可能な場合はどれくらいの休薬期間が必要かを確認する必要があります。
- 内服したまま、あるいは休薬期間が短いと、腎生検の際に出血のリスクになります。抗凝固薬、抗血小板薬は薬剤によって半減期が異なるので、いつから休薬したらよいか確認が必要です。

腎生検前に中止すべき薬剤と中止時期の目安

- **抗凝固薬**

ワルファリン（ワーファリン®）……1週間前
ヘパリン……1日前
低分子ヘパリン……1日前

- **直接作用型経口抗凝固薬（DOAC）**

トロンビン阻害薬　ダビガトラン（プラザキサ®）……1日前
Xa因子阻害薬　リバーロキサバン（イグザレルト®）……1日前
アピキサバン（エリキュース®）……1日前
エドキサバン（リクシアナ®）……1日前

- **抗血小板薬**

ジピリダモール（ペルサンチン®）……2～3日前
ジラゼプ塩酸塩（コメリアン®コーワ）……1日前
チクロピジン塩酸塩（パナルジン®）……7日前
バイアスピリン……7～10日前

- **脂質異常症治療薬**（エパデール®、ロトリガ®など）も休薬が必要です。

- 最近、ジェネリックが増えて同じ薬効の薬がたくさん世の中に出回っています。休薬すべき薬剤と知っていても、ジェネリックで処方されると名前が変わってしまい、見落としてしまう可能性がありますから要注意です。
- このことは腎生検に限らず、胃カメラや大腸ファイバー、肝生検など観血的処置を行う際は必要なことですね。

腎生検の手技

- 腎生検には、**経皮的針生検**（局所麻酔）と開放腎生検（全身麻酔）とがあります。経皮的針生検は主に超音波ガイド下で行います。

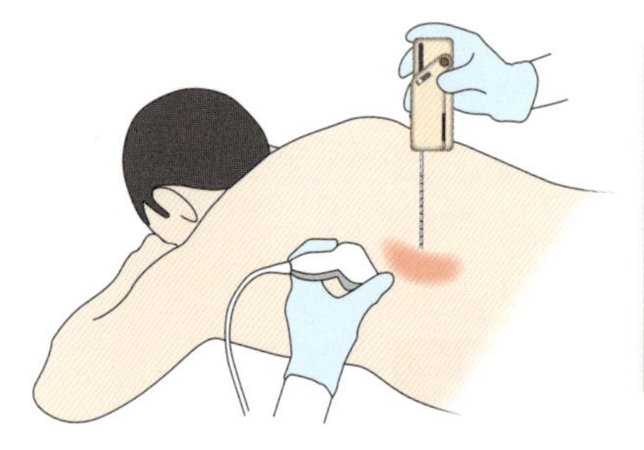

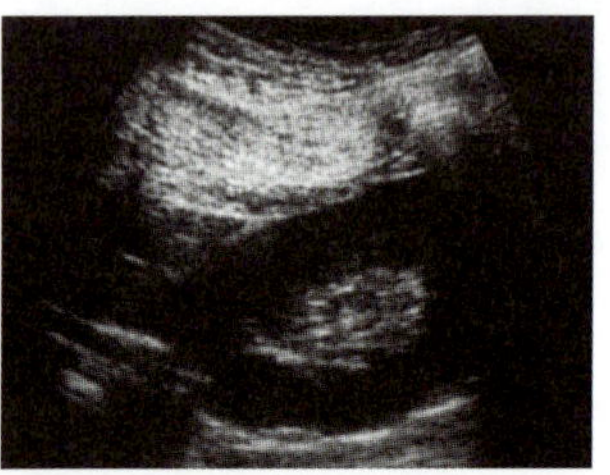

超音波ガイド下での腎生検

①患者さんはうつぶせになる。
②エコーを見ながら腎臓の位置を確認。
③穿刺部位を決定したら、皮下に局所麻酔。
④穿刺針を刺入し、腎臓の上に達したら患者さんに息を止めてもらう。
（肺が膨らんだり縮んだりして腎臓が移動するため）
⑤息止めの間に腎組織を採取し、穿刺針を抜く。この操作を2､3回行う。
⑥終了したら５～10分間、穿刺部を圧迫して止血。
⑦仰向けになり６～12時間、ベッド上で安静。
⑧翌朝、腹部エコーで腎周囲の出血の有無を確認し、安静を解除。

- **呼吸性変動**によって、腎臓が深く沈んでしまう方がいらっしゃいます。その場合は、おなかの下に枕を入れると腎臓の位置が安定します。腎生検がうまくいくためには、患者さんの体勢、腎臓の位置決めがすべてと言っても過言ではありません。
- 患者さんに聞くと、「腎生検の手技よりも、その後のベッド上安静の方が大変だった」と話される方が多いです（しばらくの間、寝返りができないので）。

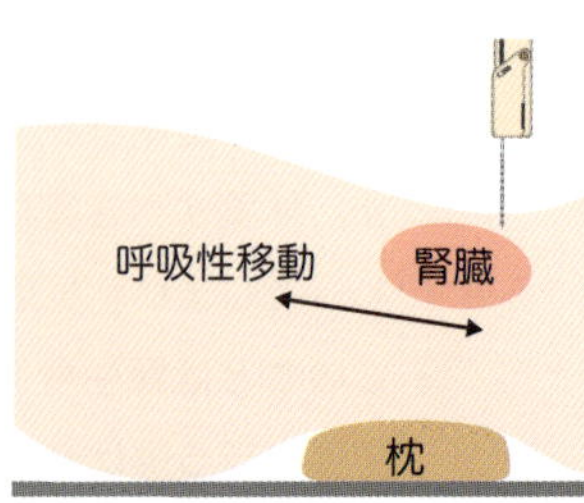

腎生検標本から何を読み取るのか

- 蛋白尿や血尿を認めた患者さんの診断と治療方針を決める上で、腎生検は欠かせません。
- 腎生検で得られた組織は次の 3 つの方法で観察し、得られた所見を総合して組織診断を行います。

腎生検による診断

- **光学顕微鏡** ………… 組織型
- **蛍光免疫染色** ……… 免疫グロブリン、補体、フィブリノーゲンの沈着の有無と局在
- **電子顕微鏡** ………… 高電子密度の沈着物の有無と分布

観察する組織変化に応じて染色法が異なる

- 光顕用の標本は以下の染色を行うのが一般的です。

> **HE 染色**　：全体像の把握と細胞の識別。
> **PAS 染色**　：基底膜が赤紫に染まる。
> **PAM 染色**　：基底膜を黒く染める。基底膜の変化を観察する。
> **Masson trichrome 染色**：膠原線維を青く染める。間質の病変を観察する。

- 追加染色として、血管病変を詳細に観察する場合には **EVG**（elastica van Gieson；エラスチカ・ワンギーソン）染色を行います。
- アミロイドが疑われる場合には **Congo-red**（コンゴーレッド）染色という特殊な染色を行います。

蛍光抗体法による免疫染色

- 蛍光抗体法による免疫染色では、**免疫グロブリン**（IgG、IgA、IgM）、**補体**（C1q、C3c）、**フィブリノーゲン**の沈着の有無を調べます。
- もしあれば、沈着部位（糸球体毛細血管、メサンギウム領域、ボウマン嚢、尿細管など）や沈着様式（顆粒状、線状など）を観察します。

- 腎炎の種類によって染まり方が違います。

典型的な染色パターン

IgA 腎症 ➡ メサンギウム領域に IgA が**顆粒状**に沈着
膜性腎症 ➡ 基底膜に沿って IgG が**顆粒状**に沈着
抗基底膜病 ➡ 基底膜に沿って IgG が**線状**に沈着
微小変化型ネフローゼ症候群 ➡ 染色（－）
ANCA 関連腎炎 ➡ 染色（－）

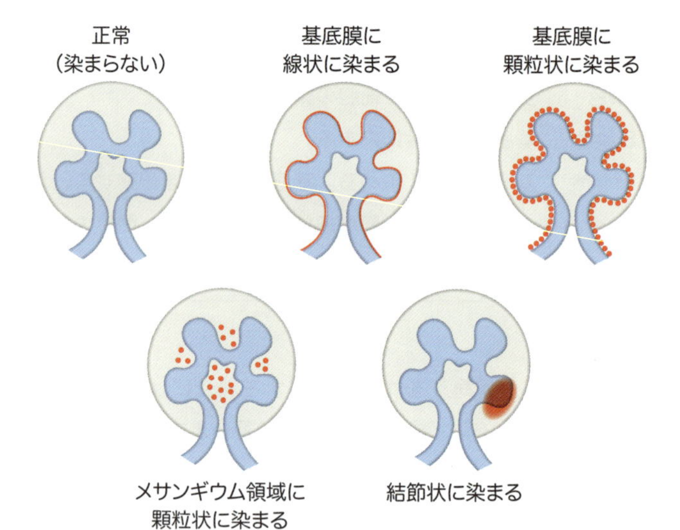

わざわざ電顕で確認する理由は？

- 電子顕微鏡では、電子密度の高い沈着物、すなわち基底膜よりも濃いグレー色の沈着物があるかないかを調べます。
- 蛍光染色でも免疫複合体の沈着の有無がわかりますが、非特異的反応の可能性もあるため、電顕で確認します。
- また、免疫複合体以外の沈着物、たとえば**アミロイド線維**などの存在は、電子顕微鏡でないとわかりません。

沈着物の局在を調べる

- もし、高電子密度沈着物があれば、糸球体のどこに存在するのかを調べます（**基底膜上皮側**、**基底膜内皮側**、**メサンギウム領域**など）。下の例では、メサンギウム領域に電子密度の高い沈着物が見られます。IgA 腎症の典型像です。

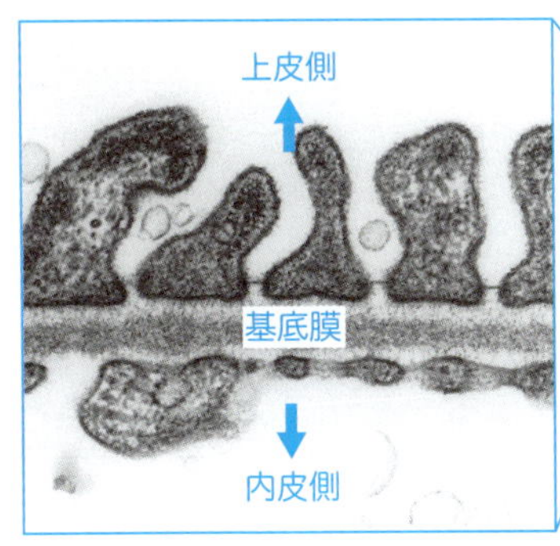

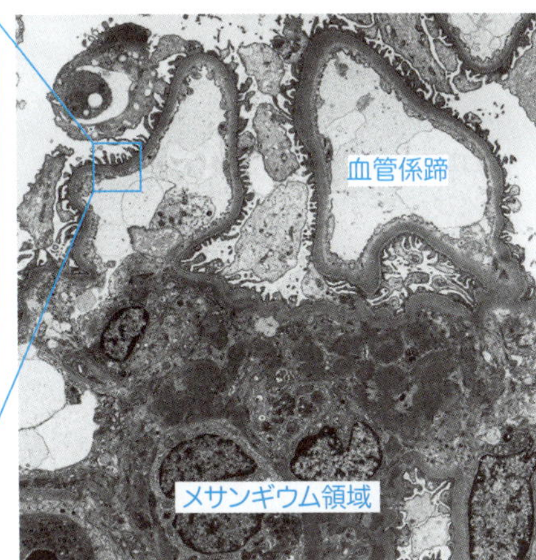

- なお、施設によって異なると思いますが、電子顕微鏡写真は結果が出るまで３～４週間かかります。そのため、治療を急ぐ患者さんの場合は、電顕の結果が間に合わず、光学顕微鏡と蛍光染色の結果だけで診断することもよくあります。

糸球体病変の観察のポイント

- 蛋白尿や血尿などの検尿異常を呈する場合は、主に糸球体が障害されています。したがって、腎生検標本を観察する際は、糸球体でどのような変化が生じているのかを重点的に観察します。

糸球体の観察ポイント

- **細胞浸潤**の有無（白血球など）
- **細胞増殖**の有無
  - メサンギウム細胞
  - 内皮細胞
  - ボウマン嚢上皮細胞（半月体形成）
- **メサンギウム基質**増加の有無
- **基底膜肥厚**の有無

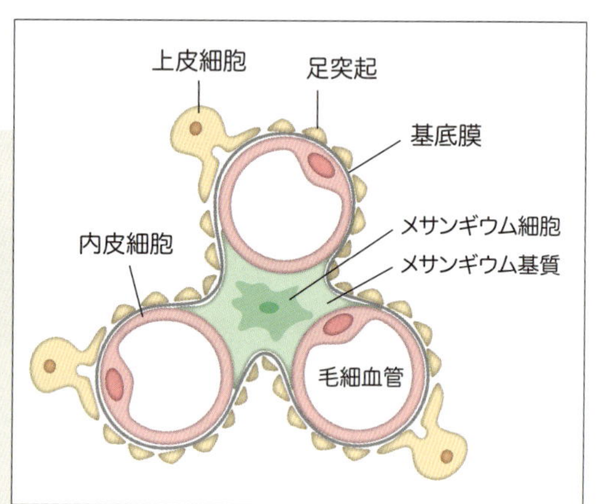

- 代表的な糸球体病変のパターンと、腎生検所見を示します。それぞれの疾患については第４章で詳しく説明します。

急性糸球体腎炎

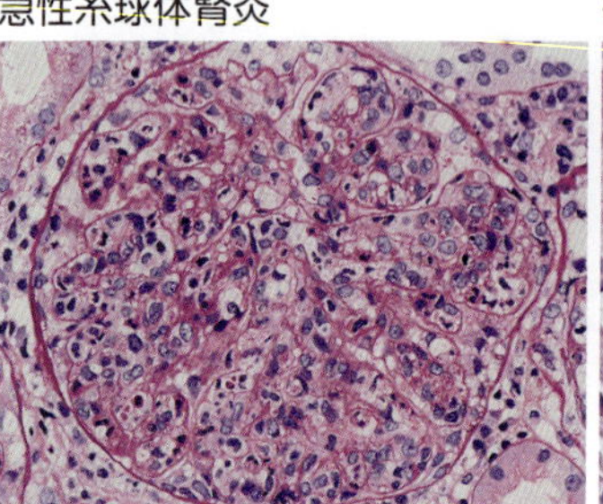

微小変化型ネフローゼ

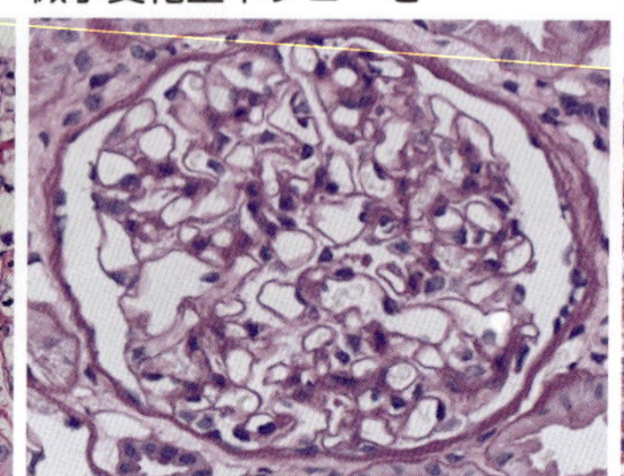

IgA 腎症

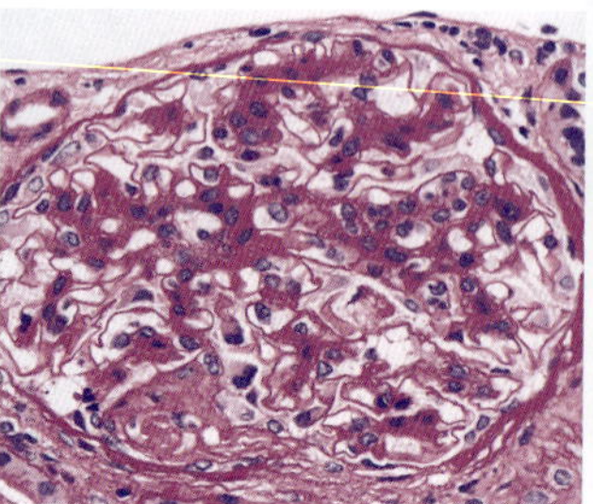

半月体形成性糸球体腎炎

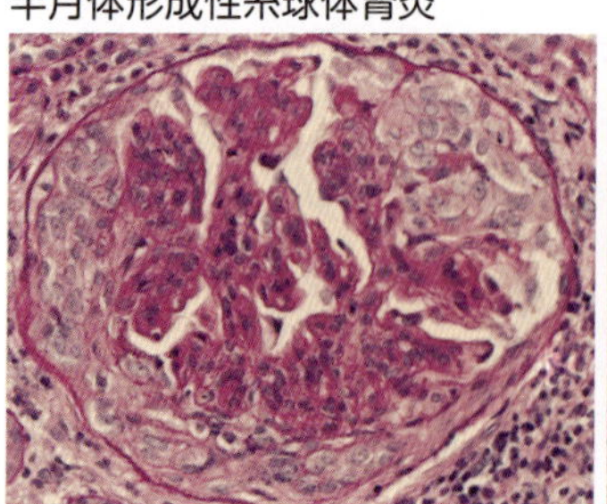

巣状糸球体硬化症

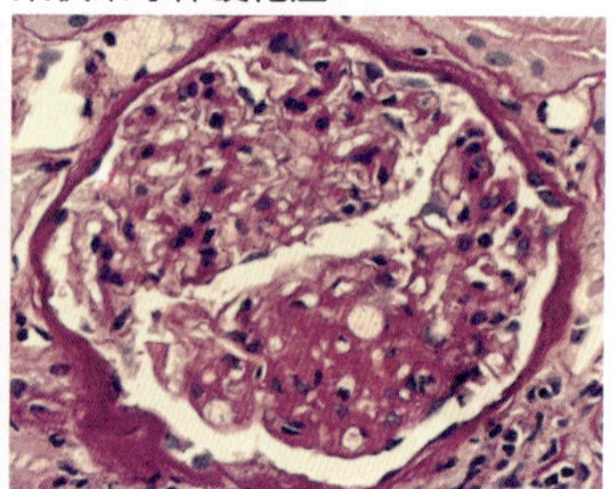

糸球体病変のパターン

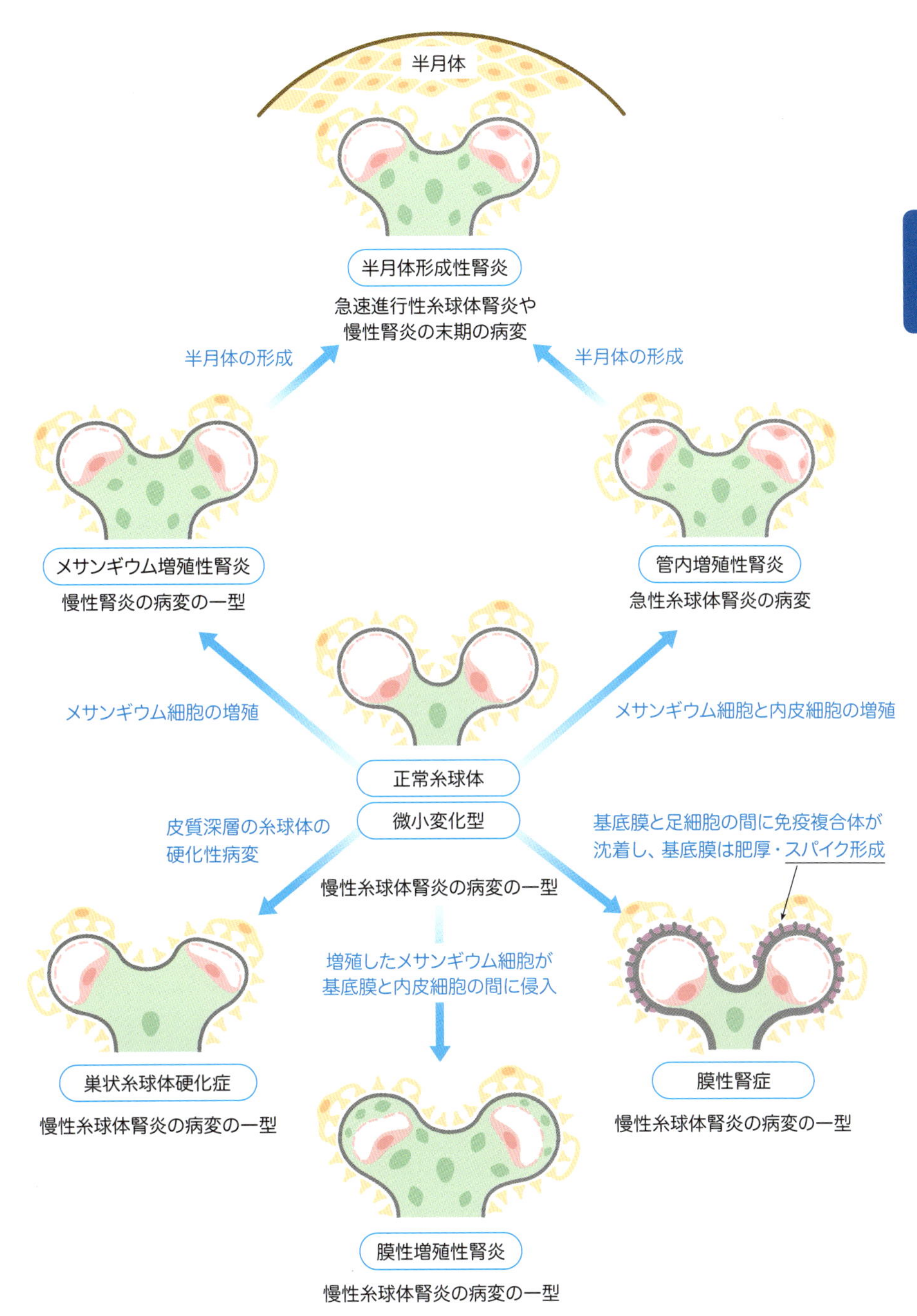

（木村健二郎：腎生検から学ぶ腎臓病学，診断と治療社，1998，p12 より改変）

第3章 主要症候

この章では、腎疾患を発症したり、腎機能が低下してきたときに、どのような症状や検査値異常が出現するのかを取り上げます。

いろいろな症状が出ますが、主に下記の項目に絞って説明します。

主要症候		ページ
蛋白尿		82
血尿		91
多尿		96
電解質異常	高カリウム血症	98
	低ナトリウム血症	102
	低カルシウム血症	110
	高リン血症	114
酸塩基平衡の異常	代謝性アシドーシス	116

腎疾患を診断されるきっかけは？

- 腎臓の病気はどのようにして見つかるのでしょうか。大きく分けて２つのケースが考えられます。

自覚症状がある場合

- １つは、腎疾患を疑う症状・症候を認める場合です。下記のような自覚症状を認めて医療機関を受診し、精査の結果、何らかの腎・泌尿器疾患を診断される場合です。

腎疾患を疑う症状

- 浮腫
- 尿量異常（多尿、乏尿・無尿）
- 排尿異常（尿失禁、排尿困難、尿閉、頻尿）
- 痛み（排尿時痛、腰背部痛）
- 尿の性状の異常（尿の混濁）

自覚症状がない場合

- もう１つは、健康診断で偶然、検尿異常や腎機能低下が見つかった場合です。症状がなくても、学校健診、会社の健康診断や住民健診、かかりつけ医での定期検査などで**検尿異常**（蛋白尿、血尿）や腎機能低下が見つかる場合があります。

- 頻度としては後者のケースの方が多いです。蛋白尿や血尿などの検尿異常が、腎疾患の初発症状として重要です。

偶然見つかった検尿異常をどうすべきか

- このようなケースでは、通常、何の症状もありません。しかし、そのまま何年も放っておくと、将来腎不全になってしまう可能性は否定できません。
- このことは健診のデータからも証明されています。下のグラフは、健康診断で発見された蛋白尿の程度別にその長期予後をみたものです。

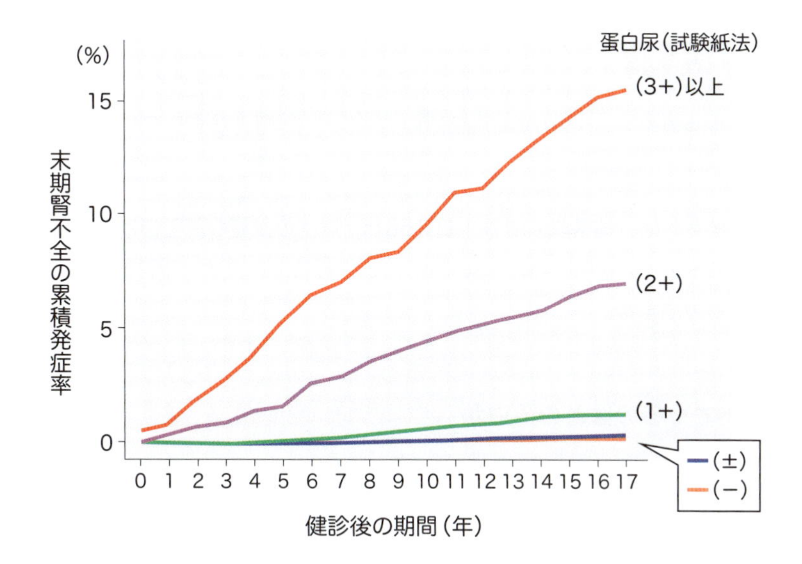

(Iseki K, *et al. Kidney Int* 2003；63：1468-74 より引用)

- 腎疾患の多くは尿検査をしないと見つかりません。そして、検尿異常が見つかった場合、

  「様子をみていてもいいのか」

  「放っておくと腎機能が徐々に悪くなってしまうのか」

- この判断は、検尿異常だけでは判断できません。治療方針を決めるためにも、できるだけ腎臓専門医に相談しましょう。

蛋白尿とは何か

正常値は0ではない

- 蛋白尿は、以下のように定義されています。

蛋白尿の定義

- **24時間あたり150mg以上**の蛋白が尿中に排泄されること

- 言い換えれば、健常成人でも1日150mg以下の微量な尿蛋白は出ているということです。通常、40～80mg/日と言われています。正常値は0mgではないのですね。

尿に出てくるのはどの蛋白か

- 血中に存在する蛋白のうち、糸球体で濾過されるのは、小分子量の蛋白のみです。
- **アルブミン**（分子量69000）は一部が濾過されますが、これより大きな蛋白は濾過されません。
- **α_1ミクログロブリン**（分子量33000）、**β_2ミクログロブリン**（分子量12000）は糸球体で濾過されますが、近位尿細管で再吸収されますので通常、尿中には出てきません。

蛋白尿の出現が意味するもの

- では、蛋白尿の出現は何を示唆しているのでしょうか？
- 蛋白尿が出ているということは、腎臓に何らかの不具合が生じていることを意味します。様々な腎疾患の初発症状であることが多いです。
- とは言っても、少量の場合はほとんど無症状です。大量に出ている場合は、尿の泡立ちに気づきます。また、足のむくみを自覚することがあります。
- したがって、尿検査をして蛋白尿が出ていないかを調べることは、腎疾患の早期診断に重要な役割を果たしています。

尿蛋白量が多いほど腎予後は悪い？

- 尿蛋白量が多ければ多いほど、重症で予後が悪いのでしょうか？
- 答えは「Yes」であり、「No」でもあります。つまり、疾患によって答えが異なるのです。

- たとえば **IgA 腎症**の場合、高度の蛋白尿は腎予後悪化のリスク因子になっています。尿蛋白量が多ければ多いほど腎臓の予後は不良ということなので、上記の答えは「Yes」です。
- 一方、**微小変化型ネフローゼ**では大量の蛋白尿を認めますが、予後良好です。将来透析導入になる可能性はほとんどありません（急性腎不全を合併した場合は別ですが）。したがって、答えは「No」です。
- **ANCA 関連血管炎**に伴う腎障害の場合はどうでしょう。必ずしも尿蛋白量は多くありません。しかし、腎臓の予後は不良です。しっかりとした免疫抑制療法を行わないと透析導入になるケースもあります。

尿蛋白量と腎予後の関係

- **IgA 腎症** ➡ 尿蛋白量が多いほど予後が悪い
- **微小変化型ネフローゼ症候群** ➡ 尿蛋白量は多いけど予後良好
- **ANCA 関連血管炎に伴う腎障害** ➡ 尿蛋白量は少ないけど予後不良

- このように、尿蛋白量だけでは腎臓の予後は推測できないわけです。やはり、腎生検をして組織学的に評価をしてはじめて診断とともに腎臓の予後がわかるのです。

第3章 主要症候

尿蛋白で血液疾患を疑うとき

BJ 蛋白の正体は免疫グロブリン軽鎖

- 蛋白尿では基本的に腎疾患を疑いますが、ある種の異常蛋白が尿中に出ていたら血液疾患を疑います。それは**ベンスジョーンズ蛋白**（Bence Jones protein：BJP）です。
- ベンスジョーンズ蛋白は、B 細胞増殖性疾患（たとえば多発性骨髄腫）に出現する異常な免疫グロブリンが尿中に漏れ出たものです。単クローン性の遊離軽鎖（free light chain：FLC）からなり、通常は二量体（λ（ラムダ）型）、ときに単量体（κ（カッパ）型）構造をとります。
- 分子量が小さいため、糸球体を自由に通過して尿中に排泄されます。

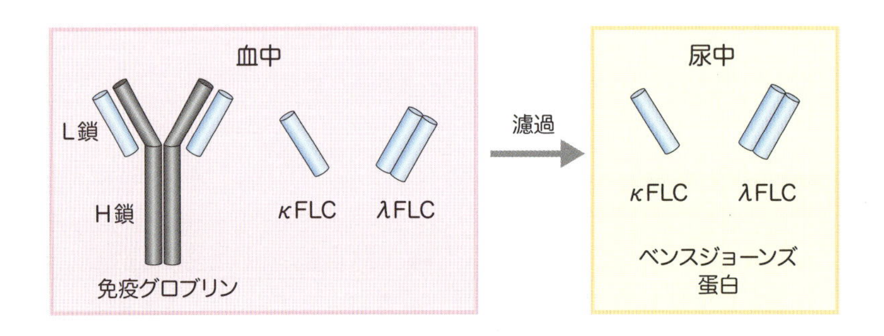

- 血清免疫電気泳動を行うと、単クローン性免疫グロブリンは鋭いピークを形成します。Monoclonal（単クローン性）の頭文字をとって、**M 蛋白**と呼びます。

血清免疫電気泳動のパターン

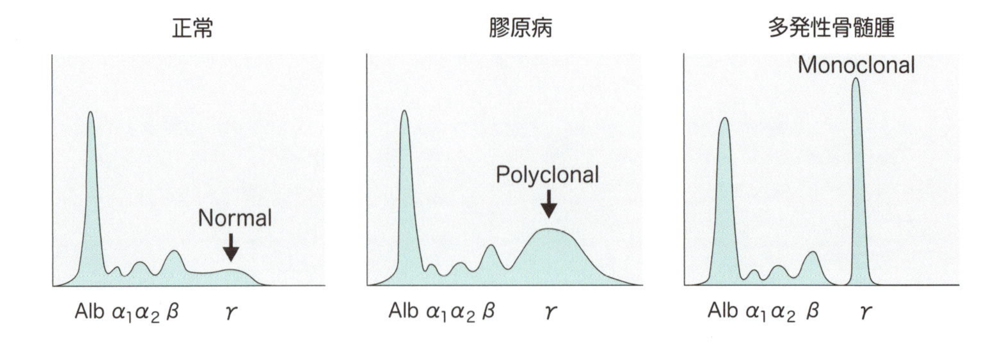

多発性骨髄腫やMGUSを疑う

- ベンスジョーンズ蛋白は、通常の尿検査の試験紙法では検出されません。ベンスジョーンズ蛋白が出ているかどうかを正確に調べるには、免疫電気泳動法が必要です。
- ごく微量であっても尿中ベンスジョーンズ蛋白が陽性の場合は、**多発性骨髄腫**や**MGUS**などを疑います。

- MGUSは、monoclonal gammopathy of undetermined significance（意義不明の単クローン性ガンマグロブリン血症）のことです。かつては「**良性M蛋白血症**」と呼ばれていましたが、一部が骨髄腫などに進行することがわかり、経過観察が必要とされています。

- 多発性骨髄腫では、尿細管を障害することがあります。ヘンレループの太い上行脚で生成されるTamm-Horsfall蛋白と反応して、尿細管を閉塞する円柱を形成します（cast nephropathyと呼ばれます☞200ページ）。
- また、低カリウム血症や低尿酸血症、低リン血症などの尿細管再吸収障害（**ファンコニ症候群**）を呈することもあります。

- これらの疾患は、疑うことが重要です。蛋白尿を認める病態ですが、治療は化学療法になります。

尿蛋白の選択性

- 蛋白尿を認めたときは、必ず尿蛋白の選択性を調べます。それによって、ある程度疾患を推定することが可能だからです。
- **尿蛋白選択指数**（**selectivity index ; SI**）は、高分子蛋白である **IgG**（分子量 160000）のクリアランスと低分子蛋白である**トランスフェリン**（分子量 80000）のクリアランスの比で表します。

> **Selectivity index** = IgG クリアランス / トランスフェリンクリアランス

- つまり、数値が低いほど、小さい蛋白だけが漏れている（＝選択性が高い）、数値が高ければ、大きい蛋白も漏れている（＝選択性が低い）ということになります。

> - **選択性が高い**
>   → 低分子蛋白（アルブミンなど）が選択的に尿中に漏れている状態
> - **選択性が低い**
>   → 分子量に関係なく、様々な蛋白が漏れている状態

尿蛋白の選択性が高い疾患

- 尿蛋白の選択性が高い腎疾患といえば、**微小変化型ネフローゼ症候群**です。小児や成人のネフローゼ症候群を診た場合、予後の良い微小変化型ネフローゼなのか、予後の悪い巣状糸球体硬化症なのか、尿蛋白量では区別がつきません。
- もちろん腎生検で診断しますが、もし選択性が高ければ微小変化型ネフローゼ症候群の可能性が高いです。それ以外の腎疾患は選択性が低いです。

> - Selectivity index ≦ **0.1** → 選択性が高い（微小変化型ネフローゼ症候群）
> - Selectivity index ≧ **0.25** → 選択性が低い（微小変化型以外の腎炎）

蛋白尿が出現する機序

- 一口に蛋白尿と言っても、いろんな機序で尿中に蛋白が漏れてきますので、きちんと見極める必要があります。
- 蛋白尿の出現パターンには、以下の 3 つがあります。

蛋白尿の出現様式

- 糸球体性病変により、血中蛋白が尿中に漏れる
- 尿細管障害により、尿蛋白の再吸収が低下
- 血中異常蛋白の増加により、糸球体での濾過量が増加して尿中へ漏出

- 尿中蛋白として、糸球体病変ではアルブミン、尿細管障害では β_2 ミクログロブリンや α_1 ミクログロブリン、血中異常蛋白としては Bence Jones 蛋白などが認められます。

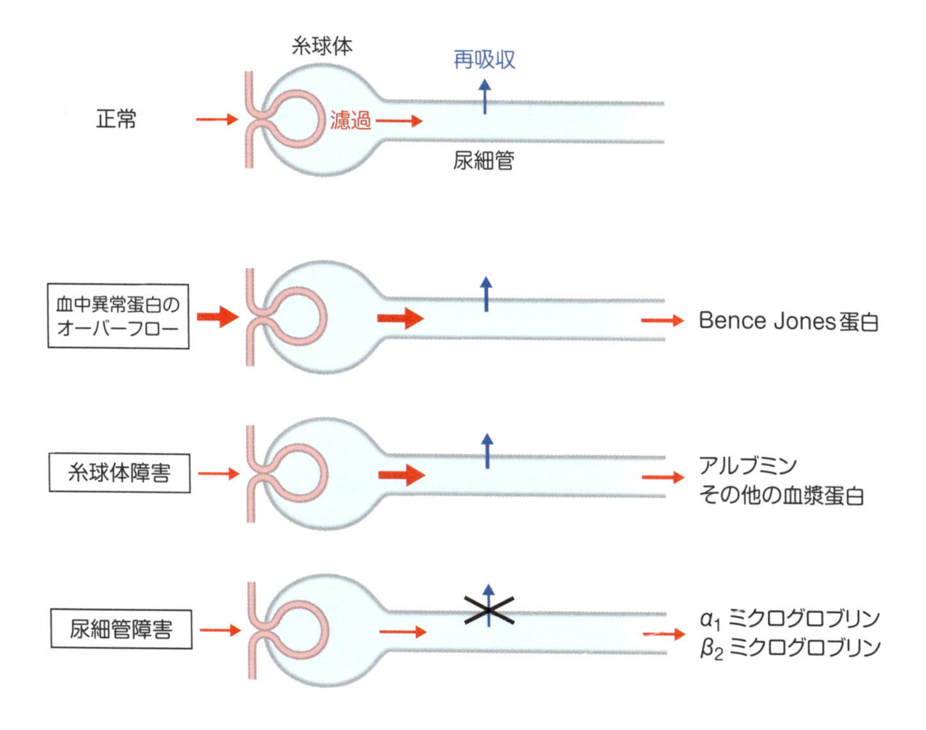

第3章 主要症候

生理的蛋白尿とは

- 蛋白尿を認めたら、100%何らかの病気に罹患しているというわけではありません。病気でない蛋白尿もあるのですね。**生理的蛋白尿**というものです。

蛋白尿の種類

生理的蛋白尿	機能性蛋白尿
	起立性蛋白尿
病的蛋白尿	糸球体性蛋白尿
	尿細管性蛋白尿
	腎前性蛋白尿（overflow 蛋白尿）

生理的蛋白尿とは

- 生理的蛋白尿には機能性蛋白尿と起立性蛋白尿があります。
- **機能性蛋白尿**とは、発熱、激しい運動、心理的ストレス、うっ血性心不全などの臨床状態に関連した一時的な蛋白尿のことです。腎血行動態の変化が原因と考えられています。
- **起立性蛋白尿**は**体位性蛋白尿**とも呼ばれ、立位のときにのみ蛋白が排泄される状態のことです。若い男性に多く認められます。1日尿蛋白量が1gを超えることはなく、ほとんどの症例で経過とともに蛋白尿は消失します。発症機序は不明です。

起立性蛋白尿の診断

- 生理的蛋白尿は、どうやって調べるのでしょうか。これは「安静にしている時」と「動いている時」とで尿蛋白量を比較して判断します。安静時として**早朝尿**を、起立時として外来受診時の**随時尿**を検査します。
- 日中（立位）の尿蛋白が陽性で、夜間（臥位）の尿蛋白が陰性であれば、起立性蛋白尿と診断されます。
- もし早朝尿でも随時尿でも尿蛋白陽性であれば、持続性蛋白尿ということになります。その場合は、何らかの腎疾患の存在が考えられます。

糸球体性蛋白尿と尿細管性蛋白尿

- 病的蛋白尿は、障害部位によって分類されます。糸球体から漏れ出てくるものと、尿細管由来のものがあります。

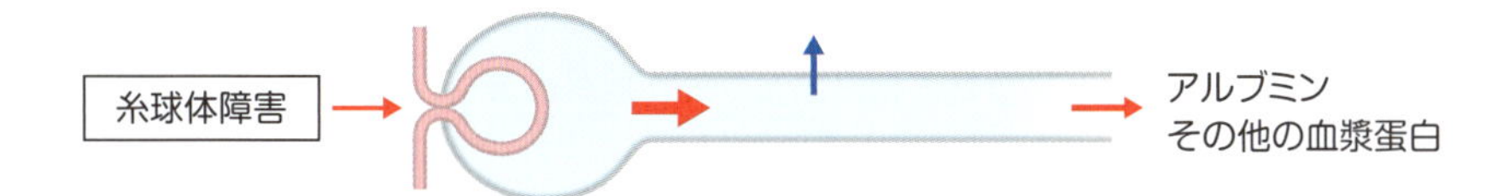

- **糸球体性蛋白尿**は、糸球体基底膜の機能である蛋白の選択的透過能が失われ、**アルブミン**を主体とした血漿蛋白が、そのまま糸球体を通過するために起こります。
- 種々の糸球体腎炎、腎硬化症、膠原病（ループス腎炎）、糖尿病性腎症などでみられます。臨床的にみられる蛋白尿のほとんどは、これに該当します。

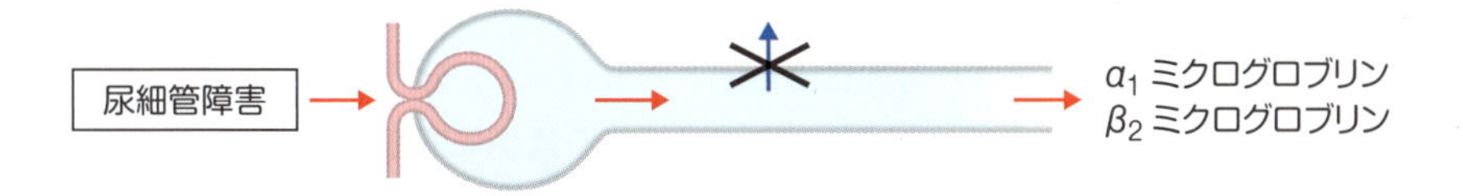

- **尿細管性蛋白尿**は、尿細管の再吸収能が低下し、糸球体から濾過された蛋白を尿細管で再吸収できないために起こります。
- 代表的なものは **β_2 ミクログロブリン**です。通常は糸球体で濾過されたのち近位尿細管で再吸収されますが、尿細管が障害されると尿中に漏れ出てきます。**α_1 ミクログロブリン**も同様の機序で尿中に出てきます。
- もう１つの指標は **NAG**（*N*-アセチル-*β*-グルコサミニダーゼ）です。通常は尿細管細胞内に存在しますが、何らかの障害によって尿細管細胞が壊れると、尿中に出てきます。
- 尿細管性蛋白尿は、間質性腎炎、急性尿細管壊死、薬剤性腎障害などでみられます。

糸球体性か、尿細管性か

- 出ている蛋白の種類によって、腎臓のどこ（糸球体？ 尿細管？）が障害されているのかを予想する。

定性（±）、定量 3g/日の蛋白尿はどんな病態か？

- 定性検査（試験紙法）では尿蛋白陰性でも、定量検査では尿蛋白が確認されることがあります。つまり、定性検査と定量検査の乖離を認めるケースです。それはどのような場合でしょうか？
- 試験紙は、主として尿中のアルブミンを検出するものです。したがって、定性陰性・定量陽性ということは、アルブミン以外の蛋白が漏れ出ていることを意味しています。

アルブミン以外の蛋白が漏れている

- この場合、よくある原因は、いわゆる**オーバーフロー蛋白尿**です。

オーバーフロー蛋白尿

- 血中異常蛋白の増加により、糸球体での濾過量が増加して尿中に漏出

- オーバーフロー蛋白尿は**腎前性蛋白尿**とも言います。分子量の小さい蛋白が血中に多量に生産され、糸球体から濾過される量が尿細管での再吸収能力を上回るために、尿に蛋白が漏れ出てしまう状態です。
- **多発性骨髄腫**や**原発性マクログロブリン血症**、**アミロイドーシス**などで出現する単クローン性のＬ鎖（**ベンスジョーンズ蛋白**）がこれに相当します。

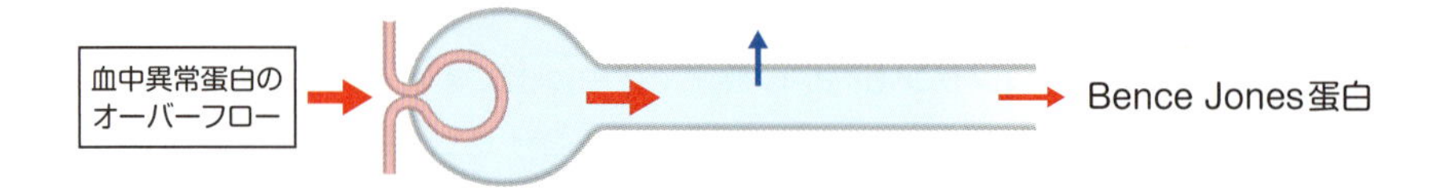

- ですから、定性検査が（±）でも、必ず定量検査を行って尿蛋白量を確認する必要があります。もし定性試験と定量試験の乖離を認めた場合には、**血清・尿中免疫電気泳動**を検査しましょう。

血尿を診たらまず行うべきこと

- スライドグラスに尿を 1 滴垂らして観察したときに、400 倍の視野（high power field：HPF）で赤血球が 5 個以上見られる場合を**血尿**と呼んでいます。

血尿の鑑別診断

- 血尿は腎尿路系からの出血を意味します。血尿を認めたからといって必ずしもすべてが腎炎というわけではありません。年齢・性別、原因疾患の頻度、血尿の期間（一過性か持続性か）を考慮して鑑別を行います。

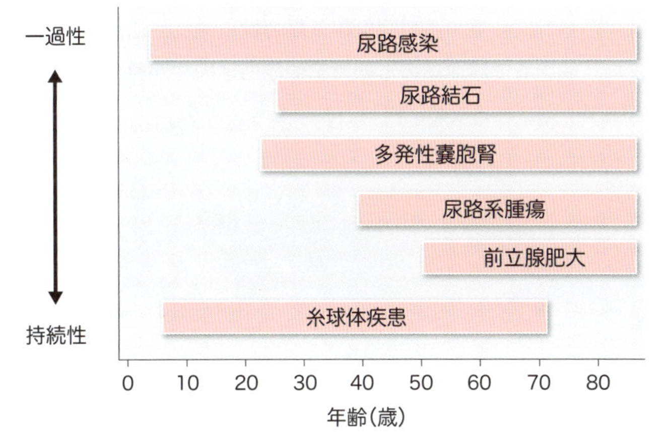

（Kurtz M, Feldman AS, Cho KC. Etiology and evaluation of hematuria in adults. ©2017 UpToDate を参考に作図）

肉眼的血尿ではまず尿路腫瘍を除外する

- 血尿はその程度により、**肉眼的血尿**（macrohematuria）と**顕微鏡的血尿**（microhematuria）に分けられます。

- **肉眼的血尿**　：赤い尿、コーラ色の尿、凝血塊が混じった尿
- **顕微鏡的血尿**：見た目は正常。尿潜血陽性で沈渣により赤血球を認める

- 肉眼的血尿の場合、出血部位としては尿路（腎臓から尿道口まで）のどの部位でも可能性があり、原因疾患によって**内科的血尿**と**泌尿器科的血尿**に分けられます。

肉眼的血尿の原因

- **内科的血尿** ………………… 糸球体腎炎など、腎実質の疾患による血尿
- **泌尿器科的血尿** ………… 尿路の悪性腫瘍、尿路結石などによる血尿

- 血尿の診療でまず行うべきことは、泌尿器科的血尿、特に尿路の悪性腫瘍を除外することです。特に、高齢者や肉眼的血尿の場合は必須です。腹部 CT、膀胱鏡、尿細胞診などを行います。
- 原因不明の肉眼的血尿を繰り返す場合には、動静脈瘻、nutcracker 現象などの特殊な疾患を考慮します。

- 一方、血尿とともに多量の蛋白尿を伴う場合は、内科的血尿の可能性が高いです。また、尿沈渣で赤血球の形態異常や赤血球円柱が見られれば、糸球体からの出血が予想されるため、内科的血尿を考えます。

腎臓のどこにも異常がない血尿

- 腎臓のどこにも異常がないのに、血尿を認める場合があります。それは、ヘモグロビン尿やミオグロビン尿です。

ヘモグロビン尿

- ヘモグロビン尿とは、血中の遊離ヘモグロビンが増加する結果、尿中への排泄が増加する病態です。
- 血管内溶血が起こると、放出されたヘモグロビンは、血中の**ハプトグロビン**と結合して網内系に運ばれ、マクロファージによって分解処理されます。
- ところが、高度の血管内溶血が持続的に起こると、血中ハプトグロビンは完全に消費されてしまいます。この結果、血中遊離ヘモグロビンは増加して尿中に漏れて、最終的にヘモグロビン尿となります。
- すなわち、尿中ヘモグロビンの増加は**異型輸血**、**溶血性貧血**、**DIC** など血中での溶血を反映しています。

ミオグロビン尿

- 血中ミオグロビンが増加した際も血尿を認めます。ミオグロビンは骨格筋や心筋に存在し、血中から酸素を取り込み、筋肉の収縮を円滑にする役割があります。
- 筋肉が障害されて壊死に陥ると、血中にミオグロビンが放出されます。ミオグロビンは低分子蛋白（分子量 17500）であるため、速やかに尿中に排泄されます。
- 尿中ミオグロビンの増加は、外傷による**骨格筋の挫滅**、**心筋梗塞**などの心筋壊死、スタチンなどの薬物による**横紋筋融解**などで認められます。

- ヘモグロビン尿とミオグロビン尿による着色尿では、試験紙法での尿潜血反応が陽性ですが、尿沈渣では赤血球を認めません。つまり、尿潜血の定性と沈渣所見に乖離が生じます。

変形赤血球は何を意味するか？

◆ 尿沈渣の結果に「変形赤血球あり」というコメントを見ることがあります。変形赤血球を認めた場合は、糸球体病変が疑われます。

赤血球の形態による鑑別

- 変形赤血球が80%以上を占めるときは**糸球体性**
- 均一赤血球が80%以上を占めるときは**非糸球体性**

◆ 糸球体からの出血では、なぜ赤血球の形態異常が見られるのでしょうか？正確な発生機序はよくわかっていませんが、次のような機序が推定されています。

変形赤血球ができる原因

- 糸球体毛細血管壁の間隙を通るときの機械的な損傷
- 尿細管を通る際に、浸透圧とpHの変化による損傷

◆ 下の写真は『腎生検病理アトラス』の表紙に掲載されていた写真です。糸球体基底膜から赤血球が漏れ出ている瞬間がきれいに捉えられています。

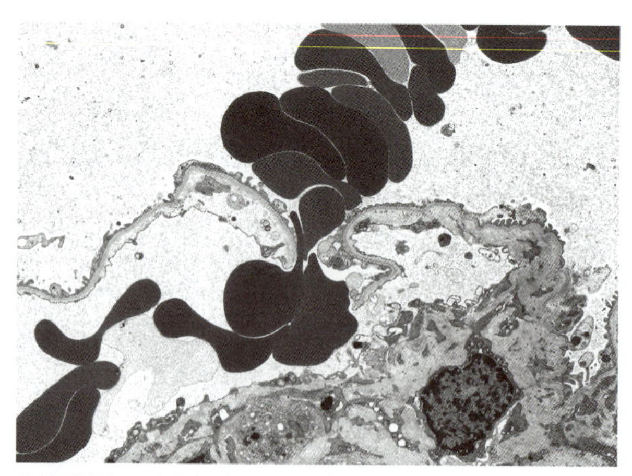

日本腎臓学会・日本腎病理協会 編：腎生検病理アトラス，東京医学社，2010
（写真提供：SRL 羽村ラボラトリー 浜口欣一先生）

ナットクラッカー症候群とは

- **左腎静脈**は腹部大動脈の前面を通過するのですが、そのすぐ上方で上腸間膜動脈が腹部大動脈から分岐します。
- 左腎静脈が腹部大動脈と上腸間膜動脈の間に挟まれて圧迫され、うっ血をきたすことがあります。腹部大動脈と上腸間膜動脈の位置関係がクルミ割り器に似ていることから、**nutcracker 症候群**（nutcracker 現象）と呼ばれます。

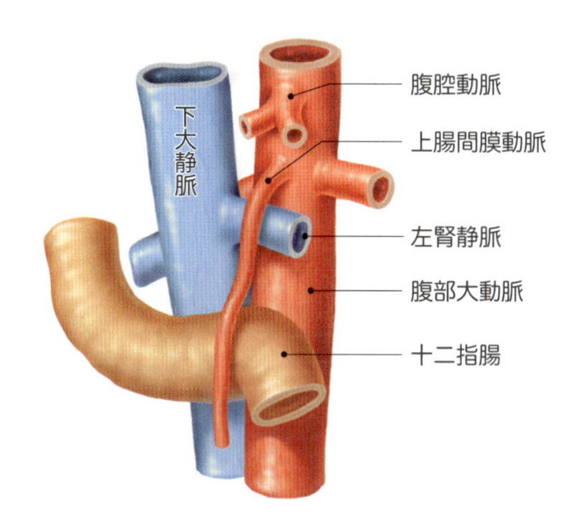

- 左腎静脈圧が上昇する結果、腎杯または尿管に周囲の血管から穿破出血が起こり、**反復性の肉眼的血尿**を認めます。
- 内臓脂肪が少ない、やせ型の思春期の児童に多くみられます。
- 血尿のほかに、腰背部痛をきたすこともあります。通常は副血行路の構築とともに血尿は改善するため、治療の必要はないとされています。

多尿をきたす病態（糖尿病、慢性腎不全、尿崩症）

- 1日尿量が3リットル以上の場合を**多尿**といいます。尿量が増える原因は、溶質が多い場合（浸透圧利尿）と、水そのものが多い場合（水利尿）とに分けられます。

多尿の原因

- **浸透圧利尿**（糖尿病）…… 溶質が過剰に濾過され、尿細管内の浸透圧が上昇
- **水利尿**（尿崩症）………… 集合管での水の再吸収が障害される

浸透圧利尿による多尿

- **浸透圧利尿**は、血漿由来のブドウ糖やNaなどの溶質が糸球体で過剰に濾過されるために生じます。尿細管腔内の浸透圧が上昇する結果、尿浸透圧は250mOsm/kg・H_2O以上となります。
- 浸透圧利尿の代表的疾患として、高血糖をきたす**糖尿病**があげられます。糸球体で濾過された過剰なブドウ糖により尿細管腔の浸透圧が上昇し、これを等張に保つためにNaおよび水の再吸収が妨げられ、多尿が生じます。
- 高血糖を認めない腎性糖尿患者、SGLT2阻害薬服用中の糖尿病患者でも、やはり浸透圧利尿の結果、多尿がみられます。

慢性腎不全による多尿

- **慢性腎不全**でも、腎不全の程度が軽いうちから、尿の濃度や量を調節する機能が弱くなることがあります。
- 腎機能が正常であれば、夜間は尿が濃縮されて尿量が減るので、トイレに起きることはありません。ところが、腎不全では夜間でも尿が濃縮されずに尿量が増えるため、何度もトイレに起き、しかも1回の尿量が多い「多尿による夜間頻尿」を認めるようになります。

水利尿による多尿

- **水利尿**は、集合管における水分の再吸収障害です。尿浸透圧は 150 mOsm/kg・H_2O 以下を示します。
- 代表的疾患は**尿崩症**です。尿崩症とは、抗利尿ホルモン（**バソプレッシン**）の作用が障害される結果、口渇、多飲、多尿、脱水などを呈する疾患です。バソプレッシンは、下垂体後葉から分泌され、腎臓の集合管に存在する V_2 受容体に結合して、水の再吸収を促進します（☞25ページ）。
- このシステムに不具合が生じると、水の再吸収ができず、水がどんどん尿に漏れ出ます（＝水利尿）。さらに、脱水のため口渇中枢が刺激され、**多飲**をきたします。

尿崩症の診断と治療

- 尿崩症は中枢性と腎性に分類されます。

尿崩症

- **中枢性尿崩症** …… バソプレッシンの欠乏が原因
- **腎性尿崩症** ………… バソプレッシンに対する尿細管の不応性が原因

- **腎性尿崩症**は、電解質異常や薬剤による尿細管障害、尿路閉塞などによって生じる続発性のものが大部分です。特に高カルシウム血症と低カリウム血症では多飲、多尿に加え、腎不全をきたします。
- 遺伝性腎性尿崩症はまれですが、バソプレッシン V_2 受容体の異常によるもの（10%）と、アクアポリン２の異常によるもの（90%）が報告されています。

- 尿崩症の診断は、１日尿量 3000 mL（小児では 3000 mL/m^2 体表面積）以上の多尿と**低張尿**を確認した上で、水制限試験・高張食塩水試験で尿浸透圧低値の持続と尿量減少を認めないことを確認します（心因性多飲を除外するため）。その上で、ADH 負荷試験により中枢性と腎性尿崩症を鑑別します。
- **中枢性尿崩症**には下垂体後葉ホルモン製剤による補充療法が行われます。一般には、DDAVP（デスモプレシン）点鼻薬が用いられます。
- 腎性尿崩症の大部分を占める続発性では、腎炎や電解質異常といった原疾患の治療を行います。

高カリウム血症＝生命に危険を及ぼす電解質異常

カリウムの排泄機構

- 体内でのカリウムの排泄経路を確認しましょう。カリウムは糸球体で100%濾過されます。その後、近位尿細管およびヘンレループでほぼすべて再吸収されます。

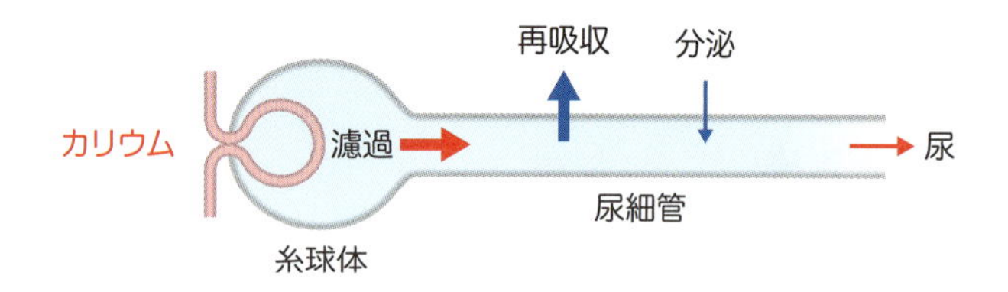

- ナトリウムと異なるのは、カリウムは尿細管から再吸収されるだけでなく、分泌もされているという点です。腎臓からのカリウム排泄量は、遠位尿細管以降の分泌によって調節されています。
- 最終的に、糸球体で濾過されたカリウムの15～90%が尿中に排泄されます。15～90%とは、ずいぶん幅がありますね。フレキシブルに対応して、血清カリウム値を**4.0mEq/L**前後に維持するように精密に働いているわけです。

高カリウム血症はなぜ危険か

- 腎機能が低下するとカリウム排泄がうまくいかず、**高カリウム血症**になります。電解質異常の中で高カリウム血症は最も危険です。なぜなら、**不整脈**を誘発するからです。
- カリウムは細胞内の主要な陽イオンであり、正常な細胞、特に神経細胞や筋細胞の膜電位を規定しています。
- 細胞内（150mEq/L）に比べて、細胞外のカリウム濃度は4.0mEq/Lと非常に低く設定されています。細胞内外のカリウム濃度の比が興奮性を決定しているため、高カリウム血症になると膜電位に異常をきたし、不整脈を誘発するわけです。

血清カリウム濃度と心電図変化

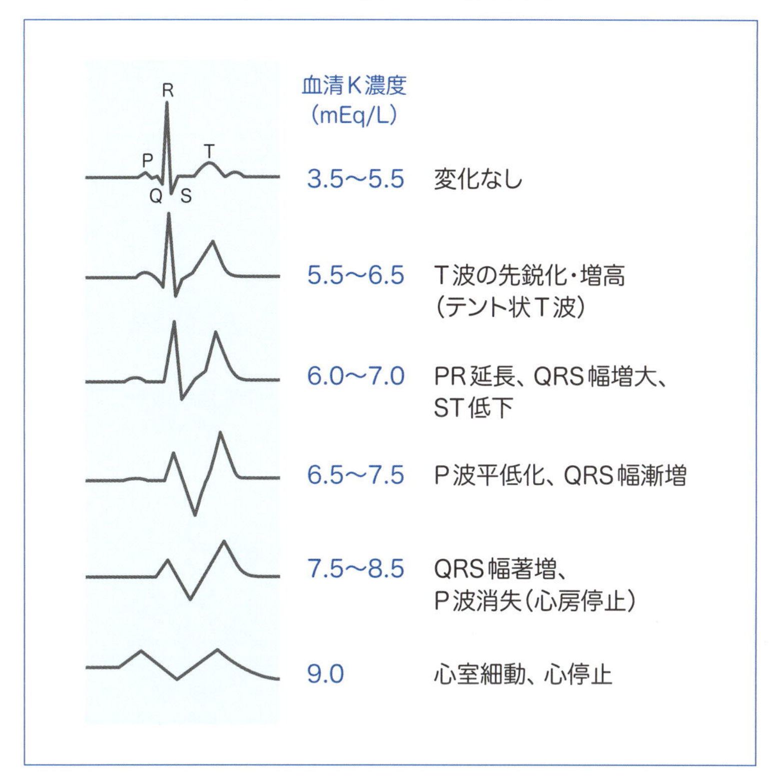

高カリウム血症の治療

- 心電図異常をきたすほどの高カリウム血症は非常に危険です。**心室細動**を予防すべく緊急治療の適応になります。

高カリウム血症の治療

- **グルコン酸カルシウム液**：Ca が K と拮抗することで心筋膜を安定化
- **グルコース+インスリン療法**：インスリンが K の細胞内移行を促進
- **陽イオン交換樹脂**：腸管内で K をキレート化し、体外へ排泄
- **血液透析**：K を体外へ排泄

高カリウム血症の原因（腎不全以外）

- 高カリウム血症の原因は、腎不全（腎からの排泄低下）以外にもいくつかあります。

高カリウム血症の原因

- **腎からの排泄低下**
- **カリウムの過剰摂取**
- **細胞内からの細胞外へのカリウム流出**
- **薬剤性**

- 臨床的に頻度として多いのは、**薬剤性高カリウム血症**です。

高カリウム血症をきたしやすい薬剤

- スピロノラクトン（アルダクトンA®）
- RAS阻害薬
- ST合剤（バクタ®）
- ナファモスタットメシル酸塩（フサン®）

- 何らかの原因で細胞内カリウムが細胞外へ流出することもあります。

細胞外へカリウムが流出する原因

- **代謝性アシドーシス**
- **消化管出血**
- **細胞崩壊**（溶血、外傷による挫滅症候群、化学療法による腫瘍崩壊など）

- **代謝性アシドーシス**では、細胞内カリウムが水素イオンと交換されて細胞外に出てきます。そのため高カリウム血症をきたします。
- 採血後の試験管内溶血によって生じる**偽性高カリウム血症**は、研修医時代に誰でも一度は経験しているのではないでしょうか。

低カリウム血症の原因

- ついでに低カリウム血症のことも勉強しておきましょう。頻度としては、利尿薬による低カリウム血症（尿中への排泄増加）をよく経験します。

低カリウム血症の原因

- **摂取量の異常（摂取不足）**
  低栄養、過度のダイエット、拒食症、経口摂取不能者への補給不足
- **分布の異常（細胞内への移動）**
  カリウム取り込み亢進
  　インスリン、カテコラミン（β刺激）、アルカローシス
  　甲状腺ホルモン
- **排泄量の異常**
  消化管からの喪失（下痢・嘔吐）
  尿中排泄亢進
  　利尿薬、尿細管アシドーシス
  　内分泌疾患（アルドステロン高値、コルチゾール高値）

- 大腸液にはカリウムや重炭酸イオン（HCO_3^-）が多く含まれています。そのため、大量の下痢ではカリウム欠乏に陥ったり、**代謝性アシドーシス**をきたしやすいです。
- 胃液にはカリウムや水素イオン（H^+）が多く含まれています。そのため、大量の嘔吐では低カリウム血症と**代謝性アルカローシス**をきたします。

- **大量の下痢** ➡ 低カリウム血症 ＋ 代謝性アシドーシス
- **大量の嘔吐** ➡ 低カリウム血症 ＋ 代謝性アルカローシス

- 高血圧を伴う低カリウム血症をみたら、**二次性高血圧**の可能性を考えましょう。腎血管性高血圧、原発性アルドステロン症、Cushing 症候群は、低カリウム血症を伴うことが多いです。

入院患者で最も多い電解質異常は？

- 入院患者さんに最も多くみられる電解質異常は**低 Na 血症**と言われています。低 Na 血症にはいろいろな原因がありますが、腎不全やネフローゼ症候群もその 1 つです。
- 低 Na 血症の患者さんを診たとき、「Na 不足だから、塩分を負荷しよう」と安易に考えてはいけません。低 Na 血症は、単に体内の Na が不足している状態ではなく、体液量に対する体内 Na 量の相対的な割合が低いために起こっているからです。体内 Na 量が多くても、それ以上に体液量が多ければ低 Na 血症になります。

低ナトリウム血症の分類

- 低 Na 血症は、下図のように 3 つのタイプに分類できます。教科書には疾患の頻度が記されていないため、どれも同様に起こりうると思われがちですが、臨床的に多いのは、右端の［**水過剰 > Na 過剰**］のタイプです。

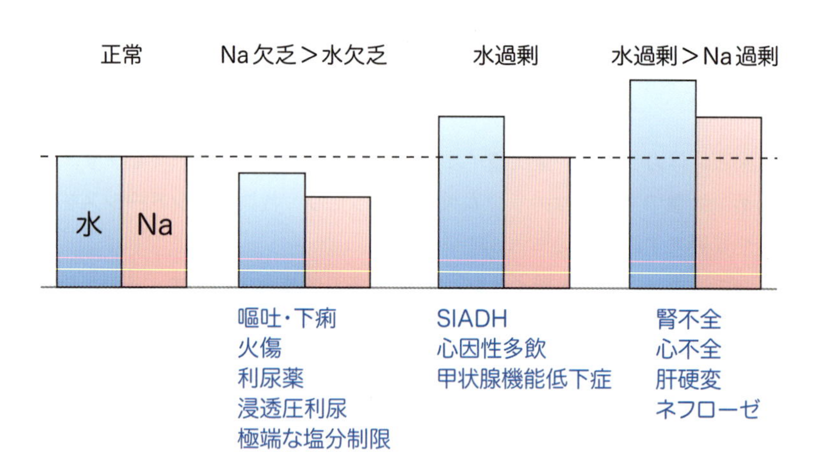

- 低 Na 血症をみたら、まずは右端のタイプをチェックして、該当しなければ他の原因を精査していくという順番でよいと思います。

低ナトリウム血症は、頻度の高い原因疾患からチェックしよう

- 低 Na 血症の原因を教科書で調べるとたくさんの疾患や病態が出てきます。でも、臨床的に経験するのは限られています。

［水過剰 ＞ Na 過剰］タイプ

- おそらく、臨床ではこのタイプの低 Na 血症が最も多いでしょう。原因としては**腎不全**、**心不全**、**肝硬変**、**ネフローゼ**などです。

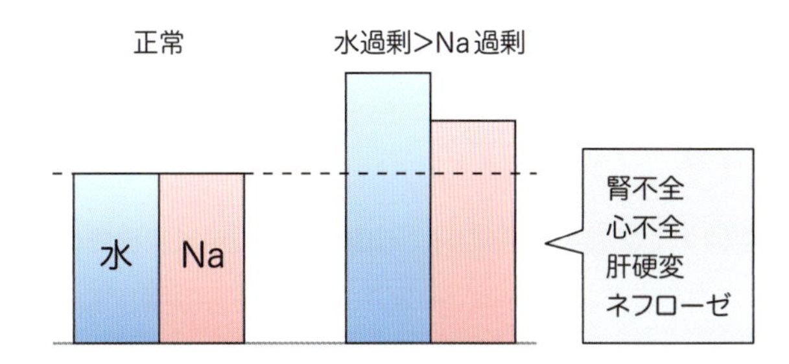

- 心不全では、心拍出量の低下により有効循環血液量が減少します。肝硬変では、腹腔内静脈うっ滞のため有効循環血液量が減少します。有効循環血液量の減少は、レニン・アンジオテンシン系を活性化して腎での Na 再吸収を引き起こします。その結果、**Na 貯留**による浮腫を生じます。
- このとき、ADH 分泌も増加して水再吸収が増えるため、**水貯留**による低 Na 血症を生じます。
- さらに、口渇によって水分摂取も増えるため、水貯留による低 Na 血症が遷延しやすいと考えられています。
- このように体内の Na 量が多くても、それ以上に体液量が多いために低 Na 血症になっているわけです。肝臓、腎臓、心臓に異常がなければ、他のタイプを精査します。

[Na欠乏＞水欠乏] タイプ

- 次に多いのがこのタイプです。臨床でよくみるのは、**利尿薬**に伴う低Na血症です。そのほかに、嘔吐・下痢、火傷、浸透圧利尿があります。
- 最近は、高齢者の厳格な塩分制限による低Na血症も増えています。

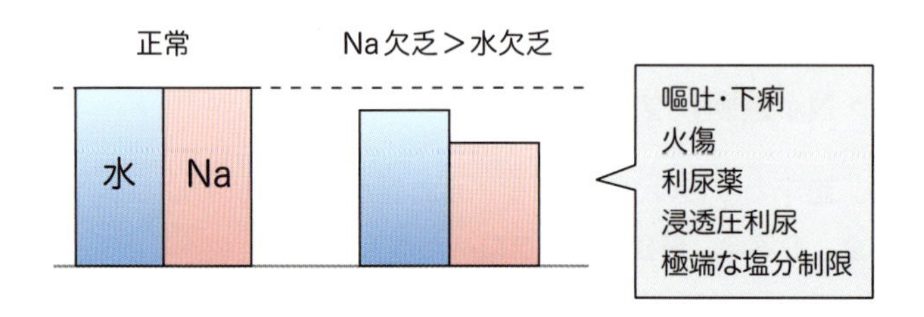

水過剰タイプ

- 一番少ないタイプです。**SIADH**、**心因性多飲**、**甲状腺機能低下症**などが該当します。

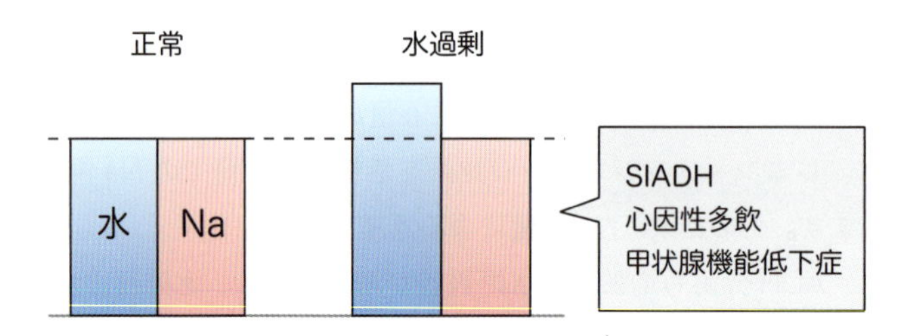

- 心因性多飲の患者さんを私は診察したことがありません。基本的に腎機能が正常のときは、どんなに水分を摂取しても、ちゃんと尿に排泄されるため、そう簡単に低Na血症にはなりません。

蛋白や脂質が多いときは見かけ上、低ナトリウム血症をきたしやすい

- 血清中に蛋白や脂質などが増加していると、そのぶん溶媒である水の容積が減少し、血中 Na 濃度が低下しているようにみえます。

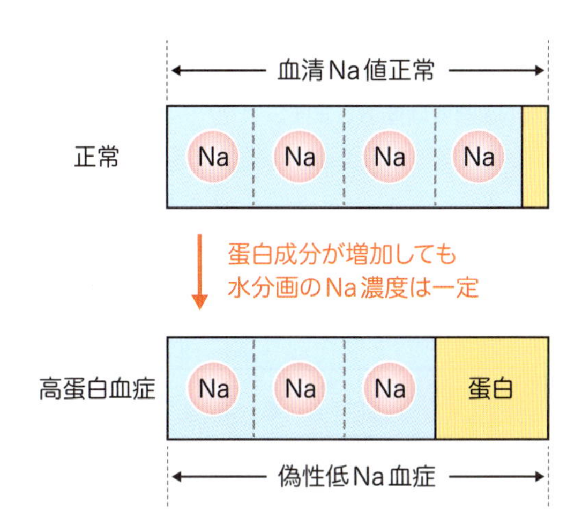

- 検査では血清量全体から Na 濃度を測定するため、その濃度は低値となりますが、水分画の中での Na 濃度は正常です。このような見かけ上の低 Na 血症を**偽性低 Na 血症**といい、治療の必要はありません。
- 多発性骨髄腫、マクログロブリン血症、高脂血症（特に中性脂肪の増加）などでみられます。

第3章 主要症候

高血糖のときは低ナトリウム血症をきたしやすい

- 血清中に Na 以外の有効浸透圧物質が増加した場合でも、低 Na 血症をきたします。
- 有効浸透圧物質が増加するケースとしては、高血糖時やマンニトール投与時などが該当します。**グルコース**や**マンニトール**などの有効浸透圧物質が増加すると、細胞外液の浸透圧が増加して細胞内から細胞外へ水の移動が起こります。結果的に血清 Na 濃度は低下します。

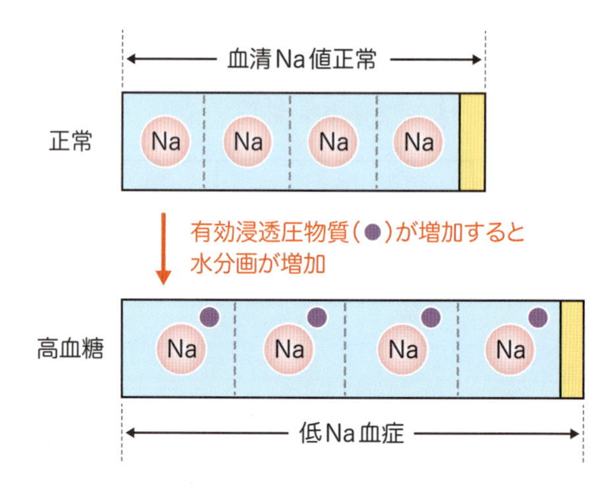

- 血糖値が 100 mg/dL 上昇するごとに、血清 Na 値は 1.6 mEq/L（血糖が 400 mg/dL 未満の場合）から 2.4 mEq/L（血糖が 400 mg/dL 以上の場合）程度低下すると言われています。

試験によく出る低ナトリウム血症

- 低 Na 血症の原因の 1 つに **SIADH** という病態があります。Syndrome of inappropriate secretion of ADH（ADH 分泌異常症）という名前の通り、抗利尿ホルモンが不適切に分泌される病態です。臨床ではそれほど頻度は多くありませんが、試験によく出ます。

SIADH とは

- 下垂体後葉からの ADH の分泌は、血漿浸透圧によって調節されています。通常、280 mOsm/L を下回れば、その分泌が抑制されます。ところが、本症では ADH の分泌が抑制されず、血漿浸透圧に対して不適切な ADH の分泌が持続します。

- **SIADH** = 低 Na 血症・低浸透圧血症にもかかわらず、ADH が不適切に分泌され、水分の貯留が起こる症候群

- 臨床症状は無症状のことが多いです。ただし、低 Na 血症が進行すると**水中毒**の症状（悪心、食欲低下、意識障害、痙攣など）が出現する場合もあります。
- ポイントは身体診察上、何も異常を認めないことです。脱水なし、浮腫なし、腎機能正常、副腎機能正常です。
- 検査所見では、**低 Na 血症**、**低浸透圧血症**、**尿浸透圧高値**を認めます。血漿レニン活性は亢進せず、水負荷試験で水利尿不全を認めます（水を負荷しても高張尿が持続する）。低尿酸血症もみられます。
- 難しいのは、いろいろと鑑別診断をしなければいけないことです。

鑑別すべき疾患

- 浮腫を伴う続発性アルドステロン症
  （肝硬変、心不全、ネフローゼ症候群）
- 原発性（続発性）副腎皮質機能低下症
- 甲状腺機能低下症
- 慢性の消耗性疾患に伴う無症候性低 Na 血症
- サイアザイド系利尿薬投与時の低 Na 血症

脱水もないのになぜADH分泌が亢進するのか

- ADHが適切に分泌されている状況を考えてみましょう。夏の暑い日に汗をかいて脱水傾向になったとします。喉の渇きを覚えるよりも前に、体内ではADHが分泌されて腎臓の集合管に作用して水の再吸収が亢進します。水を体内に貯め込んで、脱水を回避するように働くわけです。
- ところが、SIADHでは脱水もなく、腎機能障害もなく、副腎異常もない。つまり、身体所見に何も異常がないのにADH分泌が亢進して水を貯め込もうとしている状態です。そうして体液量が増加した結果、血中のNaが薄まってしまうのです。
- 脱水もないのになぜADH分泌が亢進するのか。原因はいくつかあります。

SIADHの原因

- **ADH産生腫瘍**（肺小細胞癌などが異所性にADH分泌）
- **視床下部・下垂体の異常**（頭部外傷、脳腫瘍、髄膜炎）
- 迷走神経を介するADH分泌抑制が解除される（肺炎など）
- 中枢神経障害を起こす薬剤、ADH分泌を刺激する薬剤

SIADHの診断・治療

- 前述したように、SIADHの患者さんでは、「細胞外液量の減少」や「血漿浸透圧の上昇」といったADH分泌刺激は存在していないことが前提です。コルチゾールや甲状腺ホルモンは正常です。
- では、SIADHの診断はどのように行うのでしょうか？

SIADHの診断基準

- 血漿浸透圧 $<$ 275 mOsm/kg·H_2O
- 尿浸透圧 $>$ 100 mOsm/kg·H_2O
- 臨床的に体液量正常
- 尿Na濃度 $>$ 20～30 mmol/L
- 甲状腺機能、副腎機能、腎機能が正常
- 利尿薬を使用していないこと

- SIADH の治療は次のいずれかを選択します。

SIADH の治療

- 原疾患の治療
- 水制限（1 日の総水分摂取量を体重 1 kg 当たり 15 ～ 20 mL に制限）
- 食塩負荷（経口的または非経口的に 1 日 200 mEq 以上投与）
- 重症低 Na 血症（120 mEq/L 以下）で速やかな治療を必要とする場合はフロセミドを投与し、尿中 Na 排泄量に相当する 3%食塩水を投与する
- 異所性バソプレッシン産生腫瘍の場合、既存の治療で効果不十分な場合に限り、成人にはバソプレッシン V_2 受容体拮抗薬（モザバプタン）を投与
- 抗菌薬のデメクロサイクリンを経口投与

- 急激な低 Na 血症の是正は**橋中心性脱髄**（central pontine myelinolysis：CPM）をきたすため要注意です。

腎機能が低下すると低カルシウム血症をきたす

- カルシウムは生体内で重要な働きをする陽イオンです。まず、体内におけるカルシウム調節について復習しましょう。

カルシウムの働き

- 骨や歯の形成と成長
- 神経の興奮
- 筋収縮
- 血液凝固
- 細胞の刺激伝導

血清カルシウム濃度の調節機構

- 血清カルシウム濃度は、**腸管（経口摂取）**、**腎臓（尿中排泄）**、**骨（貯蔵）**のバランスによって規定されています。特に骨は、体内カルシウムの99%を保管する貯蔵庫として機能します。

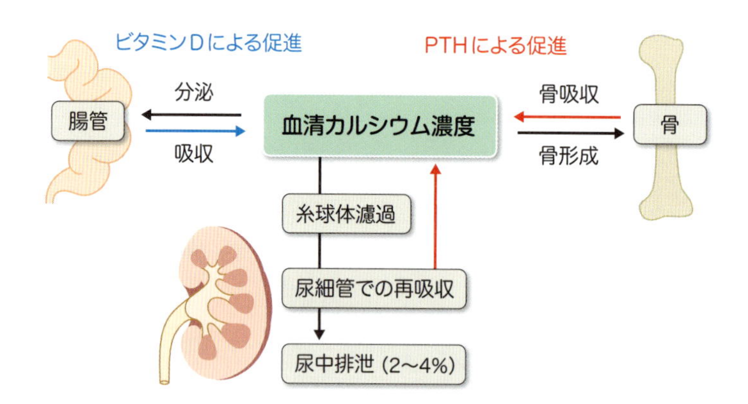

- カルシウムは糸球体で濾過されますが、そのほとんどは近位尿細管とヘンレループで再吸収されます。糸球体で濾過されたカルシウムのうち尿中へ排泄される割合、すなわちCa部分排泄率（FEca）の正常値は2〜4%です。
- 血清カルシウム濃度を調節しているのは、**副甲状腺ホルモン（PTH）**と**活性型ビタミンD**です。この2つのホルモンが腸管、骨、腎臓に作用して血中カルシウム濃度が維持されています。

カルシウム調節因子

- 腎臓で作られる**活性型ビタミンD**
- 副甲状腺から分泌される**副甲状腺ホルモン（PTH）**

PTH の作用

- PTH は、骨と腎臓に作用して血清カルシウム濃度を上昇させます。

PTH の生理作用

- **骨**　：破骨細胞を介して骨吸収を促進
- **腎臓**：尿細管でのカルシウム再吸収を促進
- **腎臓**：活性型ビタミン D の産生を増加 ➡ 腸管でのカルシウム吸収増加

- 副甲状腺における PTH の分泌は血清カルシウム濃度によって調節されています。血清カルシウム濃度が低下すると副甲状腺細胞の**カルシウム感知受容体**がこれを感知して PTH 分泌を増加します。反対に、血清カルシウム濃度が上昇すると PTH の分泌は抑制されます。

ビタミン D の作用

- ビタミン D は食事から吸収されます。また、日光照射により皮膚で産生されます。ビタミン D は肝臓で 25 位が水酸化されて **25 (OH) D_3** となり、その後近位尿細管に存在する **1 α 水酸化酵素**により活性型の **1,25 (OH)$_2$$D_3$** となります。
- 活性型ビタミン D は腸管に作用して、カルシウム吸収を促進します。また、腎尿細管におけるカルシウム再吸収を促進します。
- PTH は 1 α 水酸化酵素の働きを促進することによって、活性型ビタミン D の産生を増加させます。

慢性腎不全で低カルシウム血症をきたす機序

- 糸球体濾過量が低下すると、尿中へのリンの排泄が低下し、**高リン血症**をきたします（☞ 114 ページ）。腎臓の 1 α 水酸化酵素活性は高リン血症の影響を受けて抑制され、活性型ビタミン D の産生が低下します。そのため、腸管でのカルシウム吸収が低下し、**低カルシウム血症**をきたします。
- 高リン・低カルシウム血症の病態は、ある程度までは PTH によって代償されますが、腎不全の進行に伴って代償しきれなくなります。
- また、高濃度のリンが血中のカルシウムと反応してリン酸カルシウムが形成されるため、血清カルシウム濃度はさらに低下します。

高齢者の高カルシウム血症に注意！

- 前のページで、腎機能が低下すると低カルシウム血症になると述べましたが、実は腎不全で高カルシウム血症をきたすケースが最近増えています。それは**薬剤性高カルシウム血症**です。
- ビタミンＤ製剤や炭酸カルシウムの過剰摂取による高カルシウム血症が、特に高齢者で増えているのです。

- 腎機能が正常であれば、たとえカルシウムを過剰に摂取しても、PTH や活性型ビタミンＤの産生が抑制され、高カルシウム血症は起こりません。
- ところが、腎機能障害によりカルシウム排泄能が低下している場合、炭酸カルシウムの過剰摂取によって高カルシウム血症を生じることがあります。特に高齢者では、**骨粗鬆症**に対して**活性型ビタミンＤ製剤**がよく処方されますが、常用量でも過剰に効き過ぎて高カルシウム血症をきたすケースが少なくありません。
- 高度の高カルシウム血症は、それ自体が腎機能低下をきたします。さらに、高カルシウム血症に伴う多尿によって脱水傾向となり、腎不全を助長させてしまいます。

- 漫然と投与せず、定期的な血清カルシウム値や腎機能のチェックも忘れずにしましょう。

ビタミンＤ製剤投与時

- 高齢者や腎不全患者では、ビタミンＤ過剰症に要注意!!

低アルブミン血症のときには、血清カルシウム濃度を補正しよう

◆ 血清中のカルシウムは３つの形で存在しています。

カルシウム分画

- **アルブミン結合カルシウム**（約40%）
- **陰イオン結合カルシウム**（約12%）
- **イオン化カルシウム**（約48%）

◆ このうち濃度が調節されているのはイオン化カルシウムです。また、アルブミン結合カルシウムはカルシウムとしての作用を示しません。

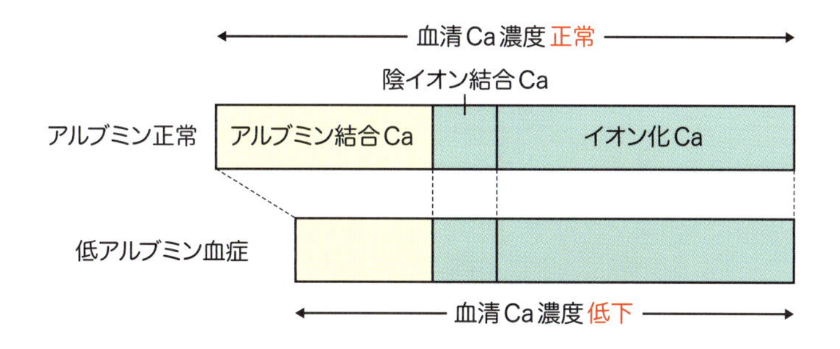

◆ 血清カルシウム濃度は、この３種類すべてを含むカルシウムを測定しています。したがって、ネフローゼ症候群や肝硬変などで低アルブミン血症がある場合、アルブミン結合カルシウムが減少します。イオン化カルシウムが正常であっても、見かけ上、血清カルシウム値を低く測定してしまうわけです。

◆ そこで、血清アルブミンが4mg/dL以下の場合は、カルシウム濃度を補正する必要があります。

補正カルシウム濃度［mg/dL］
＝（4－血清アルブミン濃度［g/dL］）＋実測カルシウム濃度［mg/dL］

例：血清アルブミン値1.8g/dL、カルシウム濃度6.8mg/dLの場合
補正カルシウム濃度（mg/dL）＝（4－1.8）＋6.8＝9.0

腎機能が低下すると高リン血症をきたす

血清リン濃度の調節機構

- 血清リン濃度は、カルシウムの場合と同様に、**腸管（経口摂取）**、**腎臓（尿中排泄）**、**骨（貯蔵）**のバランスによって規定されています。体内のリンの約80%はリン酸カルシウムとして骨に貯蔵されています。
- 血清リン濃度の調節においても、活性型ビタミンDとPTHが重要な役割を果たしています。

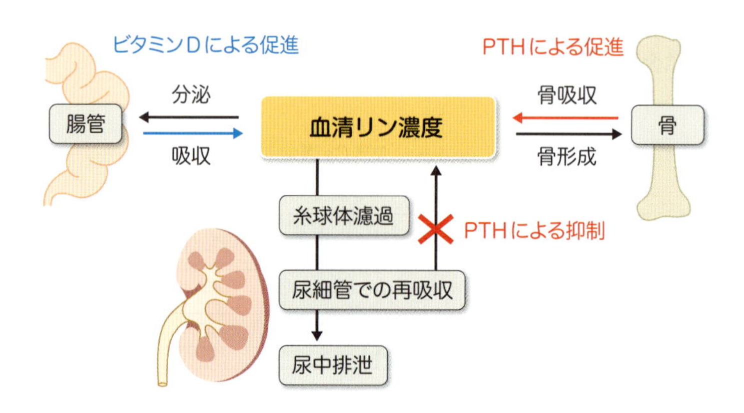

PTH、ビタミンDの作用

- PTHは骨吸収を促進し、カルシウムとリン酸を骨から遊離します。また、腎尿細管でのリン再吸収を抑制して、尿中リン排泄を増加させます。腎臓からの排泄が骨吸収を上回るため、血清リンは減少します。
- 活性型ビタミンDはカルシウムだけでなく、リンについても腸管からの吸収を促進します。また、PTHの骨吸収作用を増強します。
- まとめると、こうなります。

	血清Ca濃度	血清リン濃度
PTH	⬆	⇩
活性型ビタミンD	⬆	⬆

慢性腎不全で高リン血症をきたす機序

- 腎機能の低下とともに、糸球体で濾過されるリンの量は減少し、リンが血中に蓄積します。GFR が 30mL/min 以下になると血清リン濃度が上昇するとされています。
- 血清リン濃度の上昇は、骨芽細胞における **FGF23**（fibroblast growth factor 23）の分泌を増加させます。FGF23 は、近位尿細管に存在する 1 α 水酸化酵素の活性を阻害します。活性型ビタミン D の産生を抑制し、腸管からのリン吸収を減らすことで高リン血症を是正しようとするのです。これは同時に低カルシウム血症を引き起こします。
- 低カルシウム血症に反応して、副甲状腺では PTH の分泌が亢進します。しかし、腎臓からのリン排泄が十分でないのに、骨吸収が増大するため、結果的に血中に供給されるリンの量が増えてしまいます。

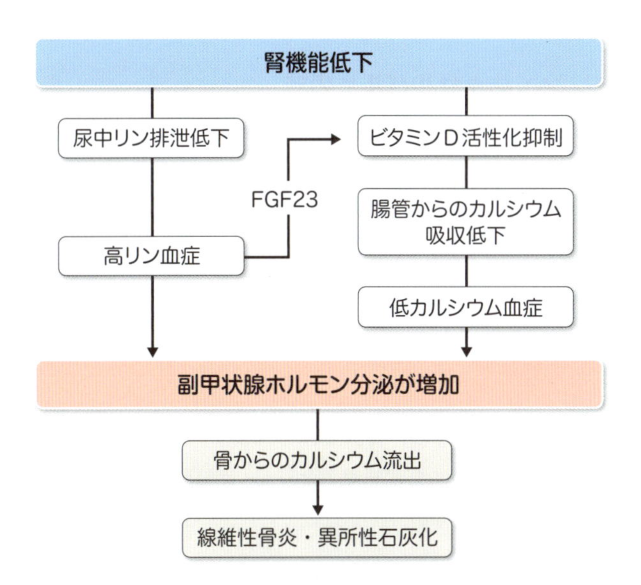

- こうして慢性腎不全では**高リン・低カルシウム血症**が持続するために、副甲状腺が刺激され続け、**二次性副甲状腺機能亢進症**をきたします。

二次性副甲状腺機能亢進症の症状

- 線維性骨炎、骨軟化症（病的骨折、骨変形）☞ 268 ページ
- 異所性石灰化（動脈硬化、心臓弁膜症、関節炎）
- 筋力低下、かゆみ、イライラなど

腎臓による酸塩基バランスの調節

- まずは酸塩基バランスについて復習しましょう。

pH の正常値 ＝ 7.40 ± 0.05

血液の pH を下げる方向に働く病態 …………… **アシドーシス**
血液の pH を上げる方向に働く病態 …………… **アルカローシス**
血液の pH が 7.35 以下になっている状態 ….. **アシデミア**（酸血症）
血液の pH が 7.45 以上になっている状態 ….. **アルカレミア**（アルカリ血症）

ヘンダーソン・ハッセルバルヒの式

- pH を求める計算式です。

$$pH = 6.1 + \log \frac{HCO_3^-}{0.03 \times PaCO_2}$$

HCO_3^- → 主として代謝因子
$PaCO_2$ → 主として呼吸因子

- HCO_3^-（**重炭酸イオン**）は、腎臓で作られます。CO_2（二酸化炭素）は、呼吸により調整されます。この式を見ると、pH は腎臓と肺によって調整されていることがよくわかります。

- 代謝性の異常では HCO_3^- が変化し、呼吸性の異常では $PaCO_2$ がまず変化します。

pH < 7.35	HCO_3^- 減少	代謝性アシドーシス
	$PaCO_2$ 上昇	呼吸性アシドーシス
pH > 7.45	HCO_3^- 増加	代謝性アルカローシス
	$PaCO_2$ 低下	呼吸性アルカローシス

腎臓は尿を酸性化することで体液の pH を調節している

- 腎臓における体液の pH 調節は、近位尿細管と集合管で行われています。

- **近位尿細管** ➡ 糸球体で濾過された HCO_3^- の再吸収
- **集合管** ➡ H^+ の排泄とそれに伴う HCO_3^- の新生

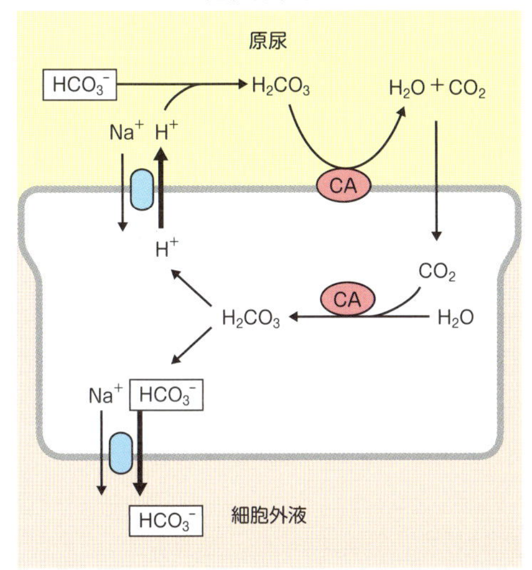

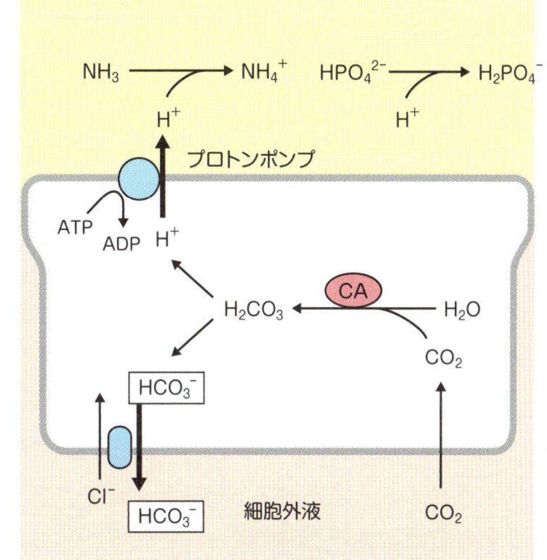

- いずれの反応も、**炭酸脱水酵素**（carbonic anhydrase：CA）の働きにより H^+ を生成し、尿中に分泌します。結果として尿の pH は下がり、血液の pH は上がります。

腎機能が低下すると尿中に酸を排泄できなくなる

- 腎不全になると尿の酸性化が障害され、**代謝性アシドーシス**をきたします。
- 代謝性アシドーシスは、有機酸が蓄積するタイプと、H^+ が負荷されたタイプの 2 種類に分けられますが、慢性腎不全は前者に該当します。

代謝性アシドーシスの種類

- **有機酸が蓄積** ……… 慢性腎不全
- **H^+ が負荷** …………… 下痢、尿細管アシドーシス

血液ガス所見の見方

- 腎臓は酸塩基バランスを調整していますが、腎不全になると代謝性アシドーシスをきたします。したがって、血液ガス所見をきちんと評価できるようにしましょう。

pHをチェックする

- 血液ガス所見をみるときは、まずpHの値からアシデミア、アルカレミアを判断します。次にHCO_3^-と$PaCO_2$の値をみて、病態が代謝性か呼吸性かを判断します。

代償性変化をチェックする

- 体内にはpHの変化を最小限にするために、代償機構が存在します。
- **肺による代償機構**：代謝性アシドーシスが生じると、肺は呼吸回数を増して$PaCO_2$を低下させます。代謝性アルカローシスが生じると、$PaCO_2$を上昇させることによってpHを元に戻そうとします。
- **腎臓による代償機構**：呼吸性アシドーシスに対して、腎臓はHCO_3^-を増やすことによって代償します。呼吸性アルカローシスに対してはHCO_3^-を減らす代償機構が働きます。
- 代償の有無によって、病態の経過期間を推測することができます。肺による呼吸性代償は数時間以内に起こりますが、腎臓による代償は数日間を要します。

アニオンギャップを計算する

- 代謝性アシドーシスをみたら、**アニオンギャップ**を計算します。アニオンギャップとは、血漿中の陽イオン（Na^+）と陰イオン（Cl^-・HCO_3^-）の差のことです。正常値は12±2mEq/Lです。

アニオンギャップ（AG）＝ $Na^+ - (Cl^- + HCO_3^-)$

- ケトン体や乳酸といった**有機酸**が蓄積するタイプのアシドーシスでは、これらの酸が血漿中のHCO_3^-と中和するためHCO_3^-が減少し、アニオンギャップは増加します（**AG 増加型代謝性アシドーシス**）。

- アニオンギャップが増加しない代謝性アシドーシスでは、その分 Cl^- が増加しています（**高 Cl 性代謝性アシドーシス**）。

	アシドーシス	正常	アシドーシス
Na^+ 140	AG 増加	AG 12	AG 正常
	HCO_3^- 減少	HCO_3^- 24	HCO_3^- 減少
	Cl^- 不変	Cl^- 104	Cl^- 増加
	ケトン体増加 乳酸蓄積 サリチル酸中毒 腎不全		腸管からの HCO_3^- 喪失 腎からの HCO_3^- 喪失

補正 HCO_3^- を計算する

- アニオンギャップが増加している場合には、必ず**補正 HCO_3^-** を計算します。

$$\text{補正 } HCO_3^- = (AG - 12) + HCO_3^-$$

- これを計算するのは、AG 増加型代謝性アシドーシスのときに、他の代謝性異常の有無をチェックするためです。
- 補正 HCO_3^- が 24 mEq/L 以下の場合は、AG 正常型代謝性アシドーシスの合併が考えられます。補正 HCO_3^- が 24 mEq/L 以上であれば、代謝性アルカローシスの合併が考えられます。

AG 増加型代謝性アシドーシスの具体例

- 補正 HCO_3^- **24** の場合 ………… **他の代謝性異常の合併なし**
  例：慢性腎不全（有機酸⇑）
- 補正 HCO_3^- **18** の場合 ………… **AG 正常型代謝性アシドーシスの合併あり**
  例：慢性腎不全（有機酸⇑）＋ 下痢（HCO_3^- ⇓）
- 補正 HCO_3^- **32** の場合 ………… **代謝性アルカローシスの合併あり**
  例：慢性腎不全（有機酸⇑）＋ 嘔吐（H^+ ⇓）

- 2種類の代謝性アシドーシスが混在したり、アシドーシスとアルカローシスが合併したりするケースもあり、複雑です。
- 最終的には、病歴や他の検査所見、身体症状などから総合的に病態を評価していきます。

血液ガス所見の評価手順

手順1　pH をチェック

pH をみてアシデミア、アルカレミアを判断する

手順2　代償性変化をチェック

pH の変化が $PaCO_2$ または HCO_3^- いずれの変化によるものかを判断し、代償性変化が予測された値であるか検討する

手順3　アニオンギャップを計算

AG が増加していたら AG 増加型代謝性アシドーシスが存在する

手順4　補正 HCO_3^- を計算

補正 HCO_3^- ＞ 24 の場合、代謝性アルカローシスの合併

補正 HCO_3^- ＜ 24 の場合、AG 正常型代謝性アシドーシスの合併

手順5　総合的に評価

病歴、検査所見、身体所見、臨床経過を総合的に評価する

低アルブミン血症があるとき

- 低アルブミン血症では、陰イオンであるアルブミンが減少するためアニオンギャップも低下します。
- 高度の低アルブミン血症（ネフローゼ症候群や低栄養など）が存在するときは、アニオンギャップ増加を見逃してしまう可能性があるため注意しましょう。
- 低アルブミン血症があれば、アニオンギャップを以下のように補正します。

補正 AG = AG + (4 −アルブミン) × 2.5

第4章

原発性腎疾患

わが国では学校健診や職場健診などで、尿検査によるスクリーニングが定期的に行われます。その際に発見された蛋白尿や血尿は、chance proteinuria あるいは chance hematuria（偶然発見された蛋白尿または血尿）と呼んでいます。

研修医の先生や開業医の先生、腎臓を専門としない内科の先生は、検尿異常を認める患者さんがいたら、スクリーニングをして腎臓専門医に紹介していると思います。そのようなケースで、腎臓専門医がどのように考えて検査・診断・治療を進めているのかをご紹介します。

蛋白尿を指摘された症例を診たら

- 蛋白尿をきたす疾患はたくさんあります。腎生検による診断が必要なもの、治療が必要なもの、様子を見ていてもよいものなど様々です。したがって、どれに当てはまるのかを鑑別していく必要があります。

- たとえば、こんな患者さんが紹介されてきたとします。

Case study

【症例】 50代男性。身長172cm、体重68kg。過去に検尿異常を指摘されたことはない。今回、会社の健康診断で尿蛋白(2+)を指摘された。

- 鑑別診断の進め方は下記の通りです。

1. 病的蛋白尿かどうかの確認

- そもそも本当に蛋白尿が出ているのか、出ているとしたら持続性なのか、一過性なのかがわからないので、尿検査をあと2回追加します。
- 早朝第一尿も調べます。もし、早朝尿で尿蛋白陰性であれば、**生理的蛋白尿**（運動による蛋白尿、起立性蛋白尿など）の可能性が出てきます。
- 濃縮尿のために尿蛋白が陽性になった可能性も否定できません。随時尿の尿蛋白/尿クレアチニン比をチェックして、正確な尿蛋白量を把握します。
- 血清クレアチニン値とeGFRをチェックして、正確な腎機能を評価します。

2. 糖尿病、高血圧の有無

- 糖尿病の有無をチェックします。眼科受診歴（糖尿病性網膜症の有無）も確認して、糖尿病歴が長ければ、**糖尿病性腎症**の可能性も考慮します。
- 降圧薬は内服しているのか。高血圧歴が長ければ、**高血圧性腎硬化症**の可能性もあります。

3. 遺伝性腎疾患の有無

- 身内に腎疾患の方や透析をしている方がいるのか、問診が必要です。**遺伝性**

腎疾患（多発性嚢胞腎、Alport 症候群、Fabry 病など）の可能性を考えます。

4. 腹部エコー

- 腹部エコーで腎臓のサイズ（萎縮の有無）、嚢胞の有無、水腎症の有無を確認します。

- 以上の結果が一通り出たら、再診していただいて結果を説明し、その後の方針を決定していきます。

5. 専門医への紹介

- 下記の条件を満たす場合は、腎臓専門医への紹介が勧められます。

腎臓専門医へ紹介するタイミング

下記のいずれかを検出した時点

- **蛋白尿の存在** ………………… 0.5 g/gCr（または 2+以上）
- **腎機能障害**
  - 40 歳未満 …………………… GFR 60 mL/min/1.73m^2 未満
  - 40 歳以上 70 歳未満 …… GFR 50 mL/min/1.73m^2 未満
  - 70 歳以上 …………………… GFR 40 mL/min/1.73m^2 未満
- **蛋白尿と血尿の混在** ……… いずれも 1+以上

（日本腎臓学会編：CKD 診療ガイド 2012 を参照）

血尿を認める症例を診たら

- 蛋白尿と同様、血尿をきたす疾患も多岐にわたります。血尿単独であれば、内科的疾患だけでなく、泌尿器科的疾患の可能性も考慮する必要があります。蛋白尿も同時に出ているか、肉眼的血尿はどうか、悪性腫瘍の可能性は、などが鑑別のポイントになります。

Case study

【症例】 40代女性。生来健康。今回、健康診断で血尿を指摘され来院。

1. 病的血尿の確認

- 女性の場合、検査日が生理の時期と重なっていないか、不正出血はないか、などについて問診します。必要があれば婦人科へコンサルトします。
- 尿検査を再検して、血尿の持続性を確認します。念のため、サプリメントの服用歴を聞いておきます。サプリメントに含まれる大量のビタミンC（アスコルビン酸）によって**偽陰性**を示すことがあり、検査日前日は控えて頂く必要があります。
- 早朝尿と随時尿の比較も行います。早朝尿で陰性、随時尿で血尿が認められる場合、**遊走腎**や**ナットクラッカー症候群**の可能性が出てきます。

2. 尿沈渣

- 次に尿沈渣を確認します。赤血球の有無、変形赤血球や赤血球円柱の有無を確認します。

赤血球の形態による鑑別

- 変形赤血球が80%以上を占めるときは**糸球体性**
- 均一赤血球が80%以上を占めるときは**非糸球体性**

- 試験紙法の尿潜血は、ヘモグロビンやミオグロビンの持つペルオキシダーゼ活性を利用しています。したがって、尿潜血陽性にもかかわらず尿中赤血球（－）の場合は、**ヘモグロビン尿**や**ミオグロビン尿**が疑われます。

尿潜血陽性にもかかわらず、尿中赤血球(−)の場合

- **ヘモグロビン尿**：**溶血**のため尿中にヘモグロビンが大量に混入
- **ミオグロビン尿**：**横紋筋融解症**のため尿中にミオグロビンが大量に混入

- さらに、尿中白血球を調べて、**尿路感染**の有無をチェックします。検査日に残尿感や排尿時痛があったかも確認します。

3. 尿路系腫瘍を除外

- 念のため、**尿路系腫瘍**のリスクファクターもチェックします（高齢者では特に)。
- リスクファクターのある場合は尿細胞診、超音波検査やCTを行います。泌尿器科にコンサルトして、膀胱鏡検査も検討していただきます。

尿路上皮癌のリスクファクター

- 肉眼的血尿
- 排尿症状（頻尿、残尿感など）
- 喫煙
- 化学薬品の曝露
- 40歳以上の男性
- 泌尿器科疾患の既往
- 尿路感染
- 鎮痛薬多用
- 骨盤放射線照射の既往
- シクロホスファミドの治療歴

4. 追加検査

- 上記検査にて泌尿器科的疾患が否定された場合は、何らかの腎炎の可能性を考えて追加検査（血清Cr値、eGFR、ASO、ASK、CH_{50}、IgG、IgA、抗核抗体など）を行います。
- 1日尿蛋白量が0.5g/日（または尿蛋白/尿Cr比が0.5g/gCr）以上ある場合は、何らかの腎炎の可能性を考慮して腎生検を検討します。

腎炎ってどんな病気？

- 「腎炎」とは、簡単に言うとどんな病気なのでしょうか。教科書には次のように書かれています。

腎炎とは

病理学的に糸球体のメサンギウム細胞・メサンギウム基質の増加などの糸球体病変を認め、臨床的には様々な程度の蛋白尿、血尿、腎機能障害をきたす疾患。

- わざわざ「病理学的に」と書かれているように、糸球体が障害されているかどうかは、腎生検による組織学的診断をしないと確定できません。
- 一方で、血液濾過装置である糸球体に何らかの障害が起こらないと、蛋白尿は認められません。したがって、「蛋白尿＝糸球体腎炎の可能性が高い」と考えて、とりあえずは良さそうです（もちろん例外はありますが）。

- 糸球体腎炎では血尿を伴うことが多いです。しかし、血尿だけの場合は、尿路結石、膀胱炎、尿路系腫瘍など糸球体腎炎以外の可能性も考慮しなければなりません。

- 腎臓の病気の原因は大きく２つに分けられます。

- **原発性**（一次性）：腎臓だけに障害が生じるもの
- **続発性**（二次性）：全身疾患が腎臓に波及したもの

- 続発性には糖尿病性腎症、高血圧性腎硬化症、全身性エリテマトーデスに合併するループス腎炎などが含まれます。

- このように蛋白尿や血尿、腎機能低下をきたす疾患を総称して「糸球体腎炎」と呼んでいます。あたかも１つの病気のように呼んでいますが、実はいろいろな原因から成り立っている疾患の総称なのですね。

糸球体腎炎の臨床像

- 糸球体腎炎の臨床像はさまざまです。基本的に蛋白尿や血尿を認めますが、その出現の仕方や程度の違いによって次のような名前がついています。

糸球体腎炎の臨床症候分類

- **無症候性血尿・蛋白尿**
- **慢性腎炎症候群**
- **急性腎炎症候群**
- **ネフローゼ症候群**
- **急速進行性糸球体腎炎**

- 具体的にどのような違いがあるのでしょうか。個々の臨床像について、その特徴をみてみましょう。

- 健康診断で尿蛋白または尿潜血が陽性だが、それ以外に異常を認めない

- これは**無症候性血尿・蛋白尿**に該当します。肉眼的または顕微鏡的血尿が潜在性あるいは急激に出現し、蛋白尿は少量か陰性で、高血圧や浮腫などの腎炎症状はみられない症候群です。

- 自覚症状はあまりないが、蛋白尿、血尿、高血圧を認め、徐々に腎不全に陥る

- これは**慢性腎炎症候群**です。気がつかずに見過ごされる場合もありますが、明らかに病気であり、積極的治療の対象となります。

- 血尿、蛋白尿、高血圧、腎機能低下、浮腫が急に出現する

- これは**急性腎炎症候群**です。溶連菌感染後急性糸球体腎炎などが該当します。

- 大量の蛋白尿が出ており、低蛋白血症、高脂血症、浮腫を伴う

- これは**ネフローゼ症候群**です。自覚症状を認めることが多く、むくみを主訴に受診されます。

- 血尿、蛋白尿、赤血球円柱、顆粒円柱などの尿所見を認め、数週から数ヵ月の経過で急速に腎不全に進行する

- これは**急速進行性糸球体腎炎**に該当します。腎不全に至ってしまう重篤な病態であり、絶対に放置してはいけません。血尿や乏尿、浮腫をきたすこともありますが、全身倦怠感などの非特異的な症状だけの場合もあり、要注意です。

- 無症候性血尿・蛋白尿、慢性腎炎症候群は健康診断で見つかる場合が多いです。一方、急性腎炎症候群、ネフローゼ症候群、急速進行性糸球体腎炎は、症状が出現して医者にかかり診断されるケースが多いですね。

- 上記の病名は、あくまでも臨床症状や経過を臨床的に分類したものであり、これによって治療方針が決まるわけではありません。基本的には腎生検しないと確定診断にはならないため、腎臓専門医へのコンサルトが必要になります。

ネフローゼ症候群になるとむくみやすいのはなぜか？

- 腎炎の中でも特に自覚症状がはっきり出やすいのは、ネフローゼ症候群です。高度の**蛋白尿**と**低アルブミン血症**、**浮腫**、**高脂血症**を特徴とします。

成人ネフローゼ症候群の診断基準（必須条件）

- **尿蛋白**　3.5g/ 日以上
- **血清アルブミン値**　3.0g/dL 未満

最も多い初発症状は浮腫

- 患者さんの中には全く無症状で、尿検査で初めてネフローゼ症候群と診断される場合もありますが、最も多い初発症状は浮腫です。特に下肢に顕著に出ます。
- 蛋白尿を認める患者さんには、

　「朝方はないけど、夕方になってくると足がむくんできませんか？」

　「靴下の跡が残りませんか？」

　といった質問をして、両下腿の浮腫の有無を確認しましょう。
- 浮腫の発症形式は、診断上とても重要です。急激な発症（急に足がむくんだ）は、微小変化型ネフローゼ症候群や巣状分節性糸球体硬化症が疑われます。緩徐な発症（ここ数ヵ月で足がむくんできた）では、膜性腎症などの可能性があります。
- 動くと少し息切れがするなど労作時呼吸困難を訴えるケースは、**心不全**や**胸水**貯留の合併を考慮します。また、おなかが張るなどの腹部膨満感、腹囲増大を訴える場合は**腹水**貯留の可能性があります。

浮腫による体重増加を見逃さない

- 体重の変動も必ずチェックしましょう。体液量がどれくらい変動しているのか客観的に判断する良い指標になります。
- ネフローゼ症候群の患者さんの中には、「最近それほど食べてないのに急に太ったみたい」とおっしゃる方がいます。よほどの大食いをしないかぎり、急に太ることはありません。短期間（数日あるいは数週）の体重増加は、体液貯留と考えた方がよいでしょう。

- 治療経過中の体重の推移は、治療反応性を見る上でも重要です。微小変化型ネフローゼ症候群の患者さんの場合、ステロイド治療が奏効して蛋白尿が陰性化すると、浮腫の改善とともに入院時よりも10kgくらい体重が減少して本来の体重に戻るケースもあります。つまり、10kg分の水分がむくみとして体内に貯留していたということです。

ネフローゼに伴う浮腫の発生機序

- 全身性浮腫の発生機序としてよく知られている**underfilling説**によれば、「低アルブミン血症による膠質浸透圧低下が有効循環血漿量を**減少**させ、それをきっかけとして浮腫が形成される」ことになります。
- しかし、患者さんを観察していると、低アルブミン血症をきたす前から足が著明にむくんだり、低アルブミン血症が改善していなくても、尿蛋白の消失と同時に浮腫が消失したりすることがよくあります。
- そこで、「蛋白尿が直接Na排泄低下（Na再吸収亢進）を引き起こし、有効循環血漿量を**増加**させる」という**overfilling説**も提唱されています。

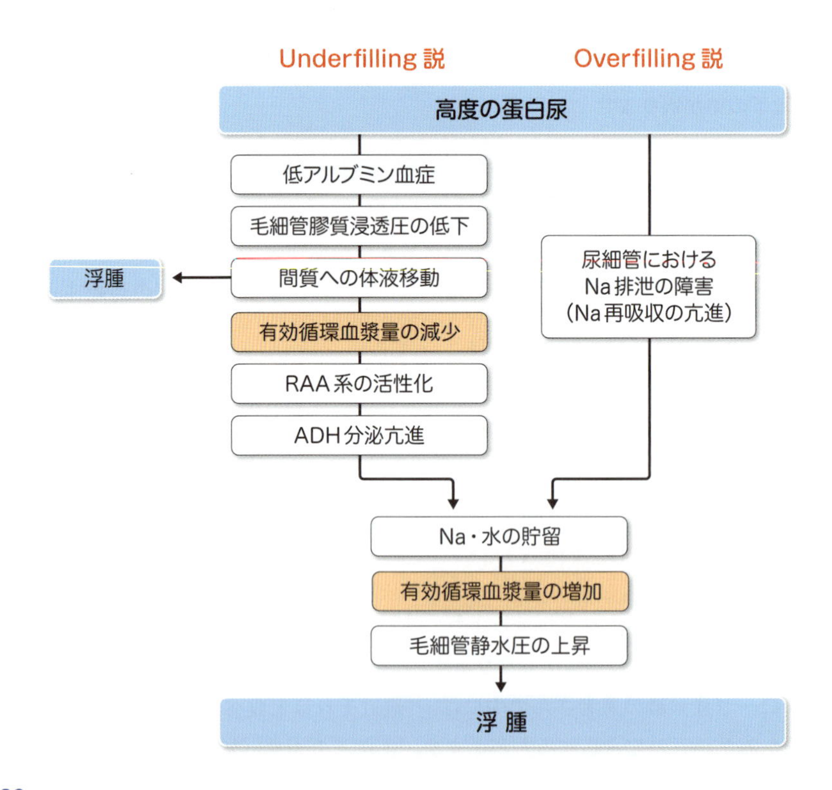

ネフローゼ症候群の合併症

高脂血症

- ネフローゼ症候群では**高脂血症**を高頻度に伴います。血漿アルブミン低下に伴って、肝臓でのリポ蛋白（LDL、VLDL など）の合成が非特異的に促進されるからです。

ネフローゼ症候群に伴う高脂血症

- 高度の蛋白尿 → 低アルブミン血症 → 肝臓でのリポ蛋白の合成亢進 → 高脂血症

血栓塞栓症

- ネフローゼ症候群ではしばしば血液凝固が亢進し、**血栓塞栓症**を併発することがあります。
- 低アルブミン血症を是正すべく、肝臓ではアルブミンの合成が亢進しますが、このとき同時に**凝固因子**（フィブリノーゲンなど）の合成も亢進します。
- 一方で、**抗凝固因子**（プロテイン S、プロテイン C、アンチトロンビンⅢなど）は尿中に失われるため、過凝固・低線溶状態となるのです。

ネフローゼ症候群でなぜ過凝固になるのか？

- 高度の蛋白尿 → 抗凝固因子の尿中への喪失 → 低線溶
- 高度の蛋白尿 → 低アルブミン血症 → 肝臓での凝固因子の合成亢進 → 凝固亢進

- ネフローゼ症候群の患者さんの多くは全身の浮腫も認めているため、基本的には安静が必要です。でも、ベッド上安静（長期臥床）は血栓症のリスクになります。
- そこで、弾性ストッキングを着用するとともに、抗凝固薬あるいは抗血小板薬を併用して血栓症を予防します。**弾性ストッキング**は、下肢周囲に圧迫を加えて静脈径を小さくし、静脈血流速度を速めることで静脈うっ滞を防ぐ役割があります。

血栓症のリスクファクター

- 下記のリスクファクターのある患者さんでは特に血栓症に要注意です。

静脈血栓症の危険因子

- 60 歳以上
- 喫煙
- 長期臥床
- 静脈カテーテル留置
- 心不全
- 凝固能亢進性疾患
- 抗リン脂質抗体症候群
- 選択的エストロゲン受容体調節薬（タモキシフェン、ラロキシフェン）
- 四肢外傷
- 悪性腫瘍
- 骨髄増殖性疾患（過粘稠）
- ネフローゼ症候群
- 肥満
- 経口避妊薬またはエストロゲン療法
- 妊娠および分娩後
- 静脈血栓塞栓症の既往
- 過去 3 ヵ月以内の手術

糸球体腎炎の発症機序

- 糸球体腎炎の発症機序はよくわかっていません。現時点でわかっているのは、何らかの免疫学的な機序が関係しているということです。

免疫複合体の沈着が腎炎の引き金になる

- 腎生検をすると、腎炎の糸球体には免疫グロブリンや補体、**免疫複合体**の沈着が観察されます。すなわち、何らかの抗原に対して抗体ができ、それが免疫複合体を形成して糸球体に沈着し、炎症を惹起するのではないかと考えられています。

免疫学的な腎炎の発症機序

何らかの抗原の存在
→ 抗体（免疫グロブリン）が産生される
→ 免疫複合体（抗原＋抗体＋補体）が形成される
→ 免疫複合体が糸球体に沈着して炎症を惹起（糸球体障害）
→ 蛋白尿、血尿

- 感染症に関連する細菌抗原、ウイルス抗原や、食物抗原といった環境因子の関与がいくつかの腎炎では想定されています。ただ、ほとんどの腎炎では全くわかっていないのが現状です。
- 原因がもっとよくわかってくれば、それに対する特異的な治療法が確立できるのですが、現時点ではステロイドなどを用いて上記の免疫反応を抑制する**免疫抑制療法**が主流になっています。

どんなタイプの腎炎か予想しよう

- 糸球体腎炎は、最終的に腎生検によって確定診断されます。しかし、腎炎の臨床像にはそれぞれ特徴があり、臨床症状や検査所見などである程度の見当をつけることが可能です。

腎炎鑑別のポイント

- 年齢（年齢によって頻度の高い腎炎は異なる）
- 性別
- 発症様式（緩徐／急）
- 蛋白尿の程度（少量／中等量／ネフローゼ状態）
- 血尿の有無（顕微鏡的血尿／肉眼的血尿）
- 腎機能低下の有無、程度、経過
- その他の症状（発熱、関節痛、皮疹）の有無（薬剤性／膠原病）

- 腎炎の患者さんを数多く診察していると、「この腎炎はこんなふうに発症してこんな症状になる」といったイメージが何となく浮かんできます。

「若年者のネフローゼだから微小変化型ネフローゼかな？」

「中高年のネフローゼだから膜性腎症かな？」

「高校生の蛋白尿・血尿だから、おそらくIgA腎症だろう。学校の夏休みに腎生検を予定しよう」

「高齢者の肉眼的血尿か。腎炎かもしれないけど、まずは尿路系腫瘍を否定しないと。腹部CTと尿細胞診をオーダーしよう」

「ここ数ヵ月で腎機能が徐々に悪化している。急速進行性糸球体腎炎パターンだね。蛋白尿や血尿はそれほど多くないけど、半月体形成性腎炎が予想されるので腎生検を急ごう」

- このように腎臓専門医は、検尿異常の患者さんを診たら、どのようなタイプの腎炎かを予想しながら鑑別診断を進めています。

腎疾患の診断に役立つ検査

- 蛋白尿や血尿を認める患者さんが来院した場合、どのような検査が必要でしょうか。基本的に腎生検をしないと診断がつきませんが、腎生検以外にも診断を補助する検査があり、そこで得られたデータは非常に参考になります。

- 尿蛋白定性（+）の場合は、必ず**定量**を行いましょう。尿蛋白量が多いか少ないかは治療方針に影響する重要な情報です。

  - 蓄尿による**1日尿蛋白量**（g/日）
  - 随時尿による**尿蛋白/尿中クレアチニン比**（g/gCr）

- IgA腎症の約半数は**血清IgA**が上昇していますので、参考になります（もちろん血清IgAが正常だからといって、IgA腎症を否定するものではありません）。
- 経過から急性糸球体腎炎を疑う場合は、溶連菌感染の可能性を考慮して、抗ストレプトリシンO（anti-streptolysin O：**ASO**）抗体、抗ストレプトキナーゼ（anti-streptokinase：**ASK**）抗体を測定しましょう。
- 腎外症状（発熱、関節痛、皮疹など）があり膠原病が疑われる場合は、**抗核抗体**、**血清補体価**、**免疫グロブリン**（IgG、IgA、IgM）などを測定します。

- 肝炎に合併する腎炎も知られていますので、**肝炎ウイルス**もチェックします。

  - **B型肝炎**……… 膜性腎症
  - **C型肝炎**……… 膜性増殖性糸球体腎炎

- 徐々に腎機能が低下する急速進行性糸球体腎炎の場合は、下記の項目も要検査です。ANCA関連血管炎やGoodpasture症候群といった非常に予後の悪い腎炎の可能性が高いからです。

  - **抗好中球細胞質抗体**（anti-neutrophil cytoplasmic antibody：ANCA）
  - **抗糸球体基底膜抗体**（抗GBM抗体）

糸球体腎炎の組織型

- 糸球体腎炎の最終診断は、腎生検による組織学的評価によって行われます。糸球体腎炎の組織型として重要なものは、次の 7 つです。

糸球体腎炎の組織学的分類

- **微小変化群**（minimal change disease）
- **巣状糸球体硬化症**（focal glomerulosclerosis：FGS）
- **膜性腎症**（membranous nephropathy）
- **膜性増殖性糸球体腎炎**（membranoproliferative glomerulonephritis）
- **IgA 腎症**（IgA nephropathy）
- **管内増殖性糸球体腎炎**（endocapillary proliferative glomerulonephritis）
- **半月体形成性糸球体腎炎**（crescentic glomerulonephritis、**管外増殖性糸球体腎炎**ともいう）

- 前述のように糸球体腎炎の臨床像は多彩です。

糸球体腎炎の臨床像

- **少量**の蛋白尿が**慢性的に持続**するもの
- **大量**の蛋白尿が**急に**出てくるもの
- 蛋白尿が**自然寛解**するもの
- 末期腎不全に至る**予後の悪い**もの

組織型と臨床像が 1 対 1 に対応しない

- 次ページの表は、それぞれの組織型がどのような臨床像を呈するかを示しています。ご覧の通り、組織型と臨床症候分類は 1 対 1 に対応していません。たとえば IgA 腎症では、血尿のみの場合もあれば、ネフローゼの場合もあれば、腎生検で半月体が見つかる場合もあります。
- これが腎臓病の診断の難しい点だと思います。臨床像や一般的な検査所見からある程度の診断は予想できますが、最終診断には至らないのです。
- 一口に腎炎と言っても、予後も違い、治療内容も異なります。治療方針の決定には、やはり腎生検による組織学的検討が必要ということです。

糸球体腎炎の組織学的分類と臨床像の対応

臨床症候分類と臨床的特徴 ＼ 原発性糸球体疾患	臨床症候分類					臨床的特徴					
	急性腎炎症候群	急速進行性腎炎症候群	反復性または持続性血尿症候群	慢性腎炎症候群	ネフローゼ症候群	発症頻度		蛋白尿	血尿		腎機能低下
						若年者	成人		顕微鏡的	肉眼的	
微小変化型					◎	○		++			−
巣状糸球体硬化症					◎	○		++	○		++
膜性腎炎（腎症）				○	◎		○	++			−〜+
メサンギウム増殖性糸球体腎炎（IgA 腎症）	○		○	◎		○	○	+	○	○	−〜+
管内増殖性糸球体腎炎	◎					○		−〜+	○	○	−
膜性増殖性糸球体腎炎	○	○		○	◎	○		++	○	○	+
半月体形成性糸球体腎炎		◎					○	+〜++	○		++

（坂口 弘・北本 清：腎生検の病理，第 4 版，診断と治療社，1996，p18-19 より改変）

糸球体腎炎の治療と予後

- 経過および予後は原疾患や組織型により様々ですが、どの腎炎でも治療の主役は**ステロイド**です。

微小変化型ネフローゼ症候群

- 著明な低アルブミン血症と浮腫を伴いますが、ステロイドが著効します。
- ステロイドを減量していく過程でしばしば再発しますが、最終的には治癒する症例が多く、予後は一般的に良好です。この病気が原因で末期腎不全になることはありません。

巣状糸球体硬化症

- ステロイドが効きにくく、予後不良です。

IgA 腎症

- 尿蛋白量が多いほど、予後が悪いとされています。発症時高齢であることや高血圧の合併も重要な予後因子です。
- 治療は、基本的にステロイドです。**扁桃パルス**（扁桃摘出とステロイドパルス療法を組み合わせる方法）も有効と言われています。

膜性腎症

- 高齢者に好発し、しばしばネフローゼ症候群を呈します。進行は緩徐で、一部に**自然寛解**もあります。ただ、長い経過でみると約 30% が末期腎不全に移行すると言われています。また、膜性腎症の 10% に悪性腫瘍が合併するとされています。
- ステロイドの有効性には議論がありますが、奏効する症例もよく経験します。

急速進行性糸球体腎炎

- 糸球体腎炎の中で**最も注意が必要**です。放置すれば腎臓の予後のみならず、生命予後にも影響します。一部は肺病変を合併し、さらに重篤となります。組織学的には半月体形成性糸球体腎炎を呈します。抗基底膜抗体が陽性となる Goodpasture 症候群や ANCA 関連腎炎の可能性があります。
- 臨床的に最も重篤な腎炎と言えます。治療が遅れると予後も悪く、強力な免疫抑制療法（**ステロイドパルス**など）が必要です。

急性糸球体腎炎

急性糸球体腎炎＝感染を契機に発症する一過性の腎炎

- 通常「腎炎」というと持続的に蛋白尿が出ているイメージがあると思いますが、例外もあります。それが**急性糸球体腎炎**です。感染を契機に一過性に発症します。**上気道炎**などに罹患後 1 ～ 3 週間経過してから発症し、乏尿期、利尿期、回復期を経て治癒します。
- 臨床症候分類では「**急性腎炎症候群**」の経過をたどりますが、軽症例から重症例まで幅広い臨床像を呈します。

> - **急性腎炎症候群**：急性に発症する血尿、蛋白尿とともに Na・水の貯留による浮腫、高血圧、糸球体濾過の低下などの症状を呈する症候群

- 高頻度に認められる顔面や上下肢の浮腫は、通常、低蛋白血症を伴っていません。これは乏尿による Na と水の貯留によるものです。高血圧もそのためと考えられています。
- 急性糸球体腎炎の起炎菌は約 80％が **A 群 β 溶連菌**とされています。2 ～ 6 歳の幼児に好発しますが、大人でもたまに経験します。
- 溶連菌の先行感染が契機となる場合、A 群 β 溶連菌由来の抗原（腎炎惹起性抗原）が感染局所から血中に放出されることが原因と考えられています。

急性糸球体腎炎の発症機序

溶連菌感染 ➡ 腎炎惹起性抗原の放出
仮説 1：循環血中で免疫複合体が形成 ➡ 糸球体に沈着 ➡ 糸球体障害
仮説 2：抗原が糸球体に沈着 ➡ 糸球体内で免疫複合体が形成 ➡ 糸球体障害

鑑別のポイント

- **ASO** や **ASK** の上昇を認めます。
- **血尿**は必発です。多量の蛋白尿を呈することはまれです。
- **血清補体価**（CH_{50} や C3）の低下はほぼ必発のため、診断に有用です。低補体血症の多くは 6 週間以内に正常化します。

- 腎生検所見では、**びまん性管内増殖性糸球体腎炎**を呈します。糸球体の腫大、メサンギウム細胞や内皮細胞の増殖、多核白血球浸潤が見られます。
- 蛍光抗体法では、IgG や C3 がメサンギウム領域および糸球体毛細血管壁に顆粒状に沈着します。
- 電顕所見では、電子密度の高いこぶ状の沈着物を基底膜上皮下に認めます。この沈着物を**ハンプ**（hump、こぶ）といい、急性糸球体腎炎に特徴的とされています。

PAS 染色

電顕所見（矢印：ハンプ）

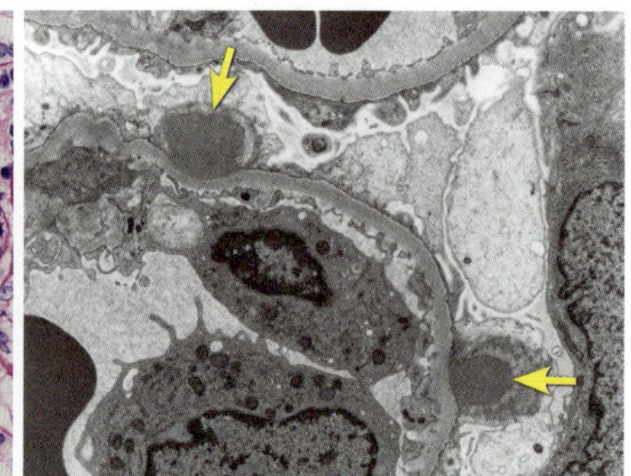

（湯村和子：臨床のための腎病理，日本医事新報社，2010, p107, 111 より引用）

治療・予後

- 治療は基本的には対症療法です。安静を基本とし、高血圧に対して降圧薬や塩分制限、浮腫に対して利尿薬を用いつつ、経過観察します。
- 感染が続く場合は抗菌薬を投与しますが、腎炎には無効です。原則としてステロイドは使いません。
- 小児では 95％以上が完治しますが、成人では 20％程度が慢性化するとされています。

急性糸球体腎炎の典型的な経過

- 急性糸球体腎炎の臨床経過はどのようなものでしょうか。
- ここでは、当科で経験した急性糸球体腎炎の症例について、当科紹介時の状況、その後の鑑別のポイント、検査オーダー、治療経過などを具体的に紹介します。
- あくまでも典型例なので、これに該当しないケースもありますが、何となく病気のイメージをつかんでいただければと思います。

上気道炎後の乏尿、浮腫

Case study 1

【症例】 20代女性。10日前に咽頭痛を伴う発熱があり、近医にて上気道炎として投薬治療を受け軽快。昨日より尿量減少と顔のむくみを自覚。

血圧 146/86mmHg
尿定性検査：蛋白（3+）、潜血（3+）
血液生化学検査：TP 5.4g/dL、Alb 2.4g/dL、T-chol 220mg/dL、
BUN 22mg/dL、血清 Cr 1.32mg/dL

- 若年の女性で、2週間前に上気道炎を思わせるエピソードがあります。
- 急激に乏尿と浮腫、さらに高血圧を認め、尿蛋白・尿潜血ともに陽性で、血清アルブミンの低下、腎機能の低下も認めます。臨床症候分類では「**急性腎炎症候群**」に該当します。
- 経過から、溶連菌感染症後の急性糸球体腎炎の可能性が考えられます。血液検査では抗ストレプトリシンO（ASO）抗体、ASK陽性、血清補体価の低下を認めました。腎生検による組織診断は「**管内増殖性糸球体腎炎**」でした。
- 最終的に**溶連菌感染後の急性糸球体腎炎**の診断になりました。安静と血圧コントロールにより徐々に浮腫は改善し、退院となりました。

発熱、皮疹とともに蛋白尿が出現

Case study 2

【症例】 70代男性。生来健康。先月より発熱、下痢、口渇感、全身浮腫、下腿皮疹が出現。近医を受診したところ、CRP 10.2mg/dL、血清Cr 1.35mg/dL、尿蛋白（3+）を認めたため、精査加療目的に当院入院。

【入院時所見】 下腿浮腫あり、両下腿に赤色皮疹（+）。
WBC 5560/μL、Hb 12.7g/dL、Plt 8.7万/μL、BUN 29.5mg/dL、Cr 2.21mg/dL、CRP 10.86mg/dL、ASO正常、血清補体価<12 IU/mL、尿蛋白（3+）、潜血（2+）

- 経過より「**急速進行性糸球体腎炎**」が疑われたため、血管炎、SLE、紫斑病性腎炎などについて検索しましたが、示唆する所見はありません。
- 第2病日に腎生検を施行し、内皮細胞の腫大や管内増殖を一部認めました。電顕で高電子密度沈着物はみられませんでした。
- 安静と塩分制限にて経過観察したところ、第3病日より浮腫は改善し、下腿皮疹も消失しました。短期間で症状が改善したため、何らかのウイルス感染を疑って検査したところ、ヒトパルボウイルスB19-IgG 7.2（+）、ヒトパルボウイルスB19-IgM 10.0（+）と陽性であり、**パルボウイルス感染による急性糸球体腎炎**（+皮疹、補体低下、血小板減少）と診断しました。
- 第6病日、尿蛋白は陰性化し、Cr 0.75mg/dLまで改善し退院となりました。
- 発熱や下痢に伴う脱水による腎前性急性腎不全も合併していました。

- 急性糸球体腎炎の原因菌の80%以上はA群β溶連菌ですが、他の細菌やウイルス、真菌でも報告はあるようです。

腎炎で血清補体価が低下する理由

- 多くの腎疾患では、**補体活性化**が病態形成に関与すると言われています。
- **補体**（complement）は肝臓で産生される血漿蛋白質の一群で、生体が病原体を排除する際に、抗体や貪食細胞を補助する重要なエフェクターとして機能します。
- **血清補体価**とは補体系の総合的な活性を示すものです。主に CH_{50}（補体50%溶血単位）という溶血活性を指標にした測定法を用います。

血清補体価が低下する理由

- 補体活性化に伴う消費亢進
- 肝臓での補体産生低下

免疫複合体形成時に補体が消費される

- 以下の腎炎では、補体活性化による消費がみられ、強力かつ持続的な補体活性化が起きていると推測できます。

血清補体価の低下を伴う腎炎

- 膜性増殖性糸球体腎炎
- 溶連菌感染後急性糸球体腎炎
- ループス腎炎

- 以下の腎炎では、補体活性化が限局的であり、肝臓での補体産生が消費に追いついている状態と考えられます。

血清補体価の低下を伴わない腎炎

- IgA 腎症
- 膜性腎症

微小変化型ネフローゼ症候群

- **微小変化型ネフローゼ症候群**（minimal change nephrotic syndrome：**MCNS**）は、小児に好発する疾患ですが、成人においても多くみられ、わが国の一次性ネフローゼ症候群の約 40% を占めています。
- 急激な発症が特徴であり、**突然の浮腫**をきたすことが多いです。ネフローゼ症候群のなかでも蛋白尿、低アルブミン血症、高脂血症の程度が高度です。腎前性急性腎不全や過凝固状態になって**血栓症**をきたす場合もあります。

- 光学顕微鏡所見では、糸球体に明らかな異常は認められません。蛍光抗体法では免疫グロブリンや補体の特異的な沈着はありません。

PAS 染色

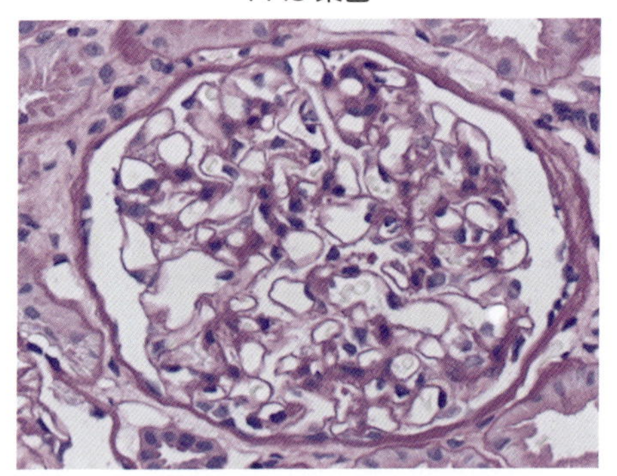

- 電子顕微鏡ではびまん性の足突起の消失がみられ、アルブミンを中心とする選択性の高い蛋白尿を呈します。

正常

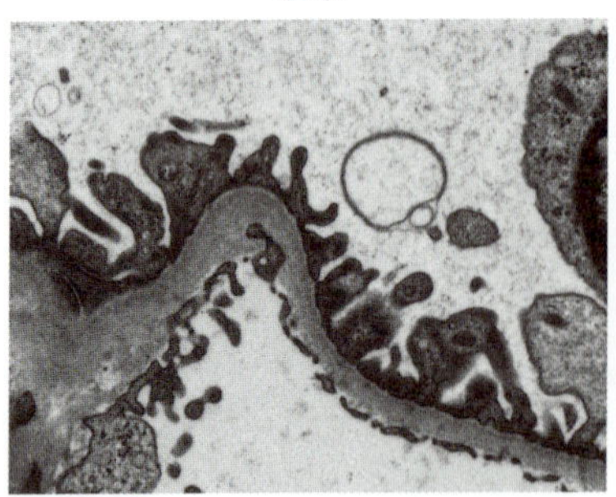

MCNS（足突起の消失）

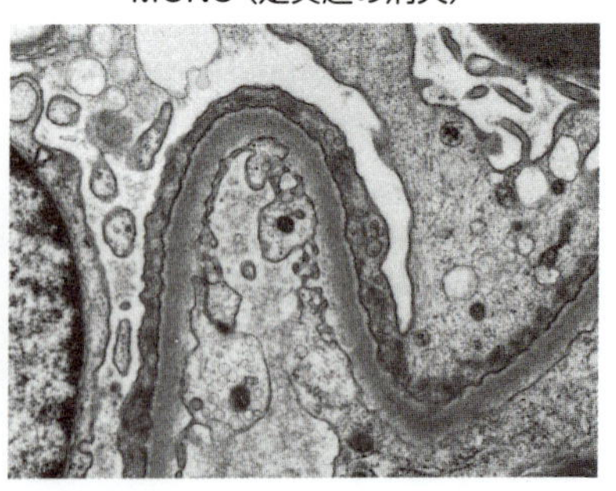

（湯村和子：臨床のための腎病理，日本医事新報社，2010，p88，98 より引用）

ステロイドが著効する

- ステロイドに対する反応性は良好であり、90%以上が寛解に至ります。ステロイドの減量とともに再発がみられますが、腎不全への移行はきわめてまれです。
- 一部の頻回再発症例においては、長期的なステロイドの使用や免疫抑制薬の併用が必要となります。
- MCNS の臨床的特徴をまとめると次のようになります。

MCNS の特徴

- 小児に多い
- 比較的急激な浮腫で発症する
- 大量の蛋白尿
- ステロイドが著効する
- 再発しやすい

突然の浮腫で発症する

- MCNS では高度の蛋白尿に伴って、急激に浮腫をきたすことが特徴です。実際の症例をみてみましょう。

Case study

【症例】 20 代男性。2 日前から顔面と下腿の浮腫を自覚し、次第に体重が増加したため受診した。来院時、全身の浮腫が著明。血圧 122/76 mmHg

尿検査定性：蛋白（4+）、潜血（−）

血液生化学検査：TP 4.6 g/dL、Alb 1.6 g/dL、T-chol 386 mg/dL、BUN 30 mg/dL、血清 Cr 1.11 mg/dL

- 比較的急速に発症した浮腫を認める症例です。尿蛋白が多く、血液検査では総蛋白やアルブミンの低下、コレステロールの上昇があり、臨床診断は「**ネフローゼ症候群**」になります。
- 若年者の急激に発症したネフローゼ症候群では、まず MCNS を疑います。
- 入院後、腎生検を行ったところ、組織診断は予想通り **MCNS** でした。ステロイド開始後 1 週間で尿蛋白は陰性化しました。外来で経過観察中、何度か再燃をしましたが、その都度ステロイドを中等量に増量することで蛋白尿は陰性化しています。

下腿浮腫の鑑別

- 以前、あまりにも急に足がむくんだので「下肢静脈血栓疑い」として紹介されたケースがあります。すでにワーファリンが開始されていたため、腎生検は行えませんでしたが、尿蛋白（3+）であり、尿蛋白の選択性も高かったことから、MCNS を疑ってステロイド治療を開始したところ、すぐに尿蛋白が陰性化しました。
- **下肢静脈血栓**も急に足がむくみますが、両側か片側か、体重増加があるか、が鑑別のポイントになります。

下腿浮腫の鑑別

- 急な**片側**の下腿浮腫 ………………………………… 下肢静脈血栓
- 急な**両側**の下腿浮腫（＋体重増加）………… ネフローゼ症候群

MCNS 再燃のきっかけ

- 微小変化型ネフローゼ症候群（MCNS）の病因は不明です。ただ、ウイルス性または細菌性感染をきっかけとして起こることが多いことから、免疫システムの関与が示唆されています。

ステロイド減量時に再燃しやすい

- MCNS は「再燃しやすい」と教科書に書いてありますが、実際、診療をしていても本当に再燃しやすいです。
- ステロイド投与量が多い期間は問題ないのですが、減量していく過程で再燃してしまうケースが少なくありません。
- また、ステロイドを漸減して維持量で安定していても、何らかのイベントをきっかけに再燃してしまうことがあります。
- 自験例では、下記のようなイベントをきっかけに再燃したケースを経験しました。

MCNS 再燃のきっかけ

- 感冒
- サッカーで怪我
- 交通事故
- 徹夜の試験勉強
- 結婚式の 1 ヵ月前

- 免疫反応を介した疾患であることを考えると、「感冒を契機に再燃した」というのは何となく理解できるのですが、それ以外のケースはよくわかりません。やはり、何らかのストレスが免疫システムに影響したのでしょうか。

MCNS 診断のポイント

- 急激な浮腫で発症したネフローゼ症候群は、微小変化型（MCNS）を疑います。
- MCNS では**選択性が高い蛋白尿**を認めます。

尿蛋白の選択性（Selectivity index）

- **選択性が高い** ➡ サイズの小さい蛋白（アルブミン）が選択的に漏れている
- **選択性が低い** ➡ サイズに関係なく、いろんな蛋白成分が漏れている

- 低アルブミン血症を示すことが多いですが、血尿はまれです。

ステロイド無効の場合は FSGS を考慮する

- 巣状分節性糸球体硬化症（FSGS）との鑑別が難しいことがあります。
- FSGS は、分節状病変を示す糸球体が皮質髄質移行部の深い位置にのみ存在するため、腎生検で穿刺針が届かず病変がとらえられないことがあります。その場合は、病変のない糸球体しか観察されず、MCNS と診断されてしまうことがあります。
- MCNS と診断した症例でステロイドが効かない場合には、FSGS を考慮して再生検する必要があります。もし FSGS であれば治療反応性も悪いですし、予後も不良だからです。強力な免疫抑制療法が必要になるだけでなく、患者さんへの病状説明の内容も修正しなければなりません。

患者さんへの病状説明

- **MCNS**：**予後良好**です。
  ステロイドがよく効きますが、再発しやすいです。
  腎不全になる可能性はほとんどありません。
- **FSGS**：**予後不良**です。
  免疫抑制療法が効きにくいです。
  将来、腎不全になる可能性があります。

巣状分節性糸球体硬化症（FSGS）

- **巣状分節性糸球体硬化症**（focal segmental glomerulosclerosis：**FSGS**）とは組織学的病名で、巣状かつ分節性に硬化病変を認めるという意味です。
- **硬化病変**とは、右の写真のように細胞外基質が増加して毛細血管がつぶれてしまうことをいいます。

PAS 染色

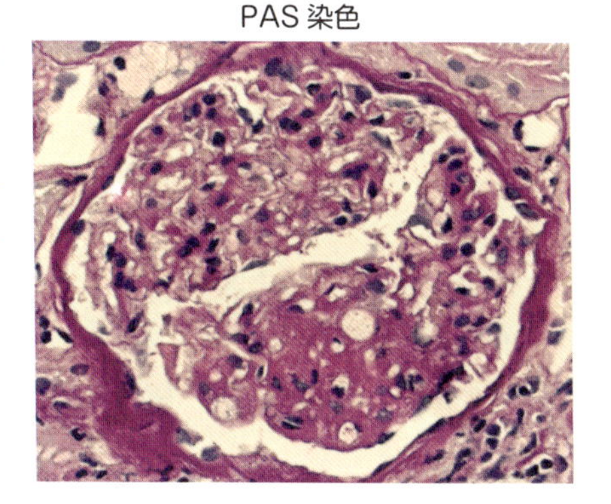

病変の分布を表す用語

- **巣状**（focal）：腎内の糸球体全体の 50％未満
- **分節性**（segmental）：1 つの糸球体の中で 50％未満

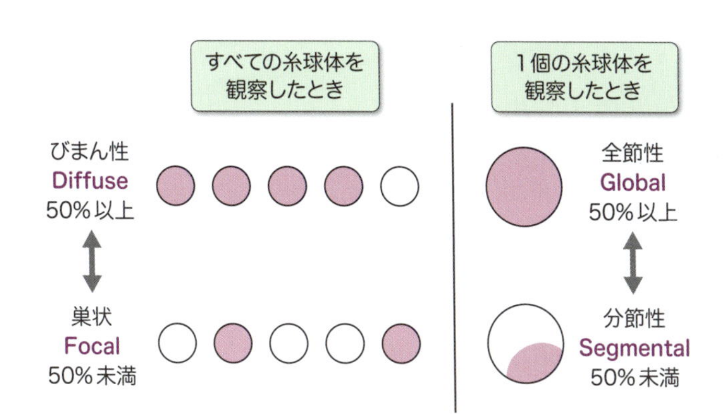

蛋白尿に加え、血尿をみることも

- FSGS は微小変化型ネフローゼ症候群と異なり、尿蛋白の選択性が低く、アルブミン以外の蛋白も漏れています。
- 病初期には皮質深部の糸球体にしか硬化病変が認められないため、微小変化型ネフローゼ症候群と診断されることもあります。
- 一方、診断時にすでに腎不全の状態になっているケースも少なくありません。半分以上の症例に血尿が認められます。

- FSGSは腎移植を行った後でも再発することがあります。特発性のFSGS再発率は20～40%と報告されています。このため、腎臓自体の問題ではなく、何らかの液性因子が発症に関与していると考えられています。
- FSGSは人種とも関係があります。日本人と違って、FSGSはアフリカ系アメリカ人の中で最も頻度の高いネフローゼ症候群です。

ステロイドが効きにくく予後不良

- FSGSは難治性で予後不良です。基本はステロイド療法ですが、ステロイドパルス療法や免疫抑制薬、抗凝固薬・抗血小板薬による治療を行います。
- リポソーバーを用いた**LDLアフェレーシス**はFSGSに保険適用があります。

FSGSの特徴

- 若年者に多い
- 難治性の大量蛋白尿（ネフローゼ症候群）
- ステロイドをはじめ多くの薬剤に治療抵抗性
- 予後不良（5～10年で約6割が腎不全になる）

Case study

【症例】 30代男性。自覚症状は特にない。健康診断で高血圧と尿蛋白、尿潜血を指摘され受診。血圧162/102mmHg、下腿浮腫あり。

尿定性検査：蛋白（2+）、潜血（+）

血液生化学検査：TP 7.2g/dL、Alb 3.8g/dL、T-chol 246mg/dL、BUN 26mg/dL、血清Cr 1.29mg/dL

- 若年男性で、自覚症状はありませんが、尿潜血と尿蛋白陽性に加え、高血圧と血清Cr値の上昇がみられます。臨床診断は「**慢性腎炎症候群**」になります。
- 組織型としては、FSGSのほか、膜性増殖性糸球体腎炎、IgA腎症などが考えられます。
- 入院後施行した腎生検による組織診断は**巣状分節性糸球体硬化症**（FSGS）でした。ステロイド開始後も尿蛋白は陰性化せず、利尿薬を併用してむくみをコントロールし、退院となりました。

可溶性ウロキナーゼ受容体とは

- FSGS の発症に関与する蛋白が最近同定されました。**ウロキナーゼ受容体**の可溶型アイソフォームである **suPAR**（スーパーと読みます）です。
- suPAR は足細胞の β_3 インテグリンを介したシグナル伝達経路を活性化して、足細胞障害と蛋白尿をきたすことがわかりました。
- また、他の疾患と比較して、FSGS では血中 suPAR レベルが有意に上昇していることが複数のコホート調査でわかってきました。日本人の FSGS 患者さんでも、suPAR の上昇がみられるようです。
- 臨床上、鑑別が難しい微小変化群と FSGS を区別する指標として有用かもしれません。また、この蛋白を除去することによる新たな治療法開発につながる可能性があり、今後の検討の結果が注目されます。

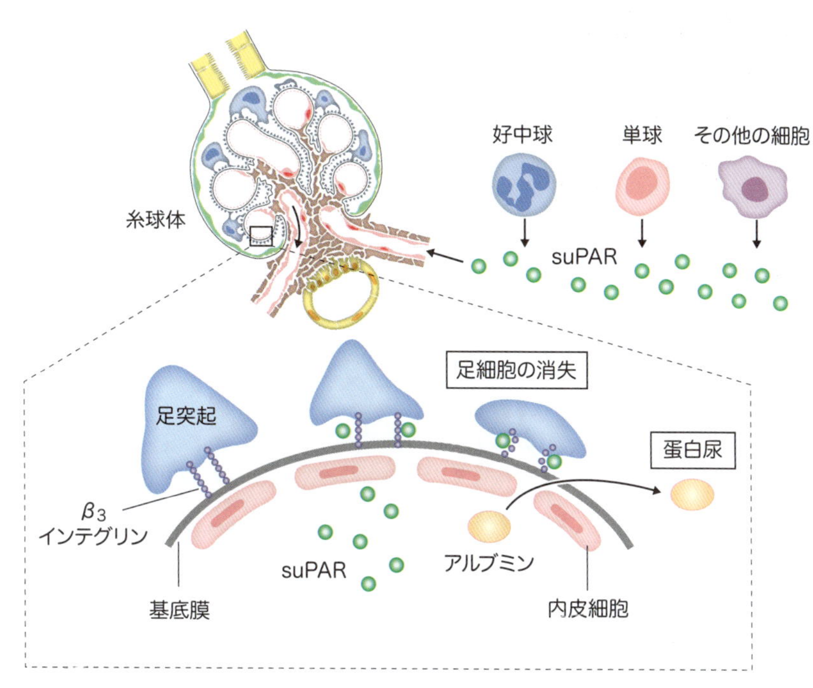

（Shankland SJ, *et al.* : *Nature Medicine* 2011;7:926-7 より引用）

第4章 原発性腎疾患

膜性腎症

糸球体基底膜に免疫複合体が沈着する

- **膜性腎症**（membranous nephropathy）は糸球体基底膜への免疫複合体の沈着と補体の活性化により惹起される疾患です。免疫複合体を介した腎炎ということになります。
- 中年層に多くみられます。
- 蛋白尿は選択性が低く、アルブミン以外の蛋白も漏れています。数年の経過で徐々に尿蛋白が増加し、ネフローゼを呈するようになることが多いです。血尿はあっても軽度です。
- 腎生検組織では、糸球体基底膜の肥厚が特徴です。細胞増殖は認めません。

膜性腎症の組織学的特徴

- **光顕所見**：　糸球体基底膜の**びまん性肥厚**。PAM 染色で**スパイク像**
- **蛍光抗体法**：IgG、C3 が糸球体毛細血管壁に沿って**顆粒状に沈着**
- **電顕所見**：　糸球体基底膜上皮側に高電子密度の沈着物を認める

PAM-HE 染色（スパイク像）

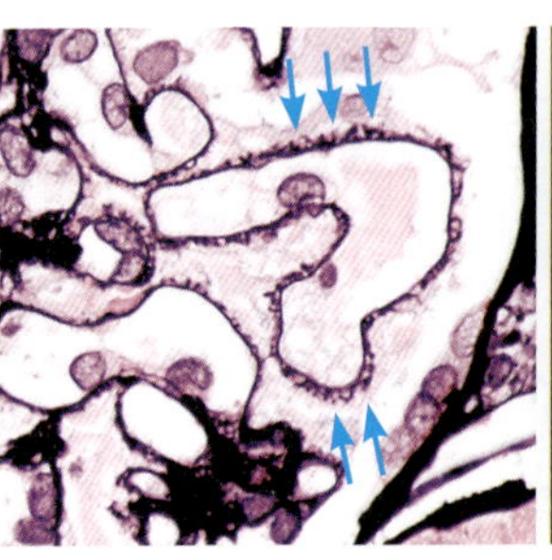

IgG 蛍光染色

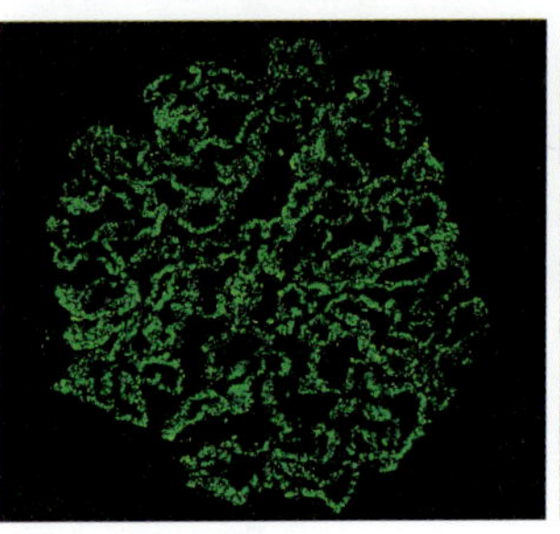

電顕写真

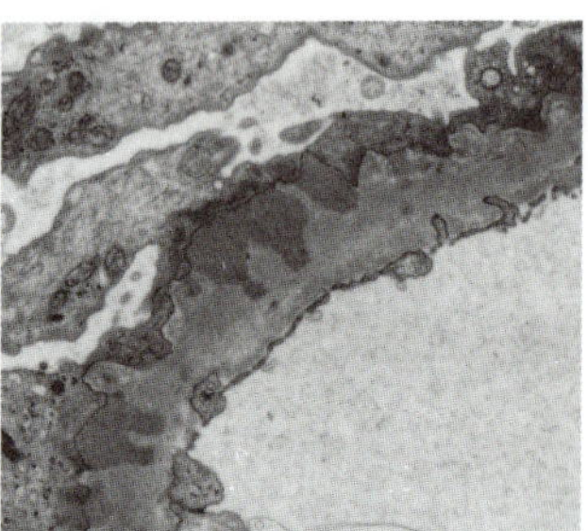

（湯村和子：臨床のための腎病理，日本医事新報社，2010，p141, 142, 145 より引用）

- 蛍光染色では、基底膜に沿って IgG の顆粒状沈着を認めます。電顕では、基底膜の外側（上皮下）に高電子密度（基底膜より濃いグレー）の沈着物を認めます。この沈着物のために、光顕では基底膜の上皮側がギザギザに見えます（**スパイク像**）。

悪性腫瘍のスクリーニングを忘れずに

- 膜性腎症の約 30%は二次性に起こります。腫瘍に随伴して起こることもあるので、悪性腫瘍の検索を行いましょう。

二次性膜性腎症の原因

- **自己免疫疾患** …… ループス腎炎V型、関節リウマチなど
- **感染症** …… B 型肝炎、梅毒、マラリア、フィラリアなど
- **悪性腫瘍** …… 胃癌、肺癌、大腸癌、肝癌、卵巣癌、白血病など
- **薬剤** …… 金製剤、ブシラミン、D-ペニシラミン、NSAIDs など

蛋白尿は運動の影響を受ける

- ネフローゼを呈している場合は、ステロイドや免疫抑制薬を使用します。ネフローゼ状態の時は過凝固になりやすいため、血栓予防として抗凝固療法や抗血小板薬を併用します。発症後 10 年で約 10%が末期腎不全に至りますが、自然寛解例もあります。
- 膜性腎症では、尿蛋白量が運動の影響を受けやすいことが知られています。たとえば、治療前にも関わらず、外来受診時よりも入院中の方が尿蛋白量は減少します。運動時と比べて、安静にしている方が心拍数が少なく、腎臓を循環する血液量も減少するため、尿蛋白が漏れにくいわけです。
- したがって、尿蛋白量が随時尿で多く、早朝尿で少ないパターンを示すのは膜性腎症の特徴と言えます。

中高年のネフローゼは膜性腎症を疑う

- 中高年に発症したネフローゼ症候群では、まず膜性腎症を疑います。

Case study

【症例】 60 代男性。数ヵ月前から尿が泡立つのを自覚。1 週間前から下腿の浮腫を自覚するようになった。血圧 144/86 mmHg

尿定性検査：蛋白 (3+)、潜血 (−)、1 日尿蛋白量 4.0 g/日

血液生化学検査：TP 6.0 g/dL、Alb 2.9 g/dL、T-chol 286 mg/dL、
BUN 21 mg/dL、血清 Cr 1.02 mg/dL

- 高齢の男性で、浮腫、顕著な蛋白尿に加え、血清アルブミンの低下もあります。臨床症候分類は、**ネフローゼ症候群**になります。
- 発症は緩徐で、尿潜血は陰性、腎機能の低下はごく軽度です。高齢者のネフローゼ症候群で発症が緩徐ですので、膜性腎症の可能性をまず考えます。

- 入院後施行した腎生検の結果です。比較のために微小変化型ネフローゼ症候群（MCNS）の糸球体も示します。

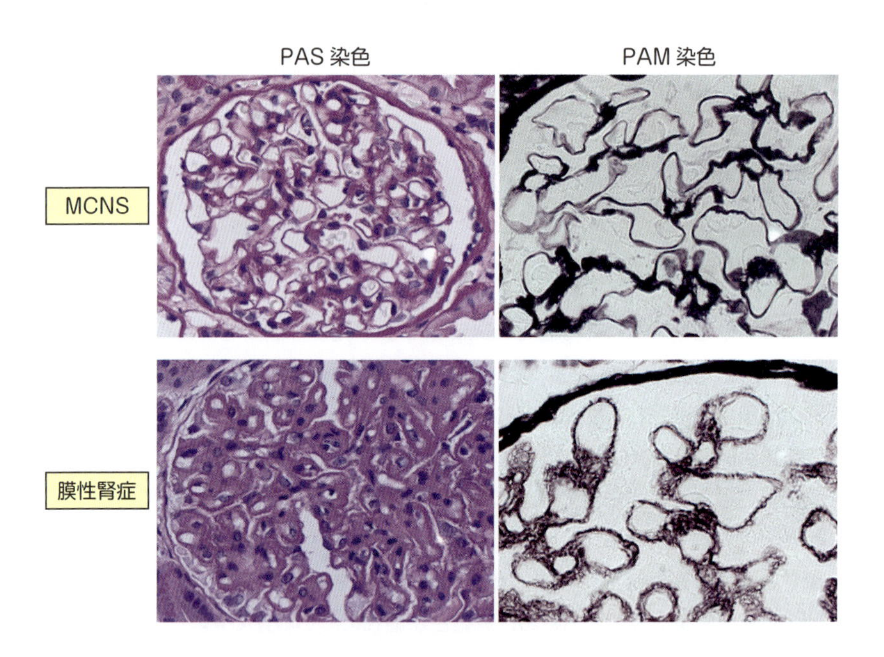

- 光顕上、異常のない MCNS の糸球体と比べて、PAS 染色では何となくボテッとした糸球体を認めます。基底膜が厚くなっているためです。
- 基底膜を黒く染色する PAM 染色では、本来一本の線のように基底膜が見えますが、本症例では基底膜がギザギザしています。いわゆる**スパイク像**です。

- 以上の結果から、最終的に膜性腎症と診断しました。ステロイド治療を開始し、尿蛋白は徐々に減少して、約 2 ヵ月後に陰性化しました。
- 途中、再燃して尿蛋白量が増えましたが、むくみがみられないため治療強化せず経過観察していたところ、蛋白尿は自然に消失してしまいました。不思議な病気です。

膜性腎症のステージ分類

- 膜性腎症は糸球体に免疫複合体が沈着して発症しますが、その沈着の程度や基底膜の変化に基づいて、４つのステージに分類されます。

Ehrenreich-Churg の病期分類

ステージⅠ	糸球体の上皮下に小さな散在性の沈着物を認める。基底膜の肥厚はみられない。
ステージⅡ	沈着物の数、大きさが増し、基底膜から突出したスパイクで境される。基底膜は肥厚する。
ステージⅢ	肥厚した基底膜内に沈着物が陥入する。一部に電子密度の低下した沈着物も出現する。
ステージⅣ	基底膜は不規則に肥厚し、電子密度の低下した沈着物や遺残物が認められる。経過とともに基底膜肥厚が軽快・消失することもある。

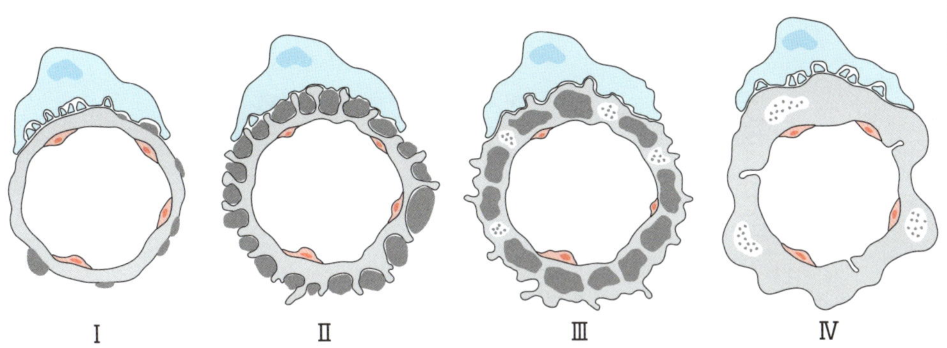

- ステージ分類によって、病気の発症がいつ頃かを推測できます。

- **ステージⅠ** ➡ 発症して間もない
- **ステージⅣ** ➡ 発症してかなり時間がたっている

膜性腎症の発症機序

- 糸球体基底膜内の抗原に対する免疫複合体の形成が、膜性腎症の発症機序と考えられています。つまり、何らかの抗原が糸球体基底膜を通過して上皮側にとどまり、これに対する特異的抗体が結合し、免疫複合体を形成して顆粒状に上皮下に沈着するという仮説です。
- 二次性の膜性腎症では、その標的抗原がいくつか知られており、糸球体内での存在が確認されています。たとえば、B 型肝炎ウイルスの表面抗原やコア抗原がそれです。

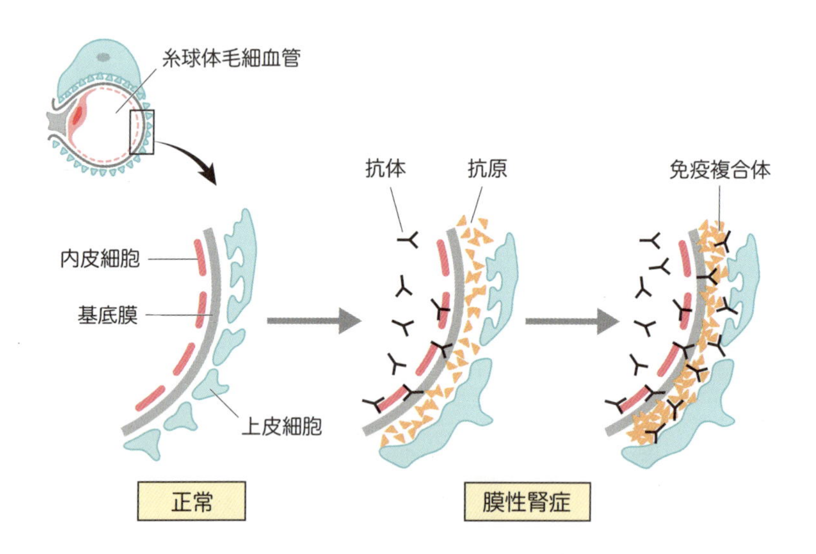

- 最近では、基底膜を構成する成分そのものに対する自己抗体ができ、その場（*in situ*）で反応するという機序も考えられています。
- 基底膜内に存在する**膜型ホスホリパーゼ A_2 受容体**（M-type phospholipase A_2 receptor：**PLA2R**）（プラツーと呼んでいます）を抗原とする IgG4 を中心とした自己抗体が多くの膜性腎症患者に認められることが報告され、注目を集めています（Beck LH, *et al. N Engl J Med* 2009;361(1):11-21）。

IgA 腎症

- **IgA 腎症**は、IgA（免疫グロブリン A）の沈着、メサンギウム細胞の増殖、メサンギウム基質の増加を特徴とする糸球体腎炎です。
- 約 50%の症例で**血清 IgA 高値**を呈します。
- わが国における IgA 腎症の 10 年後腎生存率はおよそ 85% と報告されています。

IgA 腎症の組織学的特徴

- **光顕所見**：　メサンギウム細胞の増殖とメサンギウム基質の増加
- **蛍光抗体法**：IgA および補体 C3 がメサンギウム領域に沈着
- **電顕所見**：　メサンギウム領域に高電子密度沈着物を認める

PAS 染色　　IgA 蛍光染色　　電顕写真

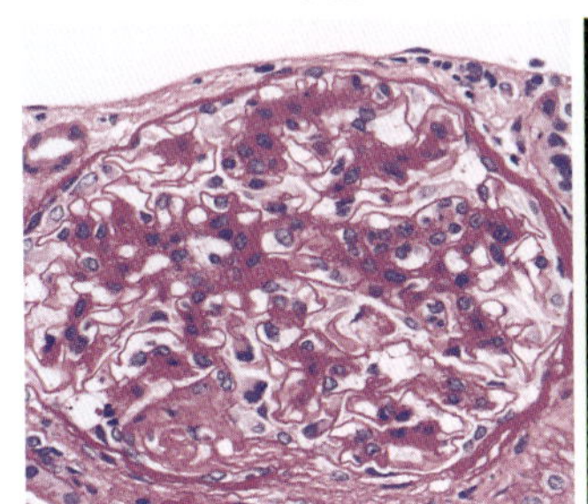

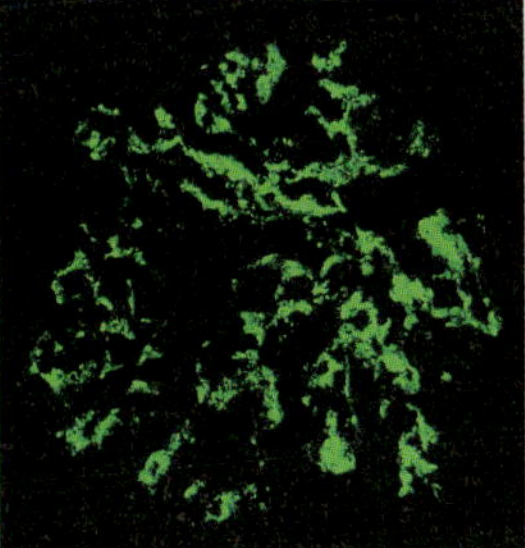

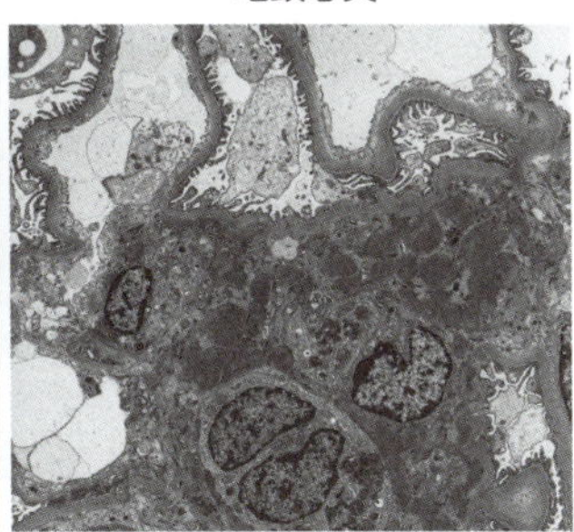

（湯村和子：臨床のための腎病理，日本医事新報社，2010，p131, 133, 134 より引用）

多くは健診で発見される

- **若年者**が健康診断で無症候性蛋白尿・血尿を指摘された場合に、まず疑います。上気道炎後の**肉眼的血尿**も IgA 腎症を疑う特徴的な症状です。

IgA 腎症診断のきっかけ

- 健康診断で無症候性蛋白尿・血尿を指摘（ほとんどの症例）
- 上気道炎後の肉眼的血尿（ときに）
- ネフローゼ症候群（まれ）

透析導入リスク

- 他の腎炎と異なり、IgA 腎症の場合は組織学的重症度と臨床的重症度を加味して層別し、透析導入のリスクを 4 群に分けることができます。

IgA 腎症患者の透析導入リスクの層別化

臨床的重症度(C-Grade) ＼ 組織学的重症度(H-Grade)		腎予後と関連する病理所見(半月体や硬化病変)を有する糸球体の割合			
		25%未満	25～50%	50～75%	75%以上
		H-Grade Ⅰ	H-Grade Ⅱ	H-Grade Ⅲ	H-Grade Ⅳ
尿蛋白 < 0.5 g/日	C-Grade Ⅰ	低リスク	中等リスク	高リスク	
尿蛋白 ≧ 0.5 g/日かつ eGFR ≧ 60 mL/min/1.73 m^2	C-Grade Ⅱ	中等リスク	中等リスク	高リスク	
尿蛋白 ≧ 0.5 g/日かつ eGFR < 60 mL/min/1.73 m^2	C-Grade Ⅲ	高リスク	高リスク	超高リスク	

進行性腎障害に関する調査研究班報告：IgA 腎症診療指針（第 3 版）

- 低リスク群　：透析療法に至るリスクが少ないもの
- 中等リスク群：透析療法に至るリスクが中等度あるもの
- 高リスク群　：透析療法に至るリスクが高いもの
- 超高リスク群：5 年以内に透析療法に至るリスクが高いもの

- **臨床的重症度**は、尿蛋白量と腎機能からグレードを判定します。
- **組織学的重症度**は、下記の「腎予後と関連する病理所見」を有する糸球体が全糸球体のうちの何%を占めるか、という基準でグレードを判定します。

IgA 腎症の腎予後と関連する病理所見

- **急性病変**：細胞性半月体、線維細胞性半月体
- **慢性病変**：全節性硬化、分節性硬化、線維性半月体

予後

- 私が医学生の頃、「IgA 腎症は予後良好な腎疾患」と教わりました。しかし、以前考えられていたよりも腎予後はそれほど良くないようです。診断後 5 ～

25年の経過において、20～40%の患者が最終的に末期腎不全に陥ると考えられています。

- 末期腎不全に進行する危険因子としては、以下のものが挙げられます。

IgA腎症の予後不良因子

- 高齢者
- 高血圧の存在
- 持続する高度の蛋白尿
- 診断時の腎機能低下
- 腎生検における糸球体硬化や間質線維化の存在

治療

- 高血圧や蛋白尿（0.5g/日以上）を呈する症例には、**RAS阻害薬**（ACE阻害薬あるいはARB）を開始します。活動性病変を有する場合には**ステロイド治療**（パルス療法を含む）を考慮します。**扁摘パルス**（扁桃摘出術＋ステロイドパルス療法）の有効性も報告されています。

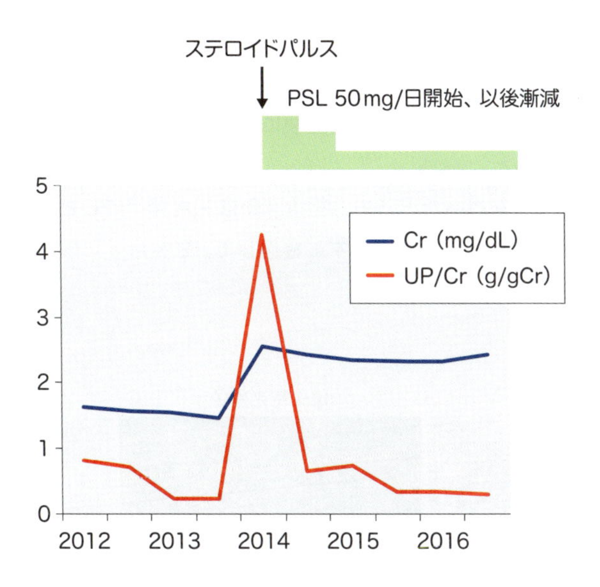

- 上のグラフは自験例です。急に尿蛋白量が増えて急速進行性糸球体腎炎を呈したため、ステロイドパルス療法を行いました。
- 治療後は尿蛋白も減少し、腎機能も落ち着いています。

IgA 腎症の発症パターン

- IgA 腎症は日本人で最も多い慢性糸球体腎炎です。
- 若年者に多く、症状としては血尿が主体となりますが、その発症パターンは様々です。自験例の中から、いくつか症例を紹介しましょう。

健診で血尿と蛋白尿を指摘

Case study

【症例】 30 代女性。自覚症状は特になし。数年前から健康診断で尿蛋白と尿潜血を指摘されている。血圧 106/70 mmHg
尿検査：蛋白（2+）、尿潜血（2+）、尿蛋白 / 尿 Cr 比 2.1
血液生化学検査：TP 7.2 g/dL、Alb 3.9 g/dL、T-chol 202 mg/dL、
BUN 15 mg/dL、血清 Cr 0.70 mg/dL

- 成人女性で、尿潜血・尿蛋白ともに陽性ですが、自覚症状はなく、血圧は正常、血清クレアチニン値も正常範囲です。臨床症候分類は**無症候性血尿・蛋白尿**になります。
- 蛋白尿が出ていると将来妊娠・出産のときに妊娠高血圧のリスクになります。挙児希望のある方でしたので、腎生検による組織診断をしておいた方がよい旨を説明しました。
- 入院して腎生検を行ったところ、組織診断は IgA 腎症でした。ステロイド治療を開始し、特に副作用を認めずに経過して、2 ヵ月後に尿蛋白は陰性化しました。

PAS 染色

IgA 蛍光染色

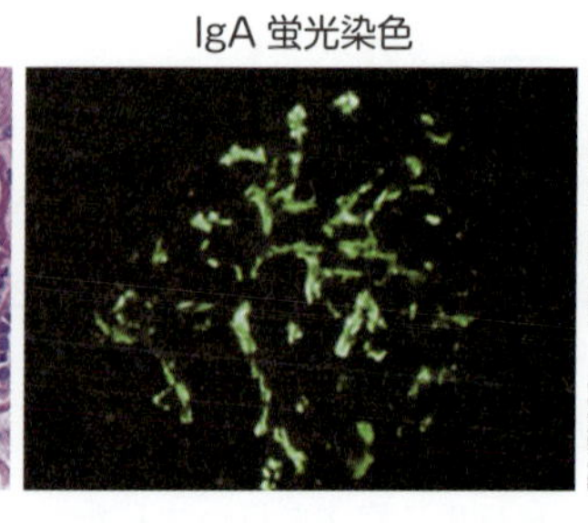

電顕写真

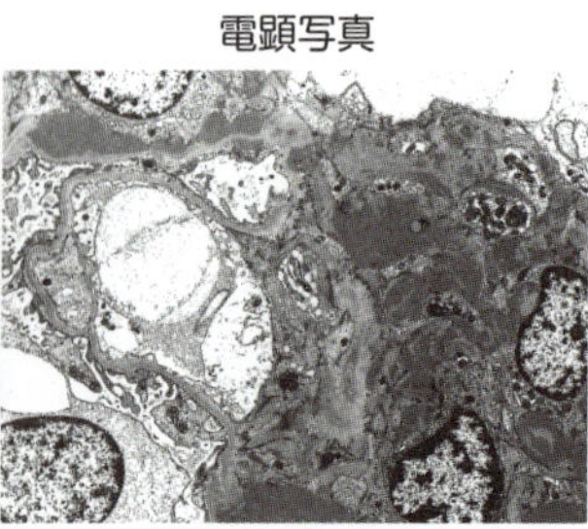

上気道炎後、突然の肉眼的血尿

Case study

【症例】 30代女性。2日前から38.6℃の発熱と感冒様症状あり。今朝、コーヒー色の尿が出たため、心配になり来院した。血圧112/80mmHg
尿検査：尿蛋白（2+）、尿潜血（4+）、定量：未測定
血液生化学検査：TP 7.8g/dL、Alb 4.2g/dL、T-chol 226mg/dL、
BUN 23mg/dL、血清Cr 1.12mg/dL

- 成人女性で突然の肉眼的血尿を認めた症例です。血清クレアチニン値が1.12mg/dLと女性にしてはやや高いので、おそらく糸球体濾過量（GFR）が低下しています。
- 臨床症候分類は**急性腎炎症候群**に相当します。上気道炎に合併する肉眼的血尿は、IgA腎症によくみられる症状です。
- 入院して腎生検を行ったところ、組織診断はIgA腎症（予後良好群）でした。ステロイド治療を開始し、外来フォローとなりました。その後、尿蛋白は陰性化しましたが、尿潜血のみ陽性が持続しています。
- 肉眼的血尿をみるとびっくりしますが、IgA腎症の長期予後に影響することはないようです。

年月をかけて腎機能が低下

Case study

【症例】 40代女性。10年前に職場健診で蛋白尿と血尿を指摘された。その後、前医に通院するようになったが、特に症状もなく「腎機能は正常だから大丈夫」と言われて経過観察されていた。昨年の健診で血清クレアチニン1.32mg/dLと悪化を認めたため「そろそろ腎臓専門医に診てもらおう」ということになり当科紹介となった。血圧145/76mmHg
尿検査：尿蛋白（2+）、尿潜血（1+）
血液生化学検査：BUN 34mg/dL、Cr 1.72mg/dL

- 検尿異常は以前から指摘されていましたが、精査することなく経過観察されていた症例です。臨床症候分類は**慢性腎炎症候群**に相当します。
- 入院して腎生検を施行したところ、IgA腎症（予後不良群）との診断になりました。

- 驚いたのは腎生検所見です。すでに硬化した糸球体が多数あり、尿細管萎縮や間質の線維化が著明でした。血清クレアチニン値は正常値を少し超えたくらいなのに、腎組織は末期腎不全の所見でした。

PAS 染色

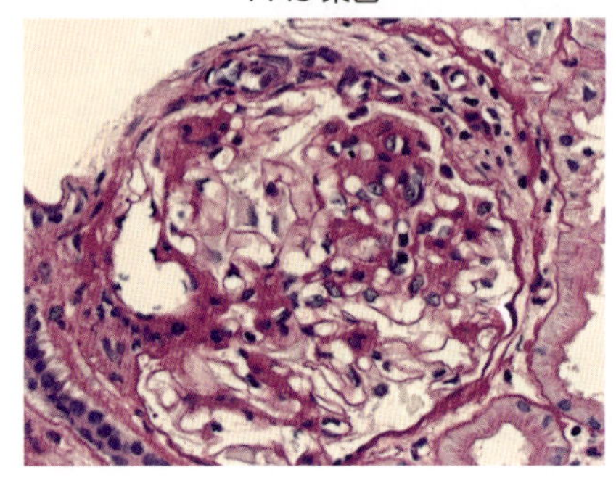

- どうしてこのようなことが起こるのでしょうか。この症例から学んだことは、腎機能が相当悪くならないと、血清クレアチニン値は上昇しないということです。
- たとえば、腎癌のため片方の腎臓を摘出しても、残った腎臓（ネフロン）が代償するため、血清クレアチニンはそれほど上昇しません。
- 機能するネフロンが 1/3 以下になると、血清クレアチニンは正常値を超えて上昇します。したがって、血清クレアチニンが正常値を超えて上昇してきた場合は「かなり腎不全が進行している」と考えた方がいいわけです。
- 本例はステロイドパルス療法を行いましたが、蛋白尿は陰性化せず、血清クレアチニン値も改善しませんでした。やはり早期診断、早期治療が重要であることを改めて認識しました。

IgA 腎症と鑑別すべき血尿

Case study

【症例】 70 代男性。慢性腎不全（高血圧性腎硬化症疑い）のため加療中。
尿蛋白は陰性化しており、現在は降圧薬のみ内服している。
昨日、トイレに行った際に尿の色が赤かった。今日も持続するため心配になり予約外受診した。
血圧 128/56 mmHg
血液生化学検査：Hb 11.8 g/dL、BUN 36 mg/dL、Cr 2.58 mg/dL
尿検査：尿蛋白（−）、尿潜血（3+）

- 高齢の慢性腎不全患者さんで、今まで認めていなかった肉眼的血尿を認めています。何らかの腎炎の合併でしょうか。肉眼的血尿を認めているから、IgA腎症でしょうか？
- 年齢的には、まず悪性腫瘍を除外する必要があります。尿路系腫瘍の存在を疑って、腎臓のエコーやCTをチェックする必要があります。尿の細胞診も必要です。
- 本例では腹部CTで、左腎に腫瘍が見つかりました。泌尿器科にコンサルトしたところ、**腎細胞癌**の診断でした。PET-CT上、遠隔転移がないことから腎摘出術が施行されました。術後は血清クレアチニン値が4.85mg/dLまで上昇しましたが、その後は悪化を認めていません。
- もともと腎機能が低下していたため、腎摘出術によって片腎になると腎機能が急速に悪化する可能性があります。場合によっては透析導入が必要になる可能性をご本人に説明しましたが、幸いなことに術後10年たっても透析導入には至っていません。

膜性増殖性糸球体腎炎

- **膜性増殖性糸球体腎炎**は病理学的な診断名です。あくまでも腎生検による診断であり、原因は様々です。
- 小児から若年に発症します。約 7 割はネフローゼ症候群を呈し、血尿を伴うことが多いです。持続する**低補体血症**（特に C3 減少）を伴うことが多く、尿蛋白の選択性は低いです。

増殖したメサンギウム細胞が基底膜と内皮の間に侵入

- 光顕上、メサンギウム細胞・血管内皮細胞の増殖とメサンギウム基質の拡大により、糸球体の**分葉化**（lobulation）を認めます。また、内皮下への免疫複合体沈着により基底膜が肥厚します。
- メサンギウム細胞が基底膜と内皮細胞の間に入り込み（メサンギウム間入 mesangial interposition）、**基底膜の二重化**（double contour）を生じます。

PAS 染色（糸球体の分葉化）

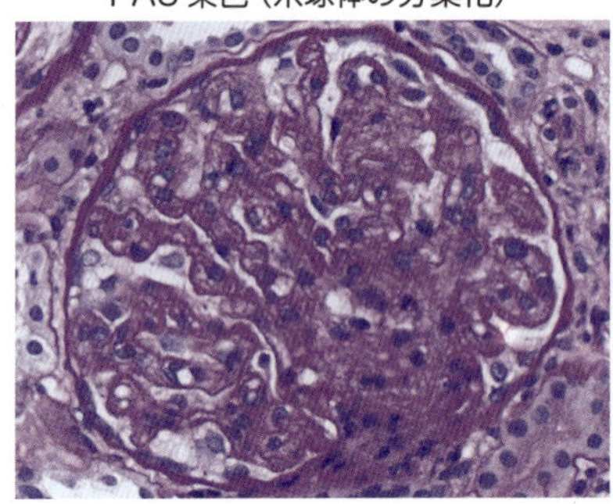

PAM-HE 染色（基底膜の二重化）

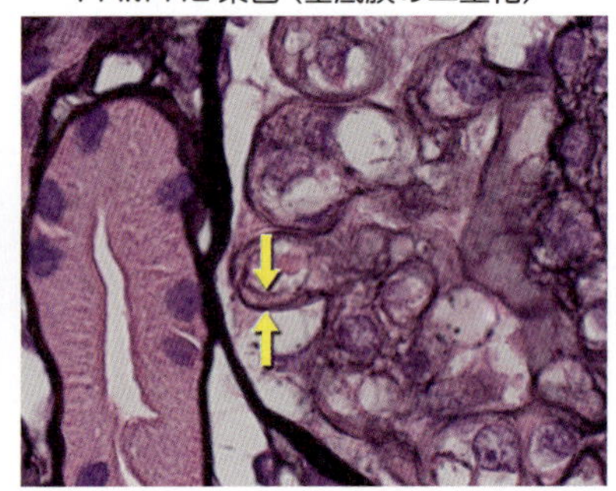

- 蛍光抗体法では、糸球体基底膜とメサンギウム領域に**補体 C3** のフリンジ状沈着を認めます。
- 電顕所見では、高電子密度沈着物の沈着部位により下記の 3 型に分類されます。わが国ではⅠ型が多いです。

- **Ⅰ型**：糸球体毛細血管内皮下
- **Ⅱ型**：糸球体基底膜内（WHO 分類では **dense deposit disease**）
- **Ⅲ型**：内皮下以外にも糸球体上皮下に沈着物を認める

低補体血症が特徴

- 若年者のネフローゼ症候群で**低補体血症**（＝補体の持続活性化）を伴う場合、本疾患を疑います。
- 全身性エリテマトーデス、C 型肝炎、クリオグロブリン血症など二次性の原因を除外することが大切です。
- 確立された治療法はありません。ほかの腎炎同様、ステロイドを中心に抗血小板薬、抗凝固薬、免疫抑制薬を投与することが多いです。
- 治療抵抗性で、次第に腎機能が低下し腎不全に陥ることもあります。10 年腎生存率は 50 ～ 60％です。

Case study　蛋白尿、血尿、下腿浮腫

【症例】 20 代女性。2 週間前から足背に浮腫を自覚。近医を受診し、尿蛋白を指摘された。血圧 156/92 mmHg
尿定性検査：蛋白（3+）、潜血（+）
血液生化学検査：TP 4.6 g/dL、Alb 2.3 g/dL、T-chol 304 mg/dL、BUN 20 mg/dL、血清 Cr 0.82 mg/dL

- 若年の女性で、浮腫を自覚しています。尿蛋白は強陽性、血液検査では総蛋白と血清アルブミンが低下しています。臨床症候分類は**ネフローゼ症候群**ということになります。
- 巣状糸球体硬化症、膜性増殖性糸球体腎炎、IgA 腎症などの可能性を考え、腎生検を施行しました。結果は、膜性増殖性糸球体腎炎の診断でした。ステロイド治療を開始し、蛋白尿は改善傾向を認めています。

半月体形成性糸球体腎炎

- 半月体形成性糸球体腎炎は、臨床症候分類で**急速進行性糸球体腎炎**を呈する症例で最も多く認められる病理所見です。糸球体が徐々に壊され、腎不全に陥ってしまう病気です。
- 基底膜の断裂をきっかけに、ボウマン嚢上皮細胞、糸球体上皮細胞、マクロファージが増殖して**半月体**を形成し、尿の通路を閉塞させることによって糸球体濾過の機能不全を引き起こします。

正常　基底膜断裂　半月体形成

足細胞　マクロファージ　血栓

（Comprehensive Clinical Nephrology, Saunders, 2014, p190 より改変）

- 半月体を有する糸球体は、どうみても濾過機能はなさそうです。

PAS 染色（半月体）

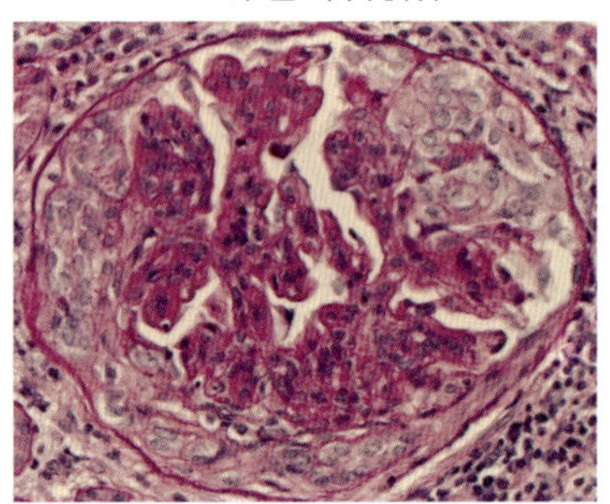

大きく 3 種類に分けられる

- 半月体形成性糸球体腎炎は、腎生検で半月体を認めるという病理診断名です。その原因はいろいろあって、発症メカニズムも様々です。

半月体形成性糸球体腎炎の種類と発症機序

- **抗 GBM 抗体型腎炎**
  抗 GBM 抗体が糸球体基底膜を破壊 → 炎症を惹起 → 半月体形成
- **免疫複合体型腎炎**
  免疫複合体が糸球体に沈着 → 炎症を惹起 → 半月体形成
- **ANCA 関連腎炎**
  ANCA を介した腎臓の血管炎（糸球体の炎症）→ 半月体形成

- 上記のうち、**免疫複合体型腎炎**というのは、「免疫複合体の沈着によって発症する腎炎」の総称です。活動性の亢進したIgA腎症、膜性増殖性糸球体腎炎、膜性腎症、紫斑病性腎炎、ループス腎炎、溶連菌感染後糸球体腎炎、クリオグロブリン血症などが含まれます。

免疫グロブリンの沈着パターンで3種類を区別できる

- 蛍光抗体法による免疫グロブリンの沈着様式（☞ 74ページ）により、上記の3種類を区別することができます。

免疫グロブリンの沈着パターン

- **線状**（linear）……………… 抗GBM抗体型腎炎
- **顆粒状**（granular）……………… 免疫複合体型腎炎
- **沈着がほとんどない**（pauci-immune）……… ANCA関連腎炎

- *Pauci*はラテン語です。英語ではlittle、fewを意味します。
- 線状パターンも顆粒状パターンも**IgG**の基底膜への沈着を意味し、その染まり方の違いを表現していますが、沈着に至る機序は全く違います。
- **線状**パターンは抗GBM抗体型腎炎で認められます。糸球体基底膜を構成するⅣ型コラーゲンに対する自己抗体（**抗GBM抗体**）が産生され、これが直接基底膜を抗原として認識し、結合して破壊します。ですから線状に染まるわけです。
- 抗GBM抗体型腎炎には、単独で急速進行性糸球体腎炎（RPGN）を呈する場合と、RPGNに加えて肺胞出血を認める場合があります。後者は**Goodpasture症候群**と呼ばれます。

RPGN＋抗GBM抗体陽性＋肺胞出血＝**Goodpasture症候群**

- **顆粒状**パターンは、血中に**免疫複合体**（circulating immune complex）が形成される腎炎で認められます。免疫複合体が基底膜に沈着して炎症を惹起します。この場合は、個々の免疫複合体が顆粒状に認められます。

- **Pauci-immune**パターンが最も高頻度です。大部分は抗好中球細胞質抗体（anti-neutrophil cytoplasmic autoantibody：ANCA）が陽性のANCA関連腎炎です。ANCA関連血管炎の腎症状として現れることが多いです。

抗 GBM 抗体型糸球体腎炎

- 抗 GBM 抗体型糸球体腎炎とは、組織学的に半月体形成性糸球体腎炎を呈し、蛍光抗体法で糸球体毛細血管壁に **IgG の線状沈着**（linear pattern）を認め、血清学的に**抗 GBM 抗体**が陽性となる腎炎のことを指します。

糸球体基底膜に対する自己抗体が産生される

- 抗 GBM 抗体は糸球体基底膜を構成する**Ⅳ型コラーゲン α_3 鎖**の NC1 ドメインを抗原エピトープとして認識する自己抗体です。
- なぜ基底膜に対する抗体が産生されてしまうのでしょうか。その機序はよくわかっていませんが、次のような要因によって肺・腎の基底膜が障害されて抗原エピトープが露出し、これに反応して抗 GBM 抗体が産生されると考えられています。

- 感染症（インフルエンザなど）
- 吸入毒性物質（有機溶媒、四塩化炭素など）
- 喫煙など

抗体の沈着をきっかけに炎症が起こり、基底膜が破壊される

- 抗 GBM 抗体の基底膜への結合をきっかけにして、炎症細胞が局所に浸潤し、さらにサイトカイン、活性酸素、蛋白融解酵素、補体、凝固系などが関与し、基底膜の断裂が起こります。この現象が持続すると徐々に糸球体がつぶれていき、腎機能が低下していくわけです。
- ときに抗 GBM 抗体と ANCA の両者が陽性の症例がみられます。ANCA が悪さをして基底膜障害を生じ、抗原エピトープが露出し、抗 GBM 抗体が産生されるのでは？ と推定されています。

- 治療は、血漿交換、シクロホスファミド、ステロイドによる強力な治療が必要になります。
- 今からおよそ 100 年前の 1919 年、米国の医師 Goodpasture 博士が、「血痰を伴う進行性の糸球体腎炎」の症例を発表したのが、**Goodpasture 症候群**の最初の報告です。

Case study　全身倦怠感、肺炎疑い

【症例】 60代女性。2ヵ月前から感冒症状あり。その後、食思不振、胃部不快が持続するため、2週間前に近医受診。胸部レントゲン上、右肺炎あり。抗菌薬を投与するも改善なく、CRP高値持続。昨夜より血痰が出現したため、緊急入院。

血液検査：Hb 6.8g/dL、WBC 9400/μL、Plt 31.2/μL、
BUN 46mg/dL、Cr 8.45mg/dL、CRP 10.2mg/dL

尿検査：尿蛋白（1+）、尿潜血（2+）、尿蛋白/尿Cr比 2.8

- 肺胞出血と急速進行性糸球体腎炎にて発症したGoodpasture症候群の症例です。胸部レントゲンで右浸潤影あり、胸部CTにて肺胞出血が疑われました。その後、抗GBM抗体陽性が判明し、Goodpasture症候群と診断しています。
- 入院後、血漿交換を開始するとともにステロイドパルスを施行。その後、プレドニン40mg/日とし、以後漸減しました。血液透析も開始しました。
- 貧血、炎症反応および肺胞出血は改善しましたが、透析離脱には至りませんでした。

Case study　感冒症状と貧血を認めた高齢女性

【症例】 80代女性。3ヵ月前より感冒症状あり。その後、下腹部痛、排尿時痛が出現し、前医受診（このとき血清Cr 1.12mg/dL）。膀胱炎疑いにて抗菌薬を処方するも改善なし。2週間前に前医を再診し、貧血、胸水、腎機能障害を認めた。

血液検査：Hb 8.5g/dL、BUN 32mg/dL、Cr 1.43mg/dL

尿検査：尿蛋白（1+）、尿潜血（3+）、尿蛋白/尿Cr比 1.94

胸部CTにて右肺に浸潤影あり

- 入院後、抗GBM抗体が234U/mLと高値であることが判明しました。急速進行性糸球体腎炎を呈した抗基底膜抗体病と診断し、血漿交換を開始するとともに、ステロイドパルスを施行。その後、プレドニン30mg/日としました。
- 乏尿を認めたため血液透析を開始しましたが、その後尿量が増加し、2週間後透析離脱となり、1ヵ月後軽快退院となりました。
- 胸部CTで認められた右肺浸潤影も治療により消失したので、肺胞出血であった可能性が高いと思われます。

ANCA 関連血管炎

- 血管壁に炎症が起こる病気として血管炎があります。罹患血管のサイズにより大型血管炎、中型血管炎、小型血管炎に分類され、さらに細かく病名がついています。

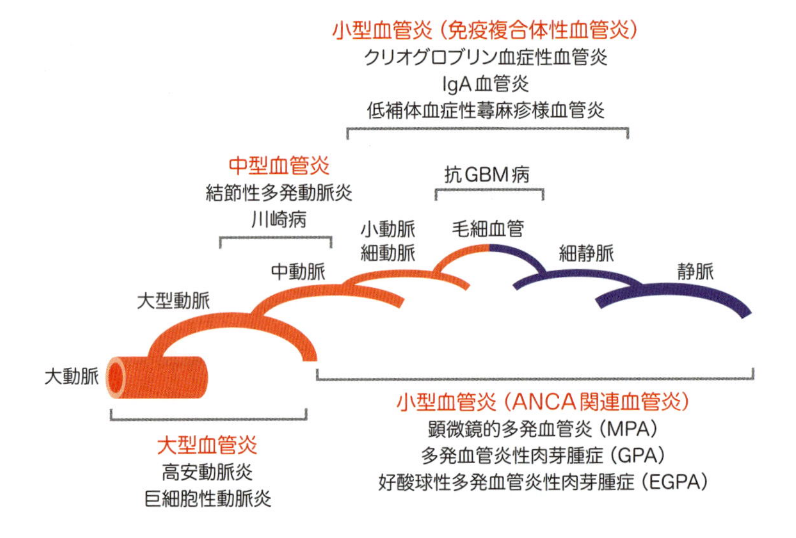

- 血中に**抗好中球細胞質抗体**（anti-neutrophil cytoplasmic antibody：**ANCA**）という自己抗体が検出される難治性の小型血管炎として **ANCA 関連血管炎**（ANCA-associated vasculitis：AAV）が知られています。
- 腎臓は血管が豊富な組織であるため、この病気を発症すると当然のことながら腎臓の血管でも炎症が起こります。これが **ANCA 関連腎炎**です。特に腎臓に症状が限局する場合は、腎臓限局型（renal-limited AAV）と呼ばれます。

ANCA ＝好中球に対する自己抗体

- ANCA は間接蛍光抗体所見により、次の 2 種類に分けられます。

ANCA の種類と対応抗原

- **MPO-ANCA** ＝核周囲が染まる perinuclear pattern：**P-ANCA**
  ➡ 対応抗原：myeloperoxidase（MPO）
- **PR3-ANCA** ＝細胞質が染まる cytoplasmic pattern：**C-ANCA**
  ➡ 対応抗原：proteinase 3（PR3）

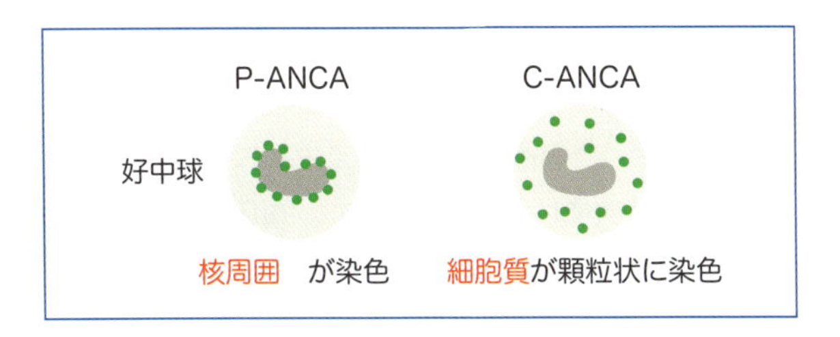

- わが国では P-ANCA（MPO-ANCA）陽性症例が 90% 以上を占めています。

3 種類の ANCA 関連血管炎

- ANCA 関連血管炎には次の 3 種類が存在します（最近、病名が少し変更されました）。

ANCA 関連血管炎の種類

- **顕微鏡的多発血管炎**
  microscopic polyangiitis：MPA
- **多発血管炎性肉芽腫症**（以前の Wegener 肉芽腫症）
  granulomatosis with polyangiitis：GPA
- **好酸球性多発血管炎性肉芽腫症**（以前の Churg-Strauss 症候群）
  eosinophilic granulomatosis with polyangiitis：EGPA

- 顕微鏡的多発血管炎の大部分は MPO-ANCA 陽性です。また、好酸球性多発血管炎性肉芽腫症の約半数に MPO-ANCA 陽性を認めます。
- 一方、PR3-ANCA 陽性の血管炎のほとんどは多発血管炎性肉芽腫症になります。日本人の多発血管炎性肉芽腫症では、MPO-ANCA を認めることもあります。まとめると…

ANCA 陽性率

- **MPO-ANCA 陽性** → ほとんどが MPA、たまに EGPA
- **PR3-ANCA 陽性** → ほとんどが GPA

- ANCA 関連腎炎の典型的な病理所見は、**壊死性半月体形成性腎炎**です。蛍光抗体法による免疫染色では、**pauci-immune 型**（ほとんど染まらない）を呈します。

Case study

【症例】 70代女性。全身倦怠感、微熱を主訴に受診。3ヵ月前の健康診断では、尿所見、腎機能に異常はなかった。血圧148/90mmHg
尿定性検査：蛋白（2+）、潜血（2+）
血液生化学検査：TP 6.7g/dL、Alb 3.7g/dL、T-chol 228mg/dL、Hb 8.9g/dL、BUN 53mg/dL、血清Cr 1.91mg/dL、CRP 2.5mg/dL

- 高齢の女性で、主訴は倦怠感と微熱です。非特異的な症状です。
- 3ヵ月前は正常であった腎機能が、現在はかなり低下しています。尿蛋白・潜血ともに陽性なので、糸球体腎炎の可能性が高いです。比較的急速に腎機能の低下をきたしている経過とあわせると、臨床症候分類は**急速進行性糸球体腎炎**になります。
- この臨床像を呈するのは半月体形成性糸球体腎炎の可能性が高いですが、もしそうであれば、その原因が問題になります。腎生検に加えて、血清補体価、抗核抗体、抗GBM抗体や抗好中球細胞質抗体（ANCA）を測定する必要があります。
- エコーでは腎萎縮を認めず、慢性腎不全は否定的でした。そこで入院精査となり、腎生検した結果、組織型はやはり**半月体形成性糸球体腎炎**でした。
- 追加した血液検査では、抗核抗体陰性、血清補体価正常、**MPO-ANCA陽性**、PR3-ANCA陰性、抗基底膜抗体陰性でした。以上より、最終診断は**顕微鏡的多発血管炎**になりました。
- ステロイド治療により徐々に腎機能は改善し、血清Cr値は1.10mg/dLまで改善しました。腎性貧血も改善し、ヘモグロビン値も正常化しています。

ANCA はどのようにして産生されるのか？

細胞内の蛋白がなぜ抗原として認識されるの？

- ANCA は、**ミエロペルオキシダーゼ**（MPO）や**プロテイナーゼ 3**（PR3）など好中球の細胞質に存在する蛋白に対する自己抗体です。細胞の中に存在する蛋白が、どうして抗原として認識され、抗体ができてしまうのでしょうか？　不思議ですね。
- 遺伝的な素因のある方に環境因子が作用して発症すると推測されていますが、詳しくはよくわかっていません。環境因子としては、抗甲状腺薬（プロピルチオウラシル）、鉱物中に大量に含まれるシリカの職業性曝露、*Staphylococcus aureus* 感染などの関与が報告されています。

好中球が放出する NETs

- 最近の研究から、**好中球細胞外トラップ**（neutrophil extracellular traps：**NETs**）の関与が有力と言われています。
- 感染などの刺激を受けると好中球は活性化され、病原菌を貪食します。やがて細胞死に至りますが、そのときに好中球は DNA と細胞質内蛋白（MPO や種々の蛋白分解酵素など）を混合して NETs と呼ばれる網状構造物を細胞外に放出します。
- つまり、NETs は細胞内抗原を細胞外に曝露している状態と言えます。適切に処理されないと、抗原として免疫系に認識され、自己抗体、すなわち ANCA の産生が誘導されてしまうのです。
- ANCA によって活性化した好中球は、細胞毒性のある活性酸素やプロテアーゼ、多様なサイトカインを放出して全身諸臓器の**血管内皮障害**を引き起こし、種々の臨床症状を誘導すると考えられています。

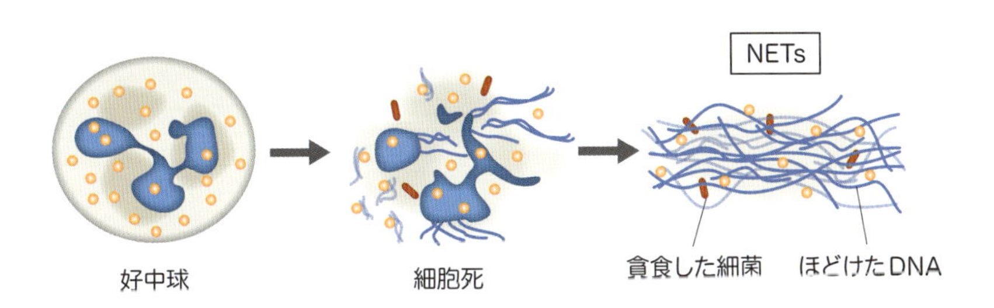

ANCA 関連血管炎の多彩な症状

- ANCA 関連血管炎は全身の小型血管が障害される疾患です。血管はすべての臓器に分布していますので、全身のどこに症状が出現してもおかしくありません。
- 発熱、体重減少、脱力感、全身倦怠感などの全身症状のほか、下記のような症状も認められます。

ANCA 関連血管炎の多彩な症状

皮膚症状	網状皮斑、皮下結節、皮膚潰瘍
末梢神経症状	多発性単神経炎
腎症状	**糸球体腎炎、血尿、蛋白尿、円柱尿**
肺症状	肺胞出血、間質性肺炎
心症状	心筋炎、不整脈
眼症状	網膜出血、強膜炎
消化性潰瘍	
漿膜炎	心膜炎、胸膜炎

- **下肢のしびれ**も症状として頻度が高いです。神経を栄養している毛細血管に炎症が生じていると思われます。
- CRP 高値、赤沈亢進、白血球増多、血小板増多など非特異的な急性炎症反応も認めます。
- **間質性肺炎**を合併することがあり、進行すると拘束性障害による呼吸不全を呈します。

どのような症例で ANCA 関連血管炎を疑うか？

- 多彩な全身症状を呈する発熱患者では、ANCA 関連血管炎を疑います。
- 可能であれば病変部位（皮膚、神経、筋肉、肺、腎臓など）を生検し、細小血管壁に好中球浸潤を伴う**壊死性血管炎**の存在を証明します。また、免疫複合体や補体成分の沈着がないことも確認します。
- **血清 ANCA 値**は疾患活動性を反映しているため、診断的価値が高いです。

治療

- 厚生労働省の「ANCA 関連血管炎の診療ガイドライン」に準じて行います。寛解導入療法と維持療法からなり、基本的には重症度に応じた治療を行います。主に**ステロイド**と**免疫抑制剤**の併用を行いますが、軽症の場合はステロイド単独の場合もあります。
- 重症例では、高用量ステロイド＋シクロホスファミドパルス療法が行われます。最重症例では**血漿交換療法**も考慮します。
- **シクロホスファミド**は副作用に出血性膀胱炎があり、長期使用によって悪性腫瘍のリスクが増大するため注意が必要です。
- 寛解維持療法では、少量のステロイドと他の免疫抑制剤（アザチオプリンや MTX）の併用が標準的です。
- 免疫グロブリン静注療法は、好酸球性多発血管炎性肉芽腫症の難治性神経障害に対して保険適応が認められています。
- 治療に際しては日和見感染の予防が重要です。もともと高齢者に発症しやすいこともあり、ハイリスク群（腎障害、糖尿病、ステロイド高用量）では特に注意を要します。
- 2018 年、好酸球性多発血管炎性肉芽腫症に対して、ヒト化抗 IL-5 モノクローナル抗体であるメポリズマブ（ヌーカラ®）が適応承認されました。また、2022 年には選択的 C5a 受容体拮抗薬アバコパン（タブネオス®）が顕微鏡的多発血管炎、多発血管炎性肉芽腫症に対する新規薬剤として保険承認され、治療の選択肢が広がっています。

Case study　バセドウ病患者に認めた皮疹、検尿異常

【症例】 30代女性。バセドウ病に対してプロピオチオウラシル（PTU）による治療歴あり。3ヵ月前よりバセドウ病が再燃し、PTUを再開した。先週より下腿に皮疹が出現しているのを自覚している。
尿定性検査：蛋白（2+）、潜血（2+）、尿蛋白/尿Cr比 3.71
血液生化学検査：Hb 8.9g/dL、BUN 33mg/dL、血清Cr 1.26mg/dL、CRP 0.96mg/dL、MPO-ANCA 198 EU、PR3-ANCA 49 EU

- **プロピオチオウラシル**により誘発されたANCA関連血管炎の症例です。腎生検上、光顕では細胞性半月体形成とメサンギウム増加を認めました。蛍光抗体染色では、免疫グロブリンや補体の沈着は認めませんでした。
- プロピオチオウラシル内服中に発症し、ANCA陽性で、腎生検で糸球体血管壊死を伴う半月体形成性糸球体腎炎を認めたことから、**薬剤誘発性ANCA関連血管炎（腎限局型）**と診断しました。ステロイドミニパルス後、PSL 40mg/日にて加療し、その後尿蛋白は陰性化しています。

Case study　発熱、食欲低下を伴う検尿異常

【症例】 70代男性。2ヵ月前から発熱と食欲低下を認めていた。近医を受診したところ、検尿異常と腎機能障害、CRP高値を認めた。半年前の健康診断ではCr 0.67mg/dL。
血液検査：Hb 9.8g/dL、WBC 12600/μL、BUN 42mg/dL、Cr 2.12mg/dL、CRP 13.81mg/dL、RF陰性、抗核抗体陰性
尿検査：尿蛋白（2+）、尿潜血（3+）、尿蛋白/尿Cr比 2.7
腹部CT：両側腎腫大あり

- 経過より**急速進行性糸球体腎炎**と考えられ、腎生検を施行したところ、細胞性半月体、小動脈のフィブリノイド壊死を認めました。蛍光抗体法では免疫グロブリンや補体の沈着はありません。その後、MPO-ANCAが120 EUと陽性であることが判明しました。
- ANCA関連血管炎と診断して、ステロイドパルスを施行。その後はPSL 40mg/日とし、PSL 30mg/日まで漸減後、外来フォローとなりました。血清Cr値は1.80mg/dL前後で安定し、CRPは陰性化しています。

第5章

続発性腎疾患

腎臓は全身性疾患の影響を受けます。糖尿病や高血圧だけでなく、膠原病や血液疾患の合併症でも腎障害を生じます。これら全身性疾患の合併症として生じる腎障害を総称して「続発性腎疾患」と言います。

続発性腎疾患には多くの疾患がありますが、ここでは下記の病態に絞って説明したいと思います。

<table>
<tr><th colspan="2">続発性腎疾患</th><th>ページ</th></tr>
<tr><td rowspan="6">膠原病に伴う腎疾患</td><td>SLE（ループス腎炎）</td><td>180</td></tr>
<tr><td>ANCA 関連血管炎</td><td>☞ 第 4 章</td></tr>
<tr><td>強皮症</td><td>193</td></tr>
<tr><td>関節リウマチ</td><td>194</td></tr>
<tr><td>シェーグレン症候群</td><td>197</td></tr>
<tr><td>IgG4 関連疾患</td><td>198</td></tr>
<tr><td rowspan="3">血液疾患に伴う腎疾患</td><td>多発性骨髄腫</td><td>200</td></tr>
<tr><td>アミロイドーシス</td><td>204</td></tr>
<tr><td>血栓性血小板減少性紫斑病</td><td>207</td></tr>
<tr><td colspan="2">肥満関連腎症</td><td>214</td></tr>
<tr><td rowspan="3">高血圧関連腎障害</td><td>腎硬化症</td><td>216</td></tr>
<tr><td>悪性高血圧</td><td>217</td></tr>
<tr><td>腎血管性高血圧</td><td>220</td></tr>
<tr><td colspan="2">糖尿病性腎症</td><td>222</td></tr>
</table>

全身性疾患と腎障害

- 腎臓自身に病気が生じる原発性（一次性）腎疾患と異なり、様々な全身性疾患の合併症として続発的（二次性）に腎障害を生じるものがあります。これを続発性腎疾患と呼びます。
- 患者数で圧倒的に多いのは**糖尿病性腎症**です。糖尿病の増加に伴って爆発的に増えています。
- 高血圧に伴う**腎硬化症**も増えています。こちらは蛋白尿や血尿が目立たないため、腎機能が低下してから診断されるケースが多いです。
- **膠原病**（自己免疫疾患）は全身の炎症性疾患です。そのため、腎臓の血管を炎症の場として腎障害を合併する場合があります。検尿異常のほかに特徴的な臨床症状（発熱、皮疹、関節痛など）を伴います。

腎臓に合併症を引き起こす全身性疾患

- **糖尿病** …………………… 糖尿病性腎症
- **高血圧** …………………… 高血圧性腎硬化症
- **膠原病** …………………… ループス腎炎、ANCA 関連腎炎、強皮症腎など
- **多発性骨髄腫** ………… 骨髄腫腎
- **肝不全** …………………… 肝腎症候群
- **血栓性血小板減少性紫斑病** ………… 腎障害（血栓による閉塞）

- また、病気ではありませんが、腎臓に負担がかかる病態もあります。もともと腎疾患のある方は**妊娠高血圧**のリスクが高くなります。特に女性に多いSLE では、妊娠・出産による体内の急激なホルモンバランスの変化によって再燃することがあり、注意が必要です。
- 腎臓で排泄される薬剤は、常に腎障害のリスクになります。

腎臓に負担がかかる病態

- **妊娠** ……………………… 妊娠高血圧症候群
- **薬剤** ……………………… 薬剤性腎障害

膠原病に伴う腎疾患

- 膠原病に伴う腎障害の代表的なものに全身性エリテマトーデス（**SLE**）による**ループス腎炎**があります。若い女性の検尿異常では、SLE は必ず鑑別に入れましょう。日光過敏、脱毛、口内炎、関節痛などの有無は必ず確認します。

- 関節リウマチ、強皮症、シェーグレン症候群などでも腎障害の合併を認めて紹介されるケースが時々あります。
- **関節リウマチ**患者でみられる腎障害は薬剤性のことが多いです。内服薬、特に NSAIDs の使用の有無は必ずチェックしましょう。
- 血管炎に伴う腎病変で頻度が高いのは、**ANCA 関連血管炎**です。顕微鏡的多発血管炎や多発血管炎性肉芽腫症（以前は Wegener 肉芽腫症と呼ばれていました）のことです。半月体形成性糸球体腎炎を呈して、蛋白尿・血尿を伴う急速進行性糸球体腎炎の経過をたどります。
- **シェーグレン症候群**は口、眼、その他の粘膜の乾燥をきたす慢性炎症性疾患です。尿細管性アシドーシスや尿の濃縮能の低下、腎結石、間質性腎炎などを引き起こす場合があります。

- **IgG4 関連疾患**は、最近提唱された全身性疾患です。血清 IgG4 高値と組織中への IgG4 陽性形質細胞の浸潤を特徴とします。腎臓には間質性腎炎を生じます。

腎障害を起こしやすい膠原病とその発症パターン

- **SLE** ………………… 様々なタイプの糸球体腎炎
- **関節リウマチ** ………………… 薬剤性腎障害、アミロイド腎症
- **ANCA 関連血管炎** ………… 急速進行性糸球体腎炎
- **シェーグレン症候群** ……… 間質性腎炎、尿細管アシドーシス
- **IgG4 関連疾患** ……………… 間質性腎炎、後腹膜線維症に伴う腎後性腎障害

- ちなみに、「膠原病」という言葉は、1942 年にアメリカの病理学者クランペラー先生によって命名されました。当時はまだ自己免疫疾患の概念がなく、「膠原線維がフィブリノイド変性を起こす疾患群」として「膠原病」と名付けたようです。病理学から生まれた言葉なのですね。

SLE ってどんな病気？

- **全身性エリテマトーデス**（SLE）は、全身の臓器（腎臓、皮膚、肺、脳など）に障害を引き起こし、多彩な臨床症状を呈する自己免疫疾患です。エリテマトーデスとは「紅斑症」を意味し、本疾患に特徴的な皮疹に由来します。
- **自己免疫疾患**というのは、簡単に言うと「免疫システムが自分の体あるいは自分の細胞を攻撃してしまう」疾患群です。
- 自己抗体、特に**抗 DNA 抗体**が過剰に産生され、抗原である DNA と結合して免疫複合体を形成します。この免疫複合体が各組織に沈着して、補体の活性化などを介して炎症が惹起され、様々な臓器障害をもたらすと考えられています。

若い女性に多く、寛解と再発を繰り返す

- 若い女性に多く、好発年齢は 20 ～ 40 代です。男女比は 1：9 と圧倒的に女性が多いです。寛解と再発を繰り返して慢性の経過をたどります。
- 厚生労働省の**指定難病**に認定されていて、2013 年の申請者数は約 6 万人になりますが、実際にはもっと多いと思います。指定難病の中では潰瘍性大腸炎、パーキンソン病に次いで 3 番目に多いです。
- SLE では貧血、白血球減少、リンパ球減少、血小板減少を生じ、補体の低下や様々な自己抗体を認めます。尿検査では蛋白尿、血尿および多彩な円柱を認めます。
- 一卵性双生児での SLE の一致率は 25 ～ 60％程度あることから、遺伝的素因を背景として、種々の環境因子が加わって発症するものと考えられています。

SLE の病因

遺伝的素因 ＋ 環境因子

- 感染
- 手術
- 妊娠・出産
- 紫外線（海水浴、スキーなど）
- 薬物

SLE の特徴的な症状

- SLE は全身に様々な症状が現れます。全身倦怠感、易疲労感、食欲不振、発熱などが先行することが多いです。最初はかぜ症状で発症し、なかなか改善しないので調べてみたら**抗核抗体**が陽性だった、といって当科に紹介された方も少なくありません。
- 皮膚症状としては**蝶形紅斑**が特徴的で、日光曝露で増悪します。日光過敏や無痛性の口腔潰瘍が出現することもあります。
- 関節痛は急性期によくみられます。骨破壊を伴わない関節炎が特徴です。
- **ループス腎炎**は約半数の症例で合併します。蛋白尿、血尿を認め、尿沈渣では変形赤血球、赤血球円柱、顆粒円柱などが多数出現する派手な所見(**telescoped sediment**)を認めます。

- 中枢神経が障害されると **CNS ループス**と呼ばれ、非常にやっかいです。うつ状態、失見当識、妄想、痙攣などを認めたり、頭痛、無菌性髄膜炎、脊髄横断症状などもみられることがあります。
- **心外膜炎**、心筋炎、心タンポナーデもまれにみられます。大動脈弁不全や僧帽弁不全を起こすことがあります。弁尖に疣贅を形成して Libman-Sacks 心内膜炎を呈したり、肺高血圧症を合併することもあります。
- **胸膜炎**は急性期にみられることがあります。
- 腹痛がある場合には、**ループス腸炎**、腸間膜血管炎、ループス腹膜炎に注意します。偽性腸管閉塞、蛋白漏出性胃腸症、無石性胆嚢炎なども起こることがあります。
- 膀胱刺激症状が強いのに尿所見に異常がみられないときは、**間質性膀胱炎**の合併を疑います。

- **自己免疫性溶血性貧血**を合併することがあります。直接クームス試験陽性で、網状赤血球の増加とハプトグロビンの低下などの所見から診断されます。
- **自己免疫性血小板減少性紫斑病**(ITP)の合併もよくみられ、末梢での血小板破壊によるものと考えられています。
- **抗リン脂質抗体症候群**の合併も少なからずみられます。動静脈血栓症の多発、習慣性流産、血小板減少に基づく出血症状などがみられます。APTT の延長とともに抗カルジオリピン抗体、抗 β_2GP I 抗体、ループスアンチコアグラントなどが出現します。若い女性でも頭部 MRI を撮影してみると無症候性脳梗塞が見つかり、診断につながることがあります。

SLE の分類基準

- SLE の分類基準を下表に示します。11 項目の特徴的な臨床症状や検査値異常のうち、**4 項目以上**該当すれば SLE になります。

アメリカリウマチ学会による 1997 年の分類基準

	項目	
1.	蝶形紅斑	
2.	円板状皮疹	
3.	日光過敏	
4.	口腔潰瘍	
5.	関節炎	2 領域以上の末梢関節の圧痛・腫脹（非破壊性）
6.	漿膜炎	胸膜炎、心外膜炎
7.	腎障害	尿蛋白>0.5g/ 日（または>3+）、細胞性円柱
8.	神経障害	けいれん、精神症状
9.	血液学的所見	溶血性貧血、WBC ＜4000、リンパ球＜1500、Plt ＜10 万のいずれか
10.	免疫学的所見	抗 ds-DNA 抗体、抗 Sm 抗体、抗リン脂質抗体
11.	抗核抗体	

- ちなみに診断基準ではなく、「分類基準」です。確実に SLE であると分類するのが目的です。

- たとえば、次のような症例が SLE を疑われて紹介受診となることがあります。

【症例】 20 代女性。冷たい水に触れると指先が白くなる。抗核抗体陽性、抗 DNA 抗体陰性。

- どうもレイノー症状はありそうです。でも、上記の分類基準に照らし合わせると、4 項目に満たないため「SLE 疑い」になります。
- 患者さんには「現時点で SLE とは言えないけれど、将来、他の症状が出現して SLE の診断になるかもしれません。その場合はステロイド治療が必要になります」と説明しています。

SLE の初発症状

- 最終的に SLE と診断された方でも、その初発症状は様々です。

- **発熱**を主訴に開業医を受診。感冒薬を処方されてもなかなか熱が下がらないので、調べてみたら抗核抗体陽性であった。

- 発熱とともに右側胸部痛（咳で増強）を自覚。**胸膜炎**を疑われ、抗菌薬を内服するも改善なく、調べてみたら抗核抗体陽性であった。

- 発熱とともに**胸痛**を自覚。心電図で ST 上昇あり。心膜摩擦音あり。調べてみたら抗核抗体陽性、抗 DNA 抗体陽性であった。心外膜炎の合併と考えられた。

- ふらつきを主訴に近医受診。著明な**貧血**あり。精査の結果、溶血性貧血を呈する SLE と診断。

- **下腿浮腫**を自覚するようになり、近医受診。尿蛋白 3+を認めたため、精査加療目的で当科紹介受診。抗核抗体陽性、血清補体価低下。腎生検の結果、ループス腎炎と診断された。

ループス腎炎とは

- SLE には様々な臓器合併症があります。全身のいろいろな臓器に合併症が起きて、ループス○○炎といった名前で呼ばれます。その中で腎臓に起こった臓器合併症を**ループス腎炎**といいます。合併症の中でも特に生命予後に影響するため、その病態のコントロールは非常に重要です。
- 報告により異なりますが、ループス腎炎は SLE の 50 ～ 80％に発症するとされています。少なくないですね。
- 発症様式も様々です。無症候性の蛋白尿・血尿、急性腎炎症候群、ネフローゼ症候群、急速進行性腎炎症候群など患者さんによって発症の仕方は異なります。末期腎不全まで進行することも、まれではありません。

免疫複合体の沈着が引き金となる

- SLE で全身に合併症が出現する機序は、基本的に免疫複合体が各臓器に沈着して炎症を惹起することが発端と考えられています。ですから、その免疫反応を抑えるためにステロイドや免疫抑制薬が治療に用いられるわけです。
- ループス腎炎の場合は、免疫複合体が糸球体のメサンギウム領域や基底膜に沈着して、補体の活性化、炎症性細胞浸潤、サイトカイン・ケモカイン産生を惹起して腎障害が進行すると考えられています。

腎炎の活動性は血清学的所見と相関しない

- ループス腎炎の診断は、まず尿検査を行います。ループス腎炎では、持続性蛋白尿や顕微鏡的血尿がみられます。活動性が高い場合は、尿沈渣で赤血球、白血球、円柱などの多彩な変化がみられ、**テレスコープ沈渣**（**telescoped sediment**）と呼ばれます。
- 腎炎の活動性は必ずしも全身症状と相関しません。血清学的に活動性が高いからといって、必ずしもループス腎炎を合併するわけではなく、また、血清学的所見が落ち着いていても、蛋白尿が出現してループス腎炎を診断される場合もあります。
- いずれにしても検尿異常を認めたら、治療方針決定のために腎生検を考慮します。

治療方針決定には組織学的評価が必要不可欠

- ループス腎炎は腎組織所見によって分類します。具体的には腎生検を行って、**ISN/RPS 分類**に基づいて病変を質的・量的に評価し、Ⅰ～Ⅵの病型に分類します。(ISN/RPS 分類については次ページで詳しく説明します)

- ループス腎炎の組織像は、基本的に免疫複合体の沈着を認める糸球体腎炎を呈します。なぜ、組織学的評価が重要なのでしょうか。その理由は２つあります。

病理組織像により予後が大きく異なる

- 基本的にループス腎炎の治療方針は組織学的分類を基準に決めています。これは病理像によって腎予後や治療反応性が異なるからです。
- 日本人のループス腎炎はISN/RPS 分類のⅣ型が最も多く、予後についてもⅣ型が最も予後不良です。つまり、Ⅳ型は強力な免疫抑制療法を行わないと腎不全に陥る可能性が高いといえます。
- Ⅴ型はネフローゼ症候群を呈することが多いですが、予後は比較的良好です。しかし、増殖性病変を合併すると予後不良となります（Ⅲ＋Ⅴ型やⅣ＋Ⅴ型など)。

検尿では重症度はわからない

- もう１つの理由は、尿蛋白量や腎機能は必ずしも組織学的重症度を反映しない、ということです。活動性のある腎炎だからといって、検尿所見が派手というわけではありません。一方、尿蛋白量が少量でも、腎生検をしてみたら活動性の高い増殖性腎炎の所見であった、というケースはよく経験します。
- したがって、発症早期に腎生検できちんと病型評価を行い、その所見に従って寛解導入療法を行い、病勢を沈静化することが腎予後や生命予後にとって重要です。

ループス腎炎の組織学的分類

- ループス腎炎の分類には WHO 分類が長年使用されてきましたが、病変の量的・質的な評価基準が不明確で、施設間の再現性が乏しいことが問題でした。
- そこで 2003 年、ISN/RPS（International Society of Nephrology / Renal Pathology Society）により、もっと客観的な病変の定義を取り入れた新組織分類が作成されました。現在はこの **ISN/RPS 分類**に基づいて、ループス腎炎の診断や治療および予後の評価が行われています。

ISN/RPS 分類

Ⅰ型	**微小メサンギウムループス腎炎** 光顕ではほぼ正常。メサンギウムに免疫グロブリンの沈着。
Ⅱ型	**メサンギウム増殖性ループス腎炎** 光顕でメサンギウム細胞と基質の増加がある。メサンギウムに免疫グロブリンの沈着。 蛍光抗体法や電顕で内皮下や上皮下に沈着を認める場合がある。
Ⅲ型	**巣状ループス腎炎**（全糸球体の 50％以下に病変を認める） 活動性／非活動性、分節状／全節状、管内性／管外性の巣状糸球体腎炎。 巣状の内皮下沈着やメサンギウム変化を伴う場合がある。
Ⅳ型	**びまん性ループス腎炎**（全糸球体の 50％以上に病変を認める） 活動性／非活動性、分節状／全節状、管内性／管外性のびまん性糸球体腎炎。 びまん性分節性（Ⅳ-S）ループス腎炎：病変をもつ糸球体の 50％以上が分節性病変 びまん性全節性（Ⅳ-G）ループス腎炎：病変をもつ糸球体の 50％以上が全節性病変
Ⅴ型	**膜性ループス腎炎** 光顕、蛍光抗体法、電顕で全節性または分節性上皮下沈着を認める。 Ⅲ型やⅣ型と複合する場合は両者を診断名とする。
Ⅵ型	**進行性硬化性ループス腎炎** 糸球体の 90％以上が全節性硬化を示し、活動性病変は認められない。

活動性病変 （active lesion）	内腔狭小化を伴う管内細胞増殖、核崩壊、フィブリノイド壊死、糸球体基底膜の断裂、細胞性あるいは線維細胞性半月体、光顕で認識可能な内皮下沈着（ワイヤーループ病変）、ヒアリン血栓
慢性病変 （chronic lesion）	糸球体硬化（分節状、全節状）、線維性癒着、線維性半月体

- 蛍光抗体法では、IgG、IgA、IgM、C3、C4、C1q など様々な沈着を認めます。特に **C1q** の沈着はループス腎炎に特徴的です。
- 組織分類にあたり、活動性病変・慢性病変の有無も参考にします。

ISN/RPS 分類で使われている用語の意味

- **びまん性**：全糸球体の **50% 以上の糸球体**を障害する病変
- **巣状**　　：全糸球体の **50% 未満の糸球体**を障害する病変

- **全節性**：1 個の糸球体係蹄の**半分以上**を障害する病変
- **分節性**：1 個の糸球体係蹄の**半分未満**を障害する病変

- **メサンギウム増殖**：メサンギウム領域当たり少なくとも 3 つのメサンギウム細胞が認められる場合。
- **管内増殖**：メサンギウム細胞、内皮細胞および浸潤単球の各細胞数増加により生じ、糸球体毛細血管内腔の狭小化をもたらす管内細胞増殖。
- **管外増殖あるいは細胞性半月体**：ボウマン嚢全周の 1/4 以上を占め、2 層を超える細胞層からなる管外細胞増殖。

- **核崩壊**：アポトーシス、濃縮および断片化を生じた核の存在。
- **壊死**：核の断片化あるいは糸球体基底膜の断裂を特徴とする病変。しばしばフィブリンに富む物質を伴う。
- **ヒアリン血栓**：均一な硬度を有する毛細血管内の好酸性物質で、免疫蛍光法により免疫沈着物からなる。

- **ワイヤーループ病変**：内皮下にフィブリンを含む多量の沈着物が連続的に存在。光顕上、糸球体係蹄壁がループ状に見えるもの。

マッソン染色

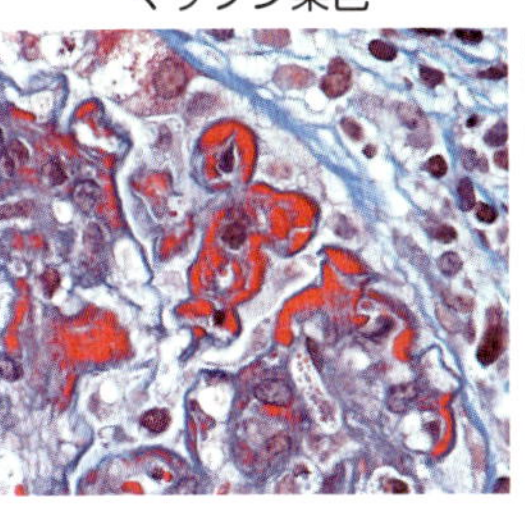

電顕写真

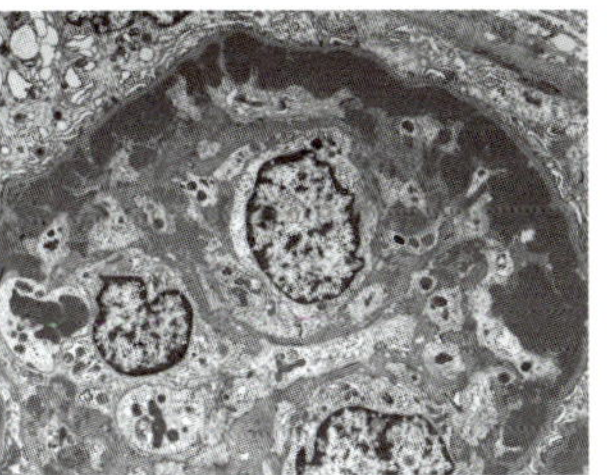

ワイヤーループ

（湯村和子：臨床のための腎病理，日本医事新報社，2010，p152，158 より引用）

第5章 続発性腎疾患

治療が必要なループス腎炎はどんなタイプ？

- ループス腎炎の治療内容は、組織学的分類に応じて異なります。組織像によって治療反応性と腎予後が違うからです。
- ISN/RPS 分類はⅠ～Ⅵの 6 型に分かれますが、そのうち**Ⅲ型**、**Ⅳ型**、**Ⅴ型**が治療の対象となります。

- **Ⅰ型**と**Ⅱ型**は、それ自体は積極的な治療対象ではありません。皮膚症状など腎臓以外の症状があれば、そちらに応じて治療します。
- **Ⅵ型**は 90％以上の糸球体が硬化してしまった状態です。Ⅲ型やⅣ型が進行して炎症が燃え尽きた（burn out）状態です。もちろん免疫抑制療法の適応はありません。

ISN/RPS 組織型分類（赤枠が要治療のタイプ）

Class	巣状 or びまん性	分節性(S) or 全節性(G)		活動性(A) or 慢性(C)	Class
Ⅰ			微小メサンギウム ループス腎炎		Ⅰ
Ⅱ			メサンギウム増殖性 ループス腎炎		Ⅱ
Ⅲ	< 50%		巣状ループス腎炎	A	Ⅲ (A)
				A/C	Ⅲ (A/C)
				C	Ⅲ (C)
Ⅳ	≧ 50%	S	びまん性分節性 ループス腎炎	A	Ⅳ-S (A)
				A/C	Ⅳ-S (A/C)
				C	Ⅳ-S (C)
		G	びまん性全節性 ループス腎炎	A	Ⅳ-G (A)
				A/C	Ⅳ-G (A/C)
				C	Ⅳ-G (C)
Ⅴ			膜性ループス腎炎		Ⅴ
Ⅵ			進行性硬化性ループス腎炎		Ⅵ

免疫抑制療法の基本

- 活動性ループス腎炎に対する免疫抑制療法は、基本的に以下の２つに分けて、ステロイドと免疫抑制薬を軸とする治療を行います。

- 活動期の早期**寛解導入療法**
- 慢性期の**寛解維持療法**

- **Ⅰ型**と**Ⅱ型**では、腎予後は良好です。したがって、SLE の活動性（腎臓以外の発熱、関節痛、皮疹などの症状）に応じて中等量のステロイド投与を行います。
- **Ⅲ型**や**Ⅳ型**の活動性ループス腎炎では、寛解導入療法としてステロイド大量療法またはステロイドパルス療法や免疫抑制薬の併用を行います。
- **Ⅴ型**では大量ステロイド療法と免疫抑制薬の併用が行われます。

ステロイドの投与量

- ステロイドは初期量を一定期間継続後、臨床症状や尿蛋白量、腎機能、血清補体価、抗 DNA 抗体価などを指標にして漸減していきます。
- 初発の場合は、基本的に入院して加療を行います。ステロイド初期量が多く、どのような副作用が出現するかわからないためです。
- ステロイド漸減中に再燃した場合は、再度寛解導入療法を行いますが、外来でステロイド中等量に増量して対応できるケースが多いです。ただし、免疫抑制薬併用の検討が必要になってきます。

ステロイド投与量の推移

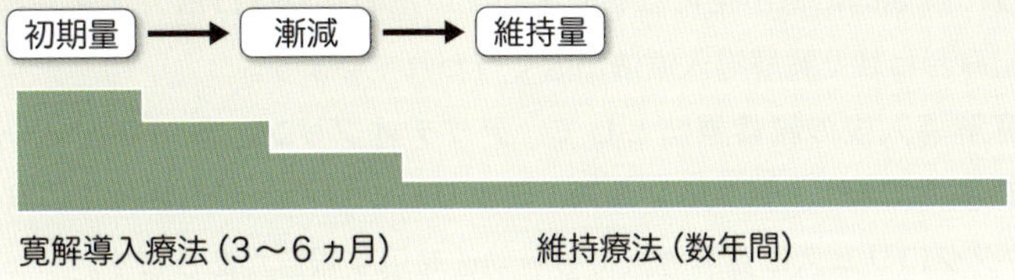

初期量 → 漸減 → 維持量

寛解導入療法（3～6ヵ月）　維持療法（数年間）

- 補助療法として、ACE 阻害薬や ARB の投与、骨粗鬆症への予防対策、心血管合併症への予防対策を行います。

ループス腎炎で用いられる免疫抑制薬

- ステロイドに併用して免疫抑制薬も多く使用されます。

薬 剤	製品名	作用機序	投与方法
アザチオプリン	イムラン アザニン	プリン拮抗薬	1～2mg/kg/日、経口
シクロホスファミド	エンドキサン	アルキル化薬	1～2mg/kg/日、経口 0.5～1g/m^2/日、点滴静注
ミゾリビン	ブレディニン	代謝拮抗薬	150～300mg/日、経口
ミコフェノール酸モフェチル（MMF）	セルセプト	リンパ球のDNA合成阻害	1～2g/日、経口
シクロスポリン	サンディミュン ネオーラル	T細胞のカルシニューリン作用阻害	3～6mg/kg/日、経口 （トラフ50～200ng/mL）
タクロリムス（FK506）	プログラフ	T細胞のカルシニューリン作用阻害	1.5～3mg/日、経口

免疫抑制薬の適応

- 次のような病態では免疫抑制薬の併用を試みています。

- 免疫抑制薬を併用した方が明らかに治療効果が優れている場合
- ステロイド単独では十分な効果が得られない難治性病態
- ステロイドは有効であるが減量により再燃を繰り返す場合
- ステロイドの副作用が強く懸念される場合

- たとえば、ISN/RPS分類でⅣ型の場合、ステロイド単独治療では効果が不十分であり、長期的に腎不全になる確率が高いため、**シクロホスファミド点滴静注**を組み合わせた寛解導入療法が広く行われています。
- また、寛解導入後の維持療法として、**アザチオプリン**、**ミコフェノール酸モフェチル（MMF）**、**タクロリムス**、**ミゾリビン**などが使用されています。MMFやタクロリムスは寛解導入でも有効性を示す報告があります。
- 中枢神経ループスや血球貪食症候群などはステロイド単独ではコントロールが難しいため、シクロホスファミドやシクロスポリンを併用します。
- なかなかステロイドを漸減できない方もいます。その際は、アザチオプリン、タクロリムス、ミゾリビンなどの併用を検討します。

- コントロール不良の糖尿病、すでに骨粗鬆症性骨折を合併している例などでは、ステロイド治療により合併症の増悪が懸念されます。その場合は、免疫抑制薬を併用して、ステロイドの必要量をなるべく少なくします。
- ちなみに、タクロリムスという名前は、筑波で発見されたマクロライド系免疫抑制剤（**T**sukuba m**acrol**ide **im**m**u**no**s**uppressant）に由来します。開発コードは **FK506** であり、論文などではこちらが使われることも多いです。
- 免疫調整薬**ヒドロキシクロロキン硫酸塩**（プラケニル®）は、欧米の治療ガイドラインにおいて、標準的な治療薬として位置付けられています。日本では 2015 年にようやく保険適応が承認されました。皮膚症状、倦怠感などの全身症状、筋骨格系症状などが良い適応とされています。
- 2017 年に、完全ヒト型抗 BLyS モノクローナル抗体ベリムマブ（ベンリスタ®）の保険適応が承認されました。B 細胞活性化因子を阻害する薬剤です。

ステロイド＋免疫抑制薬併用の実際

Case study　レイノー症状、関節痛、蛋白尿を認める女性

【症例】 30 代女性。以前から寒くなると指先が白くなることを自覚していた。2 ヵ月前から肩と手関節の痛みが出現し、整形外科を受診。その際、貧血と検尿異常を指摘された。

血液検査：Hb 7.9 g/dL、白血球 2820/μL（リンパ球 610/μL）、血小板 12 万 /μL、BUN 21 mg/dL、血清クレアチニン 0.86 mg/dL、CRP 0.1 mg/dL、CH_{50} <12.0、抗核抗体 1280 倍、抗 DNA 抗体 300、抗 Sm 抗体陽性、抗 CCP 抗体陰性、ハプトグロビン検出感度以下、直接クームス陰性、間接クームス陽性。

尿検査：尿蛋白（3+）、尿潜血（2+）、尿蛋白 / 尿 Cr 比 3.8

- レイノー症状を以前から認めていて、今回、多関節炎、溶血性貧血、腎炎で発症した SLE の症例です。入院後、腎生検を施行し、ISN/RPS 分類でループス腎炎 **Ⅳ-G（A/C）** の所見でした。
- 腎炎、溶血性貧血、関節炎をターゲットにステロイドミニパルス療法を施行。その後、PSL 30 mg/日およびタクロリムス 3 mg/日で加療を行い、症状および血清学的指標の改善を認め、軽快退院となりました。
- 2 ヵ月後、蛋白尿の陰性化を確認しています。関節炎（滑膜炎）については、早期 RA 合併の可能性を完全に除外することは難しいですが、MRI 上、骨髄浮腫や骨びらんを指摘されておらず、抗 CCP 抗体陰性のため、SLE による関節炎と考えられました。

ループス腎炎の治療目標

難治例に対する治療

- ステロイドの普及、シクロホスファミドなどの免疫抑制薬の登場、透析医療の向上により、SLE の生命予後は飛躍的に改善しています。
- しかし依然として、急速進行性糸球体腎炎、高度のネフローゼ症候群、コントロール不良な高血圧を呈する症例や、強力な免疫抑制療法でも寛解に至らない症例は少なからず存在します。
- 最近では、Ⅳ＋Ⅴ型の難治性ループス腎炎に対して、**マルチターゲット療法**（ステロイド＋ MMF ＋タクロリムス）の有効性が報告されています。このような作用点の異なる免疫抑制薬の組み合わせは、強い免疫抑制効果が期待される新しい治療戦略となっています。

ループス腎炎の管理目標

- かつて SLE の治療目標は、腎不全死を防ぐことでした。しかし、昨今の死因の第 1 位は感染症であり、強力な免疫抑制療法に伴う**日和見感染**がむしろ問題になっています。
- また、ステロイド長期投与による**骨粗鬆症**、**動脈硬化**なども懸念されており、生命予後を改善することから QOL を保つことに管理目標が移りつつあります。

ループス腎炎のまとめ

- ループス腎炎は、SLE の約半数に合併する腎臓病。
- 治療の基本は、ステロイドと免疫抑制薬の併用。
- シクロホスファミドの登場で治療成績が格段に向上した。
- 最近、寛解導入および寛解維持において MMF の有用性が明らかになった。
- 免疫抑制薬の併用（マルチターゲット療法）により、ステロイド使用量を減らし、副作用のリスクを減らすことが可能になりつつある。

強皮症に伴う腎障害

- **全身性強皮症**（systemic sclerosis）は進行性に全身の皮膚、肺や消化管の硬化をきたす疾患で、レイノー現象、皮膚潰瘍、心筋病変、肺高血圧や腎病変などの血管病変を合併することがあります。
- 日本の患者数は2万人以上と推定されています。男女比は1：12で、30～50代の女性に好発します。

強皮症腎では悪性高血圧が問題になる

- 強皮症に伴う腎障害を**強皮症腎**と呼びます。最終的には強皮症患者の30～50%に腎障害の合併を認めるとされています。重症の高血圧と急性発症の腎不全が特徴です。治療が遅れると末期腎不全に陥ります。
- 臨床的には**強皮症腎クリーゼ**が問題となります。強皮症の経過中に突発する重症高血圧で、頭痛、視力障害、急激な腎機能の悪化を呈します。
- 強皮症患者における**悪性高血圧**は、進行性の血管硬化により引き起こされるレニン・アンジオテンシン系の活性化が原因です。したがって、高血圧の治療、予防のいずれにも**ACE阻害薬**が第一選択薬となります。
- 血管硬化の成因はよくわかっていません。何らかの要因で血管内皮障害が起こり、血管内膜の変性や内腔狭窄をきたすと考えられています。

強皮症腎の血管病変

- フィブリノイド壊死
- 葉間動脈の内膜肥厚
- 同心円状の過形成（**onion skin lesion** ☞ 219ページ）

関節リウマチの診断・治療

- 以前は「慢性関節リウマチ」と呼ばれていましたが、現在の正式名称は「関節リウマチ」です。非化膿性・炎症性・多発関節炎を特徴とする疾患です。間質性肺炎を合併することもあります。女性に多く好発年齢は 40 ～ 60 歳で、患者数は 70 ～ 80 万人と言われています。
- 画家ルノアールも関節リウマチに罹患していたのは有名な話です。右の写真で両手指関節の変形が認められます。

診断

- 関節リウマチを疑ったら、必ず**抗 CCP 抗体**（抗シトルリン化ペプチド抗体）を検査します。関節リウマチに特異的な自己抗体で、特異度は 90%以上です。
- 以前は活動性の指標として CRP や血沈などの炎症マーカーしかありませんでした。今は **MMP-3**（血清メタロプロテアーゼ 3）を用います。関節リウマチに特異性が高く、滑膜炎の程度を反映するため、鑑別診断や疾患活動性の判定に有用です。

- **CRP 高値、MMP-3 高値**：リウマチの活動性が高い。
- **CRP 高値、MMP-3 正常**：リウマチの活動性は低い。関節炎以外の炎症を反映。

- 早期の滑膜病変の検出には **MRI** が有用です。最近では、より簡便かつ安価に使用できる**関節エコー**で滑膜を評価しています。

治療

- 治療には NSAIDs、少量ステロイドのほか、抗リウマチ薬が用いられます。免疫調整薬の金化合物、D- ペニシラミンや免疫抑制薬のメトトレキサートなどは **DMARD**（disease-modifying antirheumatic drug；疾患修飾性抗リウマチ薬）とも呼ばれます。
- 最近では様々な生物学的製剤も開発されています。臨床症状を改善するのみならず、関節破壊の進行を抑制し、関節機能を改善・正常化できる有効性の高い薬剤とされています。

関節リウマチ患者さんで蛋白尿を認めたら…

Case study

【症例】 60代女性。15年前から関節リウマチのため近医に通院している。抗リウマチ薬内服にて疾患活動性は落ち着いているが、3ヵ月前から蛋白尿（1+）を認めており、精査・加療目的で紹介受診となった。

- 本例のように関節リウマチに長く罹患されている患者さんでは、検尿異常や腎機能低下を認めることが多いです。これが関節リウマチに合併するものなのか、治療薬の副作用によるものか、鑑別しなければなりません。

薬剤性腎障害か？

- 薬剤性腎障害の可能性は常に考える必要があります。薬剤開始と腎障害の発症時期との関係を明らかにしましょう。
- 抗リウマチ薬（DMARD）による腎障害をまず考えます。たとえば、抗リウマチ薬の投与により、膜性腎症や微小変化型ネフローゼ症候群を発症することがあります。D-ペニシラミン、ブシラミンや金製剤を投与中に蛋白尿が出現した場合には本症を疑います。一般に可逆的であり、薬剤の中止により回復します。ネフローゼが持続する場合には、ステロイドの投与を要する場合もあります。
- NSAIDsによる腎障害の可能性も考えられます。慢性、高度の関節痛に対しNSAIDsを長期連用することによる腎障害は少なくありません。NSAIDsは腎血流の低下を招き、長期連用では尿細管、間質の萎縮や腎乳頭壊死を生じます。NSAIDsによる腎障害では尿所見に乏しいため、血清クレアチニンの上昇で発見されることも多いです。
- 関節リウマチの治療薬として少量ステロイドを長期内服している症例も少なくありません。**ステロイド糖尿病**がある方は、糖尿病性腎症の合併も考える必要があります。

手術の影響か？

- 関節変形が強い患者さんの場合、整形外科で手術が必要になるケースがあります。その際、手術を契機に一段階、腎機能が低下することがあります。もともと腎機能が低下している患者さんの場合は、その傾向が強いと思います。

腎炎の合併か？

- もちろん何らかの腎炎の合併の可能性もあります。腎生検をすると、関節リウマチの患者さんではメサンギウム増殖性腎炎が多く認められます。蛍光抗体法では IgA や IgM がメサンギウム領域に沈着することがあります。基本的には腎炎に準じて治療が行われます。

続発性アミロイドーシスか？

- 関節リウマチの罹患歴が長く、疾患活動性が高い症例では、**続発性アミロイドーシス**の可能性が出てきます。非常にやっかいです。
- 慢性炎症に伴い、急性期蛋白である**血清アミロイド A**（AA）が産生され、様々な組織に沈着して臓器障害を引き起こすもので、**AA アミロイドーシス**と呼んでいます。関節リウマチに続発するものが最も多いです。
- 腎症状としては高度の蛋白尿を伴い、ネフローゼレベルに達します。もしアミロイド沈着がすでに別の臓器（胃や大腸など）で確認されていたら、腎臓もアミロイドーシスと考えてよいでしょう。
- 根本的な治療法はありません。関節リウマチの炎症をできるだけ沈静化して発症しないようにすることが重要です。

関節リウマチに伴う腎障害とその対応

- **腎炎の合併** ➡ 腎生検による診断と治療（年齢、腎機能、尿蛋白量を考慮して検討）
- **抗リウマチ薬による薬剤性腎障害** ➡ 可能なら変更または休薬
- **NSAIDs による薬剤性腎障害** ➡ 可能なら変更または休薬
- **続発性腎アミロイドーシス** ➡ 根本的な治療法なし

シェーグレン症候群とは

- シェーグレン症候群は1933年にスウェーデンの眼科医 Henrik Sjögren の発表した論文にちなんでその名前がつけられた疾患です。
- 中年女性に多く発症します。涙腺と唾液腺を標的とする臓器特異的自己免疫疾患ですが、全身性の臓器病変を伴う場合もあります。
- 臨床的には目の乾燥（乾燥性角結膜炎）と口の乾燥（口腔乾燥症）が主な症状です。関節リウマチやその他の膠原病に合併することがあります。
- シェーグレン症候群における腎障害は、慢性間質性腎炎による尿細管間質障害が主体です。尿濃縮力低下や尿細管性アシドーシスを呈します。尿所見では蛋白尿は陰性ですが、尿中NAGや尿中β_2ミクログロブリンの増加が認められます。

- 下記の4項目のうち2項目以上が陽性であれば、シェーグレン症候群と診断されます。

シェーグレン症候群の診断基準（1999年厚生省）

- 口唇小唾液腺の生検組織でリンパ球浸潤がある
- 唾液分泌量の低下（ガムテスト、サクソンテスト、唾液腺造影、シンチグラフィーなどで証明）
- 涙の分泌低下（シルマーテスト、ローズベンガル試験、蛍光色素試験などで証明）
- 抗SS-A抗体、または抗SS-B抗体が陽性

- 2015年1月に指定難病に認定されました。

IgG4 関連疾患とは

- **IgG4 関連疾患**は、全身諸臓器の腫大や結節、肥厚性病変などを認める原因不明の疾患です。近年登場してきた疾患概念で、腎臓も罹患臓器の 1 つです。以下の特徴があります。

> - 病理組織　：リンパ球と **IgG4 陽性形質細胞**の著しい浸潤と線維化
> - 臨床的特徴：**高 IgG4 血症**、高 IgG 血症、高 IgE 血症など

- 患者数は約 1 ～ 2 万人と推定されています。病因はよくわかっていません。病態における IgG4 の意義も不明です。遺伝的素因、環境因子、免疫学的異常など、複数の因子の関与が推測されています。

罹患臓器

中枢神経系（下垂体炎、肥厚性硬膜炎）、眼窩、甲状腺（甲状腺炎）、涙腺・唾液腺（Mikulicz 病、硬化性唾液腺炎、Küttner 腫瘍）、肺、肝臓、膵臓（自己免疫性膵炎）、胆管（硬化性胆管炎）、消化管、**腎臓**、前立腺、後腹膜腔（後腹膜線維症）、大動脈、皮膚、乳腺、リンパ節

- 診断は基本的に「IgG4 関連疾患包括診断基準」を用います。腎病変については、これとは別に「IgG4 関連腎臓病診断基準」があります。

IgG4 関連疾患包括診断基準（2020 年改訂）

1）臨床的・画像的診断：単一または複数臓器に特徴的なびまん性あるいは限局性腫大、腫瘤、結節、肥厚性病変を認める。

2）血清学的診断：**高 IgG4 血症**（135 mg/dL 以上）を認める。

3）病理学的診断：以下の 3 項目中 2 つを満たす。
①著明なリンパ球・形質細胞の浸潤と線維化を認める。
②IgG4 陽性形質細胞浸潤：**IgG4/IgG 陽性細胞比 40％以上**、かつ IgG4 陽性形質細胞が 10/HPF を超える。
③特徴的な線維化、特に花むしろ様線維化あるいは閉塞性静脈炎のいずれかを認める。

上記 1＋2＋3 を満たすものを確診群 definite、1＋3 を満たすものを準確診群 probable、1＋2 を満たすものを疑診群 possible とする。

- 治療は、ステロイドが第一選択薬です。初期量（0.5〜0.6mg/kg/day）を2〜4週間継続し、血清γグロブリン値・IgG・IgG4値、画像所見、臨床症状などを参考にしながら漸減して、2〜3ヵ月かけて寛解を目指します。
- ステロイド使用困難症例やステロイド抵抗例などでは免疫抑制薬を検討します。
- 再燃することもありますが、ステロイドの再増量や免疫抑制薬の併用で対応しています。基本的に予後は良好と考えられています。

Case study　耳下腺腫脹に腎障害を伴った症例

【症例】 60代男性。昨年の健康診断で腎障害を指摘されるも放置。1ヵ月前より右耳下腺の腫れを自覚し、近医受診。腎障害の精査目的に紹介された。
血液検査：Hb 12.8g/dL、WBC 6700/μL、Plt 45万/μL、
BUN 48mg/dL、血清クレアチニン 3.54mg/dL
尿検査：尿蛋白（1+）、尿潜血（−）

- リンパ腫などの悪性腫瘍の可能性も否定できないため、FDG-PETを施行したところ、両側頸部リンパ節、顎下腺、縦隔リンパ節、傍大動脈リンパ節、両腎に異常集積を認めました。
- その後、IgG4 1500mg/dLと高値であることが判明しました。
- 入院後行った腎生検では、著明な炎症細胞浸潤を伴う**間質性腎炎**の所見を認めました。追加染色の結果、IgG4陽性細胞/IgG陽性細胞比が40%以上であり、**IgG4関連疾患**と診断しました。
- PSL 30mg/日にて投与開始し、2週間後には表在リンパ節、耳下腺などは著明に縮小しました。半年後、IgG4値は正常化したものの、血清クレアチニン2.53mg/dLと腎障害は残存しています。

多発性骨髄腫に伴う腎障害

- **多発性骨髄腫**は、形質細胞が単クローン性に増殖した疾患です。形質細胞から大量の免疫グロブリン（M 蛋白）が分泌され、多彩な症状が出現します。
- 通常、免疫グロブリンの軽鎖と重鎖は重合して細胞外に分泌されます。ところが、骨髄腫ではその産生のバランスが崩れ、血中に異常な免疫グロブリンの構成分子が増えることで種々の臓器に障害を生じます。
- **ベンスジョーンズ蛋白**は、多発性骨髄腫に出現する異常な免疫グロブリン軽鎖が尿中に漏れ出たものです。45 ～ 55℃で凝集し、100℃になると再溶解する性質があります。
- ベンスジョーンズ蛋白は、通常の試験紙法では尿蛋白として検出できません。したがって、尿蛋白定量と試験紙法の結果に乖離を認めた場合は、ベンスジョーンズ蛋白の存在を疑って、尿および血清免疫電気泳動を行う必要があります（☞ 84 ページ）。
- 多発性骨髄腫では約半数に腎障害を合併し、その程度は尿蛋白陽性から末期腎不全に至るまで様々です。尿細管障害によるものと糸球体障害によるものに分けられます。

多発性骨髄腫に合併する腎障害

円柱腎症（約 65%）	急性腎不全、慢性腎不全、Fanconi 症候群
AL アミロイドーシス（約 15 ～ 20%）	ネフローゼ症候群、慢性腎不全
軽鎖沈着症（約 10%）	ネフローゼ症候群、慢性腎不全
高カルシウム血症による腎障害	急性腎不全

尿細管障害（円柱腎症）

- 骨髄腫細胞により産生される蛋白が糸球体から濾過され、尿細管障害を起こす病態を**骨髄腫腎**（myeloma kidney）ないし**円柱腎症**（cast nephropathy）といいます。
- 尿中に排泄されたベンスジョーンズ蛋白が、尿細管で分泌される Tamm-Horsfall 蛋白と結合し、**尿細管閉塞**をきたすことで発症します。急性腎不全や慢性腎不全の原因となります。また、近位尿細管障害の結果として、**Fanconi 症候群**を呈することがあります。

- 発症危険因子として、脱水、感染、高カルシウム血症、NSAIDs、造影剤や利尿薬の使用、尿の酸性化などがあげられます。

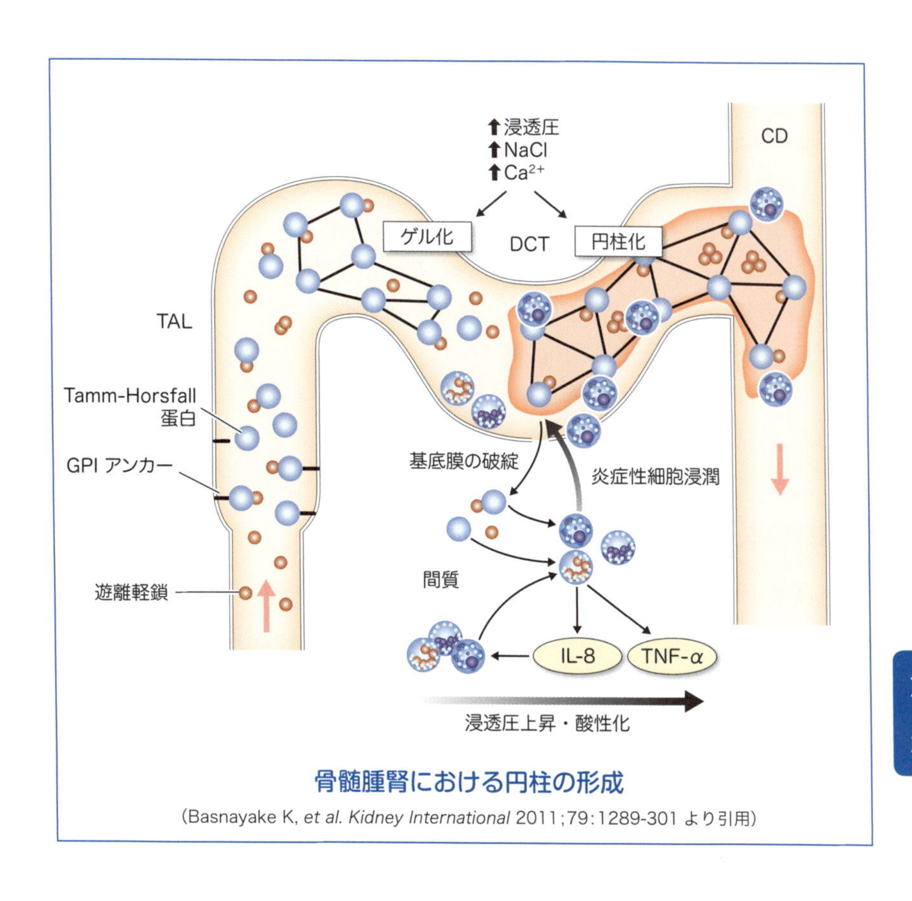

骨髄腫腎における円柱の形成

(Basnayake K, *et al. Kidney International* 2011;79:1289-301 より引用)

糸球体障害(AL アミロイドーシス、軽鎖沈着症)

- 骨髄腫細胞により産生される蛋白が糸球体に沈着すると、高度の蛋白尿を呈するようになります。**AL アミロイドーシス**や**軽鎖沈着症**(light chain deposition disease)はこの機序で起こります。
- AL アミロイドーシスは、免疫グロブリンの軽鎖を前駆物質として産生されたアミロイド蛋白が、糸球体に沈着することで発症します。AL は **A**myloid **L**ight chain of Immunoglobulin の略です。
- 蛋白尿が初発症状となることが多く、ネフローゼ症候群へ進行したのち、腎不全に陥ってしまいます。

腎障害から多発性骨髄腫を疑うケース

Case study　蛋白尿と貧血を認める腰痛患者

【症例】 60代女性。最近、腰痛のため整形外科受診。腰椎レントゲンで圧迫骨折を認めたため、湿布とNSAIDsが処方された。

血液検査：Hb 9.3g/dL、白血球 5600/μL、血小板 14.2万/μL、TP 8.8g/dL、Alb 2.2g/dL、BUN 40mg/dL、血清 Cr 1.78mg/dL、Ca 10.2mg/dL、P 4.8mg/dL

尿検査：尿蛋白（±）、尿潜血（1＋）、尿蛋白/尿Cr比 2.6

鑑別のポイント

- **腰痛（圧迫骨折）** ➡ きっかけもないのに骨折、易骨折性？
- **TP高値、アルブミン低値** ➡ アルブミン以外の蛋白が増加している？
- **高カルシウム血症**（補正Ca濃度 12mg/dL）の原因は？
- **貧血** ➡ 出血？　造血不全？　腎性貧血？　溶血？
- **腎機能障害** ➡ 腎炎合併？　薬剤性？
- **蛋白尿**（試験紙はほぼ陰性だけど、定量では陽性）➡ アルブミン以外の蛋白が漏れている。ベンスジョーンズ蛋白？

- 多発性骨髄腫を疑って、血清および尿の蛋白免疫電気泳動を施行したところ、**M蛋白**陽性が判明しました。
- 血液内科にコンサルトし、骨髄穿刺にて形質細胞の増加を認め、多発性骨髄腫と診断されました。全身の骨レントゲンでは、腰椎以外にも多発骨折を認めました。
- 本例のように、高齢者において腎機能障害を呈し、尿検査にて尿試験法と尿蛋白定量の結果に乖離がある場合、高カルシウム血症、貧血、骨痛などを認める場合は、多発性骨髄腫の可能性を考慮する必要があります。

Case study　急速な腎機能障害、著明な貧血にて紹介入院

【症例】 60代女性。生来健康。毎年健診を受診しており、異常は指摘されていない。2ヵ月前より食欲低下・だるさを自覚していたが、様子を見ていた。症状が強くなったため、近医受診。Hb 5.0g/dL、Cr 1.73mg/dLと貧血と腎障害を認めたため、当科紹介入院となった。ここ1年で8kgの体重減少あり。

入院時検査所見：Hb 5.5g/dL、WBC 8200/μL、Plt 9.5万/μL、BUN 40mg/dL、Cr 2.81mg/dL、CRP 2.23mg/dL

尿所見：蛋白（1＋）、潜血（±）、尿蛋白/尿Cr比 6.37

鑑別のポイント

- 急に腎機能が悪くなっていますので、臨床症候分類は**急速進行性糸球体腎炎**を疑わせる経過です。腹部CTでは腎萎縮なく、軽度の脾腫を認めました。
- 貧血が著明であるため、輸血を施行しつつ、内視鏡で消化管出血の有無をチェックしましたが、GIFでは萎縮性胃炎のみ、CFでも出血源は認めませんでした。
- その後判明したこと：MPO-ANCA陰性、PR3-ANCA陰性
抗GBM抗体陰性
血清蛋白分画でM-peakあり、尿中BJP（＋）

- M蛋白を認めたため、精査加療目的で血液内科に転科となりました。骨髄穿刺にて形質細胞28%と増加あり、多発性骨髄腫と診断。BD（ボルテゾミブ＋デキサメタゾン）療法にて、血清Cr値1.60～1.70mg/dL程度まで改善しています。
- 腎生検は未施行ですが、急速な腎機能障害の進行を認めたことから、**円柱腎症**（cast nephropathy）が疑われました。

円柱腎症の予防

- 脱水に注意
- 尿のアルカリ化
- 造影剤や利尿薬の使用を控える

腎アミロイドーシス

- 腎アミロイドーシスは大きく分けて２つのタイプが存在します。

腎アミロイドーシス

- 原発性アミロイドーシス（**AL アミロイドーシス**）
- 二次性あるいは反応性アミロイドーシス（**AA アミロイドーシス**）

アミロイド（＝線維状の変性蛋白）が腎臓に沈着

- アミロイドとは、線維状の変性蛋白質の総称です。アミロイドが臓器に蓄積することで起こる疾患をアミロイドーシスといいます。
- AL アミロイドーシスによる腎障害は、免疫グロブリン軽鎖（**L 鎖**）由来のアミロイド線維が糸球体や血管や尿細管などに沈着するために生じます。
- AA アミロイドーシスでは、アミロイド線維は急性期反応性蛋白である**血清アミロイド A** に由来します。慢性炎症に伴って、肝臓で産生されます。

- アミロイドーシスの診断は、組織学的にアミロイドの臓器沈着を証明することが必要です。
- 腎生検上、光顕では糸球体内や細動脈壁に HE 染色で好酸性であるアミロイドの沈着を認めます。また、Congo red 染色が陽性になります。
- PAM 染色では糸球体基底膜へのアミロイドの沈着を示唆する刷子状突起（spicula）を認めます。比較的特徴的な所見です。
- **偏光顕微鏡**で観察すると、アミロイドは緑色または黄色の重屈折性を示します。

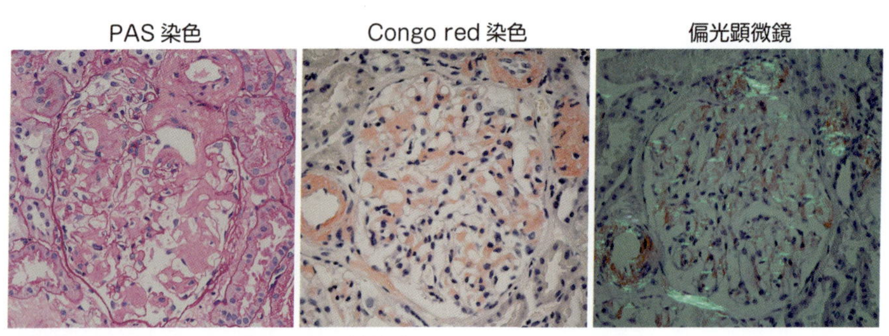

（湯村和子：臨床のための腎病理，日本医事新報社，2010，p188-189 より引用）

- アミロイドが確認されれば、病型診断のために各種アミロイド蛋白（AL、AA、その他）に対する特殊抗体を用いてアミロイドのタイプ分けを行います。

- 電子顕微鏡では、主として糸球体基底膜係蹄壁に沿って高電子密度沈着物を認め、その中に 10nm 前後のアミロイド細線維構造を認めます。

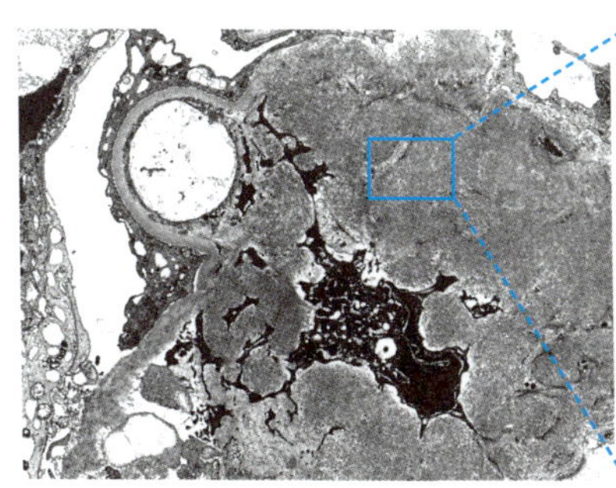
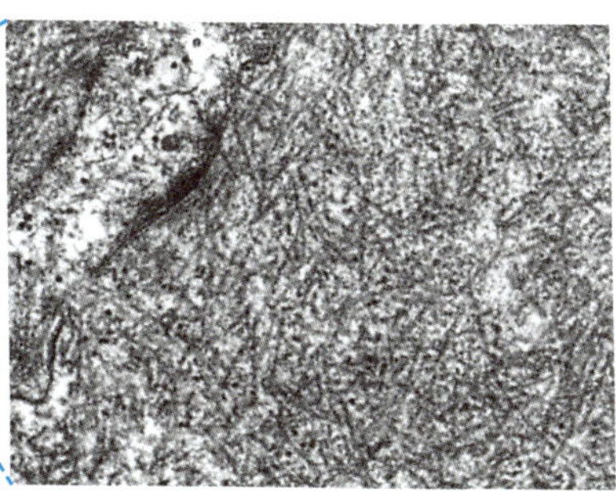

- 左の写真では免疫複合体の沈着とは異なる「何かもやもやした構造」が観察されますが、強拡大（写真右）にして観察すると線維状の構造物であることがわかります。

アミロイドの種類により治療法が異なる

- AL アミロイドーシスと AA アミロイドーシスでは治療法が全く異なります。したがって、アミロイドーシスの鑑別診断はきちんと行う必要があります。

アミロイドーシスの治療

- **原発性アミロイドーシス**：軽鎖の産生抑制を目指す。多発性骨髄腫の治療に準じた化学療法。
- **二次性アミロイドーシス**：基礎にある炎症性疾患の治療（骨髄炎、関節リウマチ、腸炎、慢性気管支炎など）

- アミロイドーシスは診断が難しく、症状が進行して専門医に紹介される頃には有効な治療を受けられない場合が多いです。早期診断・早期治療を期待して、一般医向けの「アミロイドーシス診療ガイドライン」が作成されています。
- アミロイドーシスは臨床症候から疑うことが重要です。以下の所見を認める場合は、アミロイドーシスを念頭に置いて鑑別を進め、疑いがあれば積極的に生検を行います。

アミロイドーシスを示唆する臨床症候

- **腎症状**：ネフローゼ症候群、腎不全
- **心症状**：うっ血性心不全、不整脈
- **消化器症状**：吸収不良症候群、巨舌、肝腫大など
- **末梢神経・自律神経症状**：多発ニューロパチー、手根管症候群、起立性低血圧、便秘・下痢、排尿障害
- **出血症状**：皮膚、消化管など
- **甲状腺や唾液腺の腫大**

- アミロイドーシスによる心不全は、最も予後に影響します。拘束型心筋障害をきたし、**拡張不全**を呈します。
- 心エコーでは、心室壁肥厚と拡張障害を認め、壁内の高輝度エコーが特徴的です。一見、収縮能は保たれているので要注意です。血流の停滞のため心房内血栓の合併も多いようです。
- 死因の多くはうっ血性心不全や不整脈になります。

血栓性血小板減少性紫斑病（TTP）

- 腎臓専門医が診る疾患の中で、緊急性を要する疾患の１つに**血栓性血小板減少性紫斑病**（thrombotic thrombocytopenic purpura：**TTP**）があります。末梢の細血管が血小板の凝集塊（血小板血栓）によって閉塞され、以下の５つの症状がみられる全身性の重篤な疾患です。

TTP の５徴候

- **血小板減少症**：出血傾向のため、皮膚に紫斑ができる
- **溶血性貧血**　：赤血球の機械的な崩壊が起こる
- **腎機能障害**　：腎臓の毛細血管が血栓で閉塞する
- **発熱**
- **動揺性精神神経症状**：症状に幅があり、著しく変動する

血栓性微小血管障害症（TMA）という新しい概念

- TTP はまれな疾患とされていましたが、近年、疾患概念が大きく変化し、発症率は増加しています。すべての徴候が同時に全部そろうことは少ないです。
- TTP と類似の病態として、**溶血性尿毒症症候群**（hemolytic uremic syndrome：**HUS**）があります。血小板減少、溶血性貧血、腎不全の３徴候を認めます。
- TTP と臨床上鑑別が困難な場合が多いため、最近はこの２つを区別せずに**血栓性微小血管障害症**（thrombotic microangiopathy：**TMA**）という診断名が使われています。

TMA	HUS	溶血性貧血、血小板減少、腎不全
	TTP	溶血性貧血、血小板減少、腎不全、発熱、神経学的症状

- TTP は後天性に発症するものが一般的です。当科でもシクロスポリンやタクロリムスで加療中の SLE や強皮症に TTP を発症した症例を経験したことがあります。
- 普段健康だった人が急に TTP になるというよりは、何らかの疾患の治療中に TTP を併発する症例が多いように思います。造血幹細胞移植後に TTP を発症するケースや、担癌患者に TTP を発症するケースもあります。

TTPの発症機序

- TTPを発症する背景として、以下の要因が知られています。

TTPの原因

- **薬剤** 抗癌剤（マイトマイシンCなど）
  抗血栓剤（チクロピジン、クロピドグレルなど）
  免疫抑制薬（シクロスポリン、タクロリムスなど）
- **自己免疫疾患**（SLE、強皮症など）
- **悪性腫瘍**
- **造血幹細胞移植後**
- **妊娠**
- **HIV感染**

- それでは、どのようにしてTTPは発症するのでしょうか。その機序が最近わかってきました。まず、生体内の止血メカニズムを理解しましょう。

正常な止血機序

- 血管内皮細胞は**von Willebrand factor（vWF）**と呼ばれる止血因子を産生・分泌します。一方、vWFを特異的に切断する酵素として**ADAMTS13**（a disintegrin-like and metalloproteinase with thrombospondin type 1 motifs 13）の存在が知られています。
- 血中に放出された直後のvWFは、非常に大きな分子量の多重体であり、**UL-vWFM**（unusually large vWF multimer）と呼ばれます。通常サイズのvWFに比べて高い生物学的活性があるため、微小血管などで生じる高ずり応力によって過剰な血小板凝集を引き起こします。

vWF切断酵素の活性が阻害される

- 健常人では、ADAMTS13がUL-vWFMを切断し、血栓形成を防いでいます。ところが、何らかの要因によってADAMTS13のインヒビター（抗体）ができてしまうと、ADAMTS13活性が抑制され、UL-vWFMが増加して全身の微小血管で血小板血栓が形成され、血管閉塞を生じます。

- その結果、**血小板減少**（血栓形成による血小板消費）、**溶血性貧血**（狭窄血管を通過する赤血球が機械的に破壊、断片化）が発症してしまいます。
- 脳、腎においては微小血管閉塞による精神神経症状や腎障害をきたします。病的血栓形成と溶解反応の繰り返しが、動揺性精神症状の原因と考えられています。
- ADAMTS13 活性 10% 未満であることが、TTP の診断基準になっています。

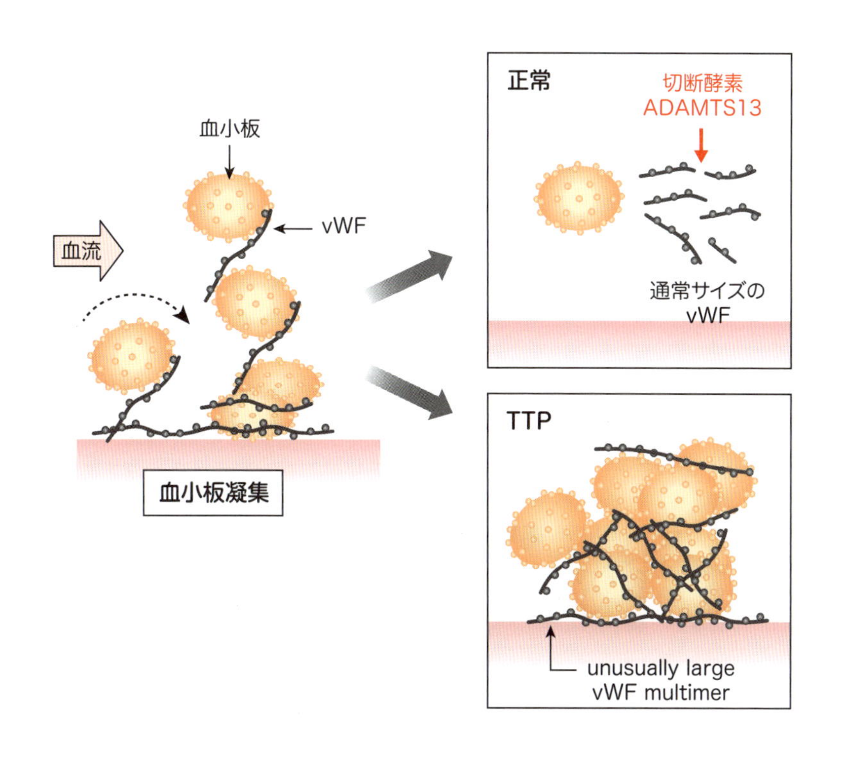

ADAMTS13 活性低下の機序

- 先天性 TTP：ADAMTS13 遺伝子異常（Upshaw-Schulman 症候群）
- 後天性 TTP：ADAMTS13 に対する自己抗体（インヒビター）の出現

- 先天性 TTP はきわめてまれな疾患です。
- 薬剤によって発症する TTP の多くは、ADAMTS13 に対するインヒビターが原因のようです。

薬剤性 TMA の診断

Case study　SLE 治療中の貧血、腎機能障害

【症例】 40 代女性。SLE にて外来通院中。全身倦怠感を主訴に来院。意識清明。発熱、関節痛あり。

血液検査：Hb 7.6 g/dL、WBC 4000/μL、Plt 3 万 /μL、

T-Bil 1.7 mg/dL、D-Bil 0.2 mg/dL、LDH 560 IU/L、BUN 40 mg/dL、

血清クレアチニン 1.62 mg/dL（1 ヵ月前 0.87 mg/dL）

鑑別のポイント

- 貧血に LDH 上昇、間接型優位のビリルビン上昇を伴っていることから、**溶血性貧血**が疑われます。腎機能の悪化もあり、溶血性貧血、血小板減少も認めることから、SLE の再燃や TTP の可能性を考え、入院となりました。
- 入院後、塗抹標本で**破砕赤血球**を確認しました。この所見はとても重要です。

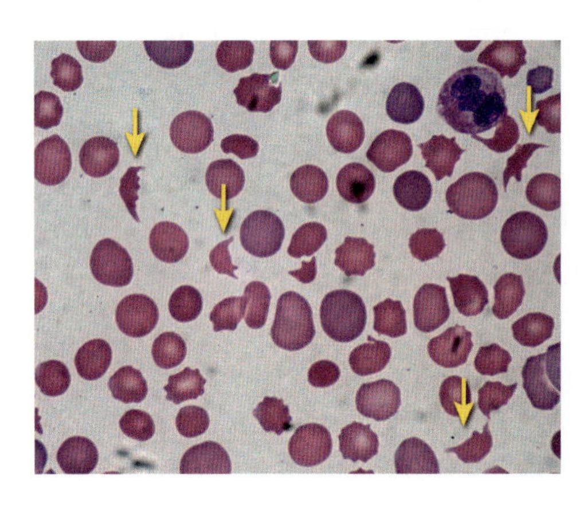

- また、**ハプトグロビン**が検出感度以下でした。血清 LDH の上昇もあり、溶血性貧血と診断しました。
- クームス試験陰性であり、免疫機序による溶血性貧血は考えにくく、FDP 上昇なく、フィブリノーゲン、PT、APTT いずれも正常であり、DIC は否定的でした。
- 今回は実施しませんでしたが、ADAMTS13 活性およびインヒビター（自己抗体）は検査会社で測定可能です（2018 年 4 月より保険適応）。
- 最終的には、最近開始されたカルシニューリン阻害薬による**薬剤性 TMA** と

診断し、当該薬を休薬。ステロイド増量することで症状および腎機能の改善を認めました。

Case study 難治性高血圧と貧血、腎障害

【症例】 40代女性。以前より高血圧を指摘されるも放置していた。最近、目のかすみと持続する頭痛、息切れを認めたため、近医受診。
血圧240/148mmHg。
血液検査：Hb 7.1g/dL、WBC 5600/μL、Plt 10.0万/μL、網赤血球数5.64%、破砕赤血球数1.13%、LDH 1482 IU/L、BUN 68.8mg/dL、血清クレアチニン6.99mg/dL、ハプトグロビン検出感度以下、BNP 1670pg/mL
尿検査：尿蛋白（3+）、尿潜血（3+）、尿蛋白/尿Cr比9.32
腎エコー：両側腎とも輝度上昇と軽度萎縮あり
眼科診察：うっ血乳頭と網膜出血を指摘

鑑別のポイント

- 高度の高血圧、眼底所見、腎不全、心不全より、悪性高血圧と診断。破砕赤血球を伴う溶血性貧血については、薬剤性、DIC、膠原病などが否定的なことから、悪性高血圧に伴う血栓性微小血管障害症（TMA）と診断しました。
- 高血圧の原因については、両腎のサイズに左右差はないものの、レニン/アルドステロン比の上昇、低カリウム血症を認め、腎血管性高血圧が疑われました。ただし、検尿異常もあり糸球体腎炎に伴う腎性高血圧や本態性高血圧の可能性も否定はできません。
- 最終的には、ACE阻害薬、ARB、Ca拮抗薬を用いた降圧療法を行い、血圧と溶血所見は改善しました。腎不全については血液透析導入となり、その後腎機能はやや改善しましたが、透析離脱には至りませんでした。

TTP と鑑別すべき病態

- TTP を疑ったときに本当にそれでよいのか、別の疾患の可能性はないかを十分に調べる必要があります。鑑別すべき主な疾患とそのポイントを示します。

- **溶血性尿毒症症候群（HUS）**をまず除外しましょう。TTP と異なり、幼小児に多いです。血小板減少、溶血性貧血、腎障害は TTP と一緒ですが、TTP に比べて腎障害が高度で神経症状は軽度です。病原性大腸菌 O157 感染に続発して起こります。O157 が産生する Vero（ベロ）毒素により血管内皮細胞が傷害されて血小板血栓を引き起こします。ADAMTS13 活性は正常です。

- **DIC** の可能性はどうでしょうか。感染症や悪性腫瘍などの基礎疾患に併発します。血液凝固検査で PT、APTT の延長、フィブリノーゲンの著減、血小板減少に加え FDP や D ダイマーが著増します。凝固系の活性化が主体です。溶血は軽度で、破砕赤血球は目立ちません。

- **ITP/Evans 症候群**は血小板膜蛋白に対する抗体（血小板特異抗体）による血小板減少を認め、出血症状が主体です。動揺する精神神経症状は認めません。Evans 症候群ではクームス試験陽性の溶血性貧血を示しますが、破砕赤血球は認めません。

- **発作性夜間血色素尿症（PNH）**は早朝の褐色尿で気づかれることが多いです。汎血球減少（溶血性貧血、軽度の血小板・白血球減少）を認め、赤血球の補体感受性の亢進を示す HAM テストや sugar-water 試験が陽性になります。補体の崩壊促進因子 CD55（decay-accelerating factor：DAF）および CD59 などの制御因子が赤血球膜で欠損ないし減少しているのが原因です。

- **抗リン脂質抗体症候群**は SLE などの自己免疫疾患に合併します。習慣性流産の原因の 1 つです。抗凝固所見（APTT 延長など）を認める一方、血栓傾向を示します。リン脂質結合蛋白である β_2-glycoprotein Ⅰ に対する抗体（**抗 β_2GP Ⅰ 抗体**）や**ループス抗凝固因子**（lupus anticoagulant：LAC）を認めます。

- いずれにしても破砕赤血球の有無が非常に重要です。少しでも TTP を疑ったら、末梢血塗抹標本は必ず確認しましょう。

TTPの治療

- 先天性と後天性で治療内容は異なります。先天性TTP（Upshaw-Schulman症候群）の場合、ADAMTS13活性は著減していますがインヒビターを認めません。したがって、血漿交換療法は不要です。**新鮮凍結血漿（FFP）**を2～3週間に一度輸注して、ADAMTS13酵素を補充することにより血小板数を維持し、発症を予防します。
- 後天性TTPの場合、まず**血漿交換療法**を考慮します。ADAMTS13インヒビター陽性例だけでなく、TTPの発症原因が明らかでない症例に対しても基本となる治療法です。

血漿交換の目的

- ADAMTS13酵素の補充
- ADAMTS13インヒビターの除去
- 正常vWFマルチマーの補充
- UL-vWFMの除去
- 不要なサイトカインの除去

- FFPの単独輸注も検討します。インヒビター陽性例では効果が期待できませんが、インヒビターを認めないADAMTS13低下例では有効です。
- インヒビター陽性例や血漿交換の効果不十分例では、免疫抑制効果を期待して副腎皮質ホルモンを使用します。血漿交換と併用される場合も多いです。
- 頻回再発例や血漿交換療法の効果が不十分な症例に対して、ビンクリスチン、摘脾、γグロブリン大量療法などが試みられています。CD20に対するキメラ型モノクローナル抗体（リツキシマブ）も有効とされています。血小板輸血は病態を悪化させるため原則禁忌です。

- 原因不明の血小板減少、溶血性貧血、腎機能障害をみたら、TTPを疑って直ちに血漿交換の適応を腎臓専門医にコンサルトしましょう。高度の急性腎不全を伴う場合は、透析の適応についても相談する必要があります。

- TTPに関する詳しいことは、『TTP診療ガイド2020』をご参照ください。

肥満と腎臓病の関係

- 肥満は、高血圧、糖尿病、脂質異常症などの因子を取り除いても、蛋白尿やCKDの発症に対する有意な危険因子と考えられています。
- 日本肥満学会では、体格指数（body mass index：BMI）が22の場合を標準体重、25以上を肥満と定義しています。

- **BMI** ＝ 体重（kg）÷ 身長（m）÷ 身長（m）

肥満関連腎症とは

- 肥満によって蛋白尿や腎機能低下が生じ、病理組織学的には糸球体肥大、巣状糸球体硬化の像を呈します。これらは**肥満関連腎症**（obesity related-glomerulopathy：ORG）という概念で捉えられています。
- 肥満関連腎症の機序としては、肥満に伴う血行動態の変化や内臓脂肪由来のアディポサイトカインの分泌異常が考えられています。
- 肥満者は非肥満者に比べ糸球体濾過量が増加しており、そのため組織学的には糸球体の腫大、足突起の癒合がみられ、巣状糸球体硬化症様の変化を呈すると考えられています。
- 巣状糸球体硬化症と比較すると、足突起の障害は軽く、血清クレアチニンの上昇は緩徐で、末期腎不全への進行も少ないとされています。

- 治療は当然のことながら、肥満を改善することです。運動療法による生活習慣の改善と、エネルギー制限（糖質制限）・塩分制限を中心とした食事療法が重要です。
- 体重を減らして肥満を解消すること、特に内臓脂肪の軽減がポイントになります。

ダイエットしたら蛋白尿が消えた？

- 次のような症例を経験したのでご紹介したいと思います。

Case study　ステロイドが効かない蛋白尿

【症例】 20代女性。SLEにて他院通院中。ステロイド少量内服にて病状は落ち着いていた。最近、蛋白尿を認めたため、ステロイド増量されるも尿蛋白改善なく、ループス腎炎の治療強化を目的に紹介受診となった。

身長150cm　体重110kg　血圧140/78mmHg

血液検査：BUN 20mg/dL、血清クレアチニン0.78mg/dL、CH_{50} 45、抗DNA抗体8

尿検査：尿蛋白(3+)、尿潜血(1+)、尿蛋白/尿Cr比4.6

- 尿蛋白量が多いため、腎生検を予定しました。ところが、外来で行った腹部エコーでは肥満に伴う皮下脂肪が厚く、腎臓まで穿刺針が届かないことが判明しました。
- SLEの血清学的活動性は落ち着いていますので、緊急性はないだろうと判断し、まずは減量を試みて、少し体重が減った段階で腎生検を予定することになりました。
- その後、食事・運動療法により順調に体重が減って95kg（−15kg）まで減らすことに成功しました。そこで腎生検を予定しようと尿を調べてみたら、なんと蛋白尿が陰性化していました。その後もずっと陰性のままです。

- 腎生検を行っていないので断定はできませんが、経過から**肥満関連腎症**と思われるケースです。
- 高度肥満のある症例で蛋白尿を認めたら、肥満関連腎症も鑑別に挙げた方がよいでしょう。減量することで蛋白尿が改善する可能性があります。

腎硬化症（腎臓の動脈硬化の終末像）

- **腎硬化症**は**高血圧性腎硬化症**とも呼ばれ、持続する高血圧のために腎臓の小・細動脈の硬化性病変を生じ、糸球体に障害をきたす病態です。
- 血管病変としては、輸入細動脈の硝子様変化や小葉間動脈の中膜平滑筋障害を伴う**内膜肥厚**がみられ、いずれも血管腔の狭小化を生じます。腎生検像（PAS染色）で血管の断面を見てみると、微小変化型ネフローゼ症候群と比べ、腎硬化症では明らかに内膜が肥厚しています。

微小変化型ネフローゼ

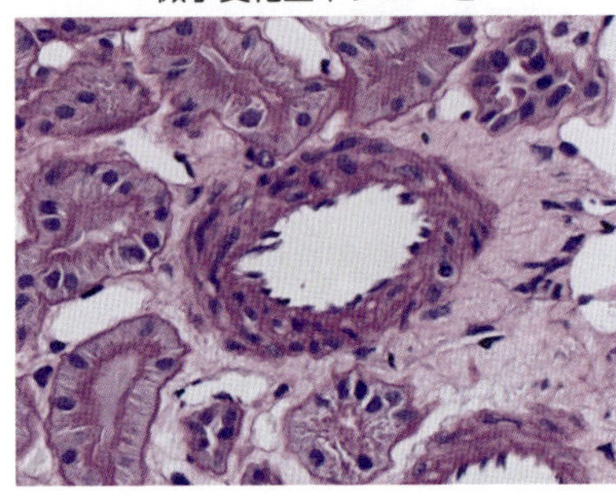

腎硬化症

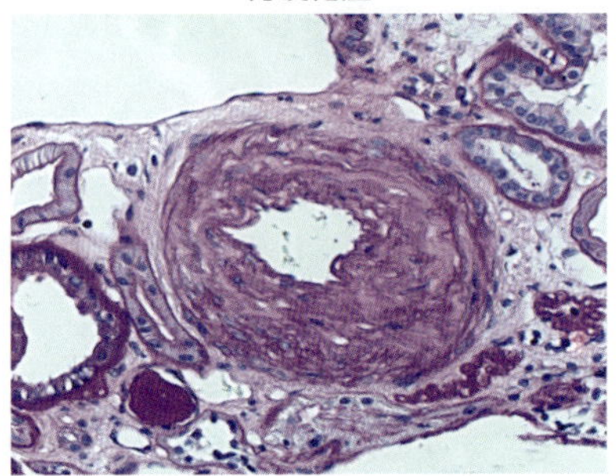

- 典型例では長期の高血圧歴、高血圧性網膜症、左室肥大を認めます。主に病歴と臨床症候から診断され、腎機能障害の進行速度は比較的緩やかです。

腎硬化症の特徴

- 蛋白尿は軽度（通常、1g/日以下）
- 血尿は伴わないことが多い
- 浮腫は認めないことが多い
- 高尿酸血症を伴うことが多い
- 典型例では両側の腎萎縮を認める

- 病理所見上、小葉間動脈から輸入細動脈に動脈硬化性変化を認めます。また、虚血性障害による全節性糸球体硬化を巣状に認め、周囲の間質には炎症性細胞浸潤や線維化を伴います。糸球体の病変は、血管狭窄による虚血性変化と糸球体高血圧により生じると考えられています。
- 治療の中心は**血圧管理**です。降圧目標はCKDと同様（130/80mmHg未満）です。蛋白尿を伴う場合には、ACE阻害薬やARBを用いることが多いです。

悪性高血圧症

- 高血圧症は**サイレントキラー**と言われるように、通常は自覚症状がなく、10年から20年経過した後に様々な合併症がみられるようになります。
- ところが、腎臓専門外来で診療していると、ときどき次のような患者さんが紹介されてきます。

Case study　視力障害をきっかけに判明した高血圧と腎障害

【症例】 30代女性。最近、物がぼやけるのを自覚して眼科を受診した。
眼底出血と乳頭浮腫あり。血圧200/110mmHg
血清Cr 1.87mg/dL、蛋白尿（2+）、血尿（−）

- この症例のように著明な血圧上昇により、脳、心臓、腎臓などの臓器障害をきたし、網膜出血、乳頭浮腫など眼底に高度の病変を示す病態を**悪性高血圧**といいます。放っておくと1年以内に命に関わるほど重症化するケースもあります。

高血圧患者を診たら、必ず眼底を調べる

- 高血圧患者さんを診たら、必ず眼科受診を勧めます。なぜなら、眼底所見が非常に重要だからです。
- 眼底の血管は唯一、動脈硬化の程度を直接観察できる場所です。眼底の血管を観察することによって全身、特に脳血管の動脈硬化の程度を推測することができます。
- 眼底所見は**Keith-Wagener分類**で評価されます。

Keith-Wagener（KW）分類

- **Ⅰ度**：細動脈の狭細と硬化が軽度 → **高血圧**の存在を示唆
- **Ⅱ度**：細動脈の狭細と硬化が強い → **動脈硬化**の存在を示唆
- **Ⅲ度**：出血、白斑 → **心疾患**や**腎疾患**のリスクが高いことを示唆
- **Ⅳ度**：乳頭浮腫 → **脳血管障害**のリスクが高いことを示唆

悪性高血圧の診断基準

- 悪性高血圧の診断基準を下に示します。要するに、拡張期血圧が高く、高血圧性眼底所見を認めていて、腎障害も認めている場合、悪性高血圧を疑う必要があります。

悪性高血圧の診断基準

下記の **1**、**2** のいずれかを満たし、かつ **3** を満たすもの

1. 定型的悪性高血圧（以下のすべてを満たすもの）

①治療前の拡張期血圧が常に 130mmHg 以上
②眼底所見は **KW Ⅳ度**で、乳頭浮腫および網膜出血を示す
③腎機能障害をきたし、腎不全（血清 Cr 5.0mg/dL 以上）に至ったもの
④全身症状の急激な悪化を示し、下記症状を伴うもの
　脳症状：運動失調、知覚障害、頭痛、めまい、悪心など
　心症状：呼吸困難、胸痛、不整脈など

2. 非定型的悪性高血圧（以下のいずれか 1 つを満たすもの）

①拡張期血圧が 120mmHg 以上 130mmHg 未満で、**1** の②、③、④のすべてを満たすもの
② **KW Ⅲ度**の高血圧性網膜症で、**1** の①、③、④のすべてを満たすもの
③腎機能障害（血清 Cr 3.0mg/dL 以上）はあるが腎不全には至らないもので、**1** の①、②、④のすべてを満たすもの

3. 8 週間以上の強力な降圧治療後も以下のすべてを満たすもの

①拡張期血圧が 100mmHg 以上
② **KW Ⅲ度**以上の高血圧性網膜症で、軟性白斑または網膜出血を示すもの
③腎機能障害（血清 Cr 3.0mg/dL 以上）を示すもの

悪性高血圧は短期間のうちに末期腎不全に至る可能性が高い

Case study　悪性高血圧により腎不全となった症例

【症例】 40代男性。20代の頃から高血圧（収縮期200mmHg以上）を指摘されていたが放置していた。4ヵ月前より右側頭部痛が出現し、徐々に全身倦怠感、呼吸困難を自覚するようになった。

身長170cm　体重95.3kg　BMI 32.9

血液検査：Hb 10.9g/dL、WBC 11300/μL、Plt 23.8万/μL、TP 6.6g/dL、Alb 3.5g/dL、BUN 53mg/dL、Cr 6.27mg/dL、CRP 0.75mg/dL、抗核抗体（−）

尿検査：尿蛋白（2+）、尿潜血（+）、尿蛋白/尿Cr比 0.7

腹部MRA：腎動脈狭窄なし

- 入院後、腎生検を行ったところ、光顕で小動脈の **onion skin lesion**（同心円状の壁肥厚）がみられ、糸球体硬化、間質線維化を著明に認めました。蛍光抗体法はすべて陰性でした。電顕では高電子密度沈着物は見られません。

腎小動脈にみられたonion skin lesion

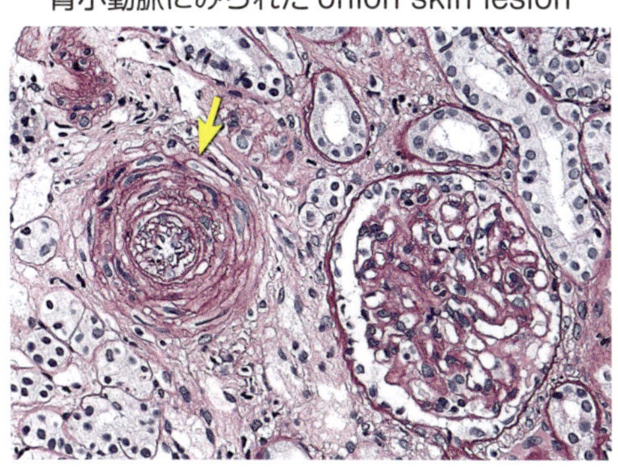

- 高血圧の原因として、慢性糸球体腎炎、糖尿病性腎症、褐色細胞腫や原発性アルドステロン症、腎血管性高血圧などが考えられましたが、いずれも否定的でした。検尿異常も従来指摘されておらず、結局、本態性高血圧（悪性高血圧）に伴う腎硬化症との診断になりました。シャント作成後、退院し、自宅近くのクリニックで透析を継続することになりました。
- 診断時すでに末期腎不全でしたが、もう少し受診が早ければ、治療によって透析を回避できたかもしれません。

腎血管性高血圧

- **腎血管性高血圧**は、腎動脈の狭窄・閉塞により発症する高血圧です。高血圧患者の約1%に認められます。腎血流と腎灌流圧の低下によって、レニン・アンジオテンシン系の活性化を引き起こすことが高血圧の要因です。片側性狭窄が多いですが、両側性狭窄も認められます。
- 腎動脈狭窄の原因として、**粥状硬化**、**線維筋性異形成**、**高安動脈炎（大動脈炎症候群）**があります。なかでも粥状硬化の頻度が最も高いです。

腎動脈狭窄の原因と特徴

粥状硬化	高脂血症、糖尿病の合併が多い	中年以降の男性に多い	起始部1/3に好発	両側性
線維筋性異形成	数珠状狭窄	若年・中年の女性に多い	遠位部2/3に好発	片側性
高安動脈炎	炎症所見を伴う	若年女性に多い	起始部に好発	両側性

- 片側または両側の腎動脈狭窄とそれに基づく腎機能障害は、**虚血性腎症**と呼ばれる進行性の腎不全をきたします。

腎血管性高血圧を疑う臨床所見

- 本態性高血圧となかなか区別がつきませんが、以下の症状があったら、腎血管性高血圧を疑います。

- 30歳以前に発症した高血圧（家族歴、肥満を認めない場合は特に）
- 55歳以降に発症したⅡ度以上の高血圧
- 治療抵抗性高血圧（3種類以上の降圧薬で管理不良）
- 薬剤で管理良好であった高血圧患者の急激な血圧上昇
- 悪性高血圧、加速性高血圧
- ACE阻害薬またはARB投与開始後に血清Crの急激な上昇を認める
- 原因不明の片側腎萎縮（9cm以下）、腎長径の左右差（1.5cm以上）
- 広範な動脈硬化を伴うⅡ度以上の高血圧
- 突発性、原因不明の肺水腫、心不全を繰り返すⅡ度以上の高血圧

Hirsh AT, *et al. Circulation* 2006;113: e463-654 より抜粋

画像診断

- 腎血管性高血圧の診断は、高血圧が存在し、それが腎血管狭窄に起因することを証明する必要があります。したがって、主に画像検査を行います。
- **腎動脈ドプラエコー**は、スクリーニング検査として有用です。また、造影剤を用いない単純 MR angiography（**MRA**）は、安全で被曝もなく推奨されています。血漿レニン活性の測定や腎シンチグラフィ（レノグラム）、CT 血管造影（CT angiography）なども行います。
- 臨床所見や非侵襲的検査によって確定診断に至らない場合には、カテーテルを用いた血管造影を行います。すでに腎機能が低下している例も多いため、造影剤腎症には注意します。

治療

- 治療は内科的降圧療法が原則です。降圧薬として、ACE 阻害薬、ARB、Ca 拮抗薬、β遮断薬が推奨されます。ただし、急性腎不全の危険性があることから、ACE 阻害薬と ARB は、両側腎動脈狭窄あるいは単腎の患者の狭窄には避けるべきとされています。
- 内科的に血圧管理が困難な場合や、RAS 阻害薬投与により腎機能障害が進行する場合は、経皮的腎血管形成術による血行再建を検討します。

新規透析導入患者の原疾患は？

ここ 25 年間、糖尿病性腎症が連続第 1 位

- 糖尿病性腎症が原因で透析導入される患者数は増加の一途をたどっています。1998 年度以降、新規透析導入患者の原疾患第 1 位となっています。

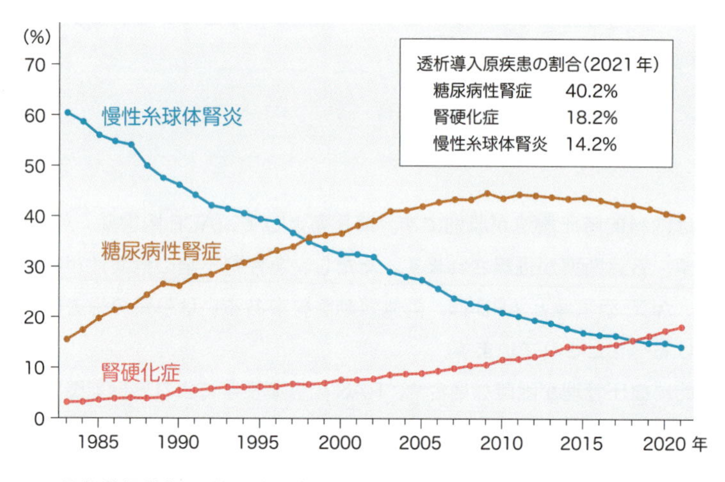

日本透析医学会：図説 わが国の慢性透析療法の現況（2021 年 12 月 31 日現在）

- 糖尿病性腎症による腎不全患者は、非糖尿病性の腎不全患者と比べて、様々な合併症を有します。**大血管障害**による冠動脈疾患・脳血管障害、**細小血管障害**、**神経障害**や**網膜症**を合併するため、予後不良です。
- しかし近年、糖尿病腎症を早期に発見し適切な治療を行えば、その進展を抑制できることがわかってきました。さらに、寛解が得られる症例も存在することが明らかになっています。
- 糖尿病性腎症の治療は、いかに早期に診断し適切な治療を行うかが、重要になってきています。

糖尿病性腎症の早期診断

- 現在、早期腎症診断のゴールドスタンダードは**微量アルブミン尿**です。しかし、早期診断に必要な検査が必ずしも「早期」に実施されていないのが現状です。
- **早期腎症**は次のように定義されています。

糖尿病の早期腎症とは

- 尿蛋白が陰性あるいは（1＋）程度陽性の糖尿病患者を対象に、随時尿によるアルブミン定量検査を施行し、**30～299mg/gCr** が3回中2回以上該当した場合

- しかし、実臨床で糖尿病の患者さんに定期的な尿検査をどのくらいの頻度で行っているでしょうか。一度尿検査をして尿蛋白陰性だったら、しばらく尿検査をしないかもしれません。
- 診断基準にある「尿蛋白が陰性か、（1＋）程度の陽性」の患者さんが定期的なアルブミン定量検査を受けている割合はそれほど多くないと思われます。保険診療上、3ヵ月に1回しか測定できないことも影響しています。実際、顕性蛋白尿となって初めて当科紹介となるケースも少なくありません。

糖尿病の早期腎症の診断基準

測定対象	尿蛋白陰性か、（1＋）程度陽性の糖尿病患者	
必須事項	尿中アルブミン	随時尿　30～299mg/gCr （3回測定中2回以上）
	●採尿条件：なるべく午前中の随時尿を用いる。 通院条件によっては、来院後一定の安静時間を経て採尿する。もしくは早朝尿を用いる。 ●測定方法：アルブミンを免疫測定法で測定し、同時に尿中クレアチニン値も測定する。	
参考事項	尿中アルブミン排泄率	24時間尿　30～299mg/24hr 時間尿　20～199μg/min
	尿中Ⅳ型コラーゲン値	7～8μg/gCr以上
	腎サイズ	腎肥大

日本腎臓学会・日本糖尿病学会糖尿病性腎症合同委員会報告：糖尿病性腎症の新しい早期診断基準
日本腎臓学会誌 2005;47:767-769より引用

糖尿病性腎症の病期分類

- 糖尿病性腎症は、血糖コントロール不良な状態が数年続くと発症します。尿中アルブミン量、尿蛋白量、腎機能（eGFR）の所見から、第 1 期〜第 5 期に分類されます。

糖尿病性腎症病期分類 2014

病期	尿アルブミン値（mg/gCr） あるいは 尿蛋白値（g/gCr）	GFR（eGFR） （mL/ 分 /1.73m^2）
第 1 期 （腎症前期）	正常アルブミン尿（30 未満）	30 以上
第 2 期 （早期腎症期）	微量アルブミン尿（30 〜 299）	30 以上
第 3 期 （顕性腎症期）	顕性アルブミン尿（300 以上） あるいは 持続性蛋白尿（0.5 以上）	30 以上
第 4 期 （腎不全期）	問わない	30 未満
第 5 期 （透析療法期）	透析療法中	

糖尿病性腎症病期分類 2014 の策定（糖尿病性腎症病期分類改訂）について
日本腎臓学会誌 2014;56:547-552 より引用

早期腎症の微量アルブミン尿を見つけることが大切

- 微量アルブミン尿の発現には通常 10 年程度かかると言われています。腎機能が安定した時期が続き、微量アルブミン尿が出現し、増悪してやがて顕性蛋白尿が出現します。
- 第 1 期は尿蛋白陰性で、腎機能も正常な状態です。この時期でも過剰濾過（hyperfiltration）によって GFR が上昇したり、腎腫大を認めることがあります。
- 第 2 期は早期腎症期です。**微量アルブミン尿**がみられる時期です。これが早期診断には重要です。試験紙法で陰性でも微量アルブミン尿が出ている可能性は十分あります。微量アルブミン尿は、腎症の出現を早期に発見するために有益な指標です。

- 腎症が進行すると**顕性蛋白尿**（第３期）が出現し、さらに進行すると、血清Cr 値の上昇がみられるようになります。これが第４期です。
- 第５期は末期腎不全に至り、腎代替療法を要する状態です。

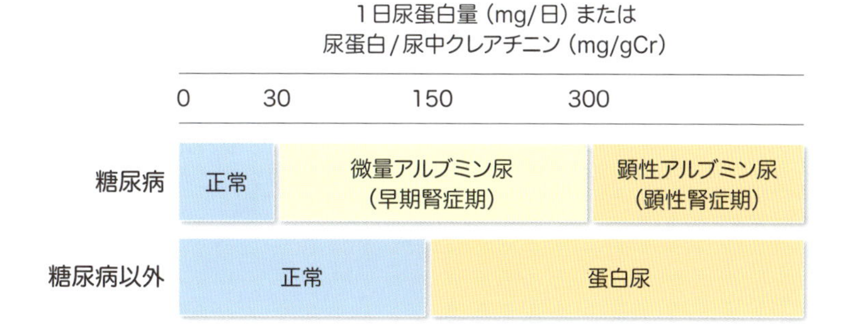

- 糖尿病性腎症の症例は、腎機能が比較的保たれている状況でも著明な浮腫や肺水腫をきたすことがあります。GFR の低下による体液貯留、多量の尿蛋白による低アルブミン血症などがその原因と考えられます。

進行した腎症では低血糖に注意

- 糖尿病性腎症が進行すると、血糖コントロールが改善する症例がしばしばみられます。原因はインスリン分解の低下に加え、腎臓での糖新生の低下の関与が考えられます。
- 経口糖尿病薬の代謝も低下しその作用も遷延しやすくなるので、**遷延性の低血糖**を起こす可能性があり、進行した腎症の症例では禁忌となります。このような症例では早めに短時間作用型インスリンへの切り替えを考慮すべきです。

糖尿病性腎症の臨床経過が他の腎炎と異なる点

- 糖尿病性腎症の典型的な臨床経過を下図に示します。第 1 期から第 5 期に分類していますが、重要なのは第 2 期の**早期腎症期**です。微量アルブミン尿を認める時期です。
- 残念ながら、この早期腎症期を過ぎると顕性蛋白尿が出現しネフローゼ状態になり、あっという間に GFR が悪化してしまいます。ここが他の腎炎と異なる点です。

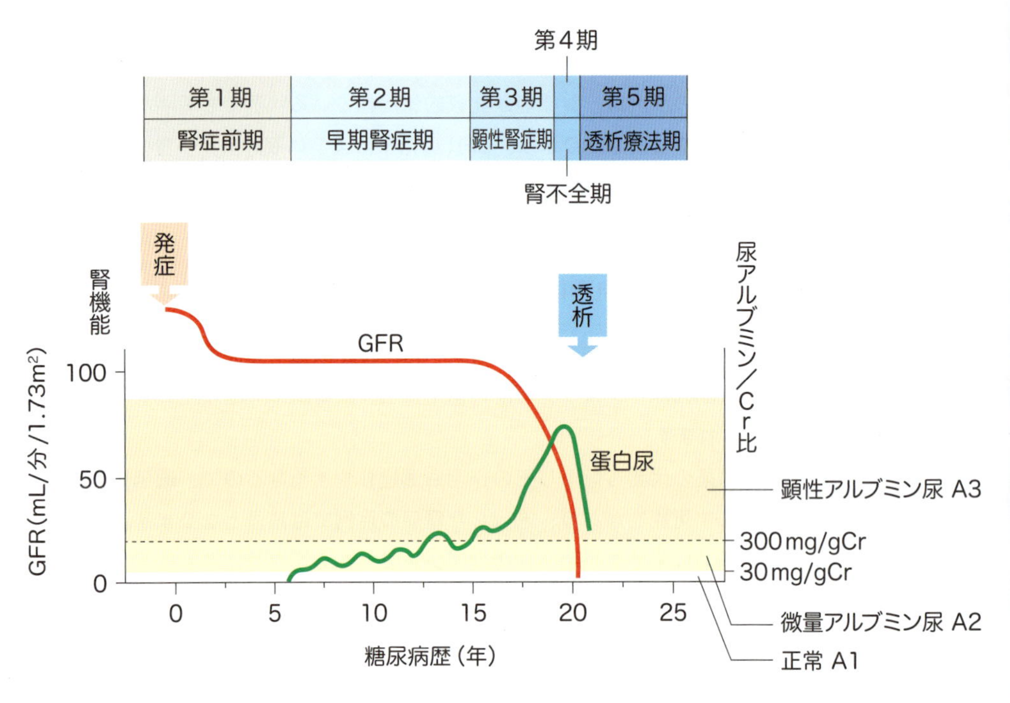

（槇野博史：糖尿病性腎症―発症・進展機序と治療. 診断と治療社, 1999, p192 より改変）

尿中には微量でも、糸球体からは大量に漏れている

- 近年、アルブミンは正常でも糸球体から少し漏れていて、尿細管で再吸収されていることがわかってきました。
- したがって、尿中にアルブミンが出てくるということは、尿細管での再吸収の予備能力を超える量のアルブミンが糸球体から漏れていることになります。

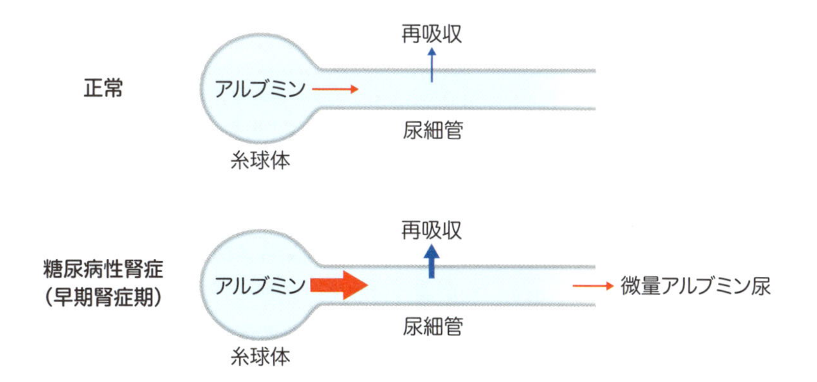

- 尿中には「**微量**」でも、糸球体からは「**大量**」に漏れている可能性があります。微量アルブミン尿を認めるということは、それだけ糸球体が障害されていることを反映しているわけです。

糖尿病性腎症の特徴（他の腎炎の経過と異なる点）

- 微量アルブミン尿が出現した時点ですでに腎障害あり（＝早期腎症）
- いったん顕性蛋白尿を認めると、ネフローゼ状態を呈しやすい
- 顕性蛋白尿を認めると、その後 eGFR が急速に悪化しやすい

糖尿病性腎症の治療

- 糖尿病性腎症の治療はもちろん**血糖コントロール**です。また、**RAS 阻害薬**を中心とした降圧療法や食事療法も重要です。
- 実際、糖尿病性腎症患者でアンジオテンシンⅡ受容体拮抗薬（ARB）の腎保護効果が証明されています。糖尿病性腎症では糸球体内圧が亢進しているため、RAS 阻害薬による糸球体後負荷軽減により、腎保護作用が期待できます。

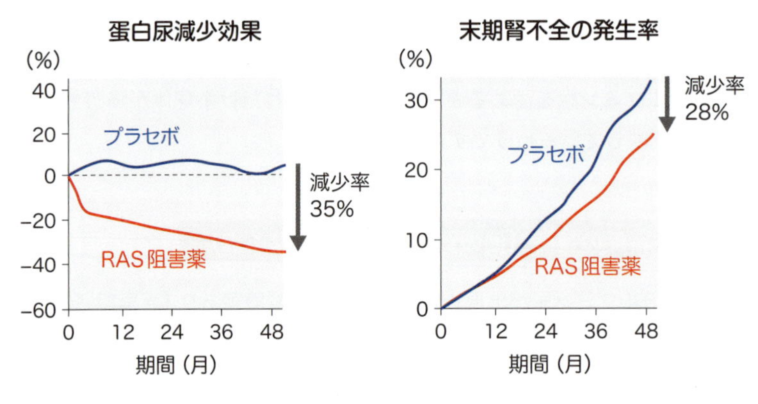

（Brenner BM, *et al. N Engl J Med* 2001；345：861-9 より引用改変）

- 糖尿病性腎症はいったん発症してしまうと元には戻らない、すなわち非可逆的な変化と考えられていました。ところが、この考えを覆す論文が 1998 年に発表されました。1 型糖尿病患者さんに膵移植を行って糖尿病が治癒すると、合併していた糖尿病性腎症も軽快したことが組織学的に確認できた、という報告です（Fioretto P, *et al. N Engl J Med* 1998；339：69-75）。
- つまり、厳格な血糖コントロールによって糖尿病性腎症の寛解・軽快が期待できるということです。もちろん進行した腎症では期待できません。その意味でも、早期腎症期を見落とすことなく、厳格な血糖コントロールや RAS 阻害薬による治療を継続することが重要です。

- 気がついたら顕性蛋白尿が出ていた、ということがないようにしましょう！

SGLT2 阻害薬が血糖値を下げる仕組み

- 糖尿病の治療薬には様々な種類の薬があります。その中でも、最近 **SGLT2 阻害薬**の効果が注目されています。
- 通常、血液中のブドウ糖は糸球体で100％濾過されますが、尿細管に発現している**ナトリウム・グルコース共輸送体**（sodium/glucose cotransporter：**SGLT**）によって100％再吸収されます（正確には SGLT2 で 90％、SGLT1 で 10％）。したがって、通常、尿中に糖は排泄されません。

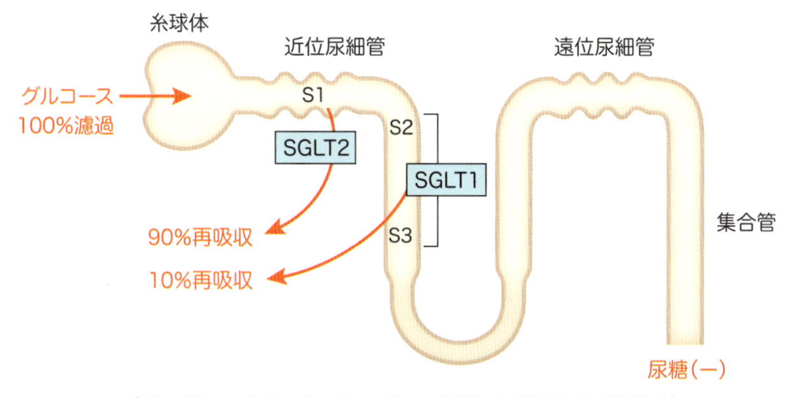

（Chao EC, *et al. Nat Rev Drug Discov* 2010；9：551-9 より引用改変）

- SGLT2 阻害薬は、この輸送体を介した糖の再吸収を阻害して、強制的に尿中にブドウ糖を排泄させることにより、血糖値を下げる働きがあります。

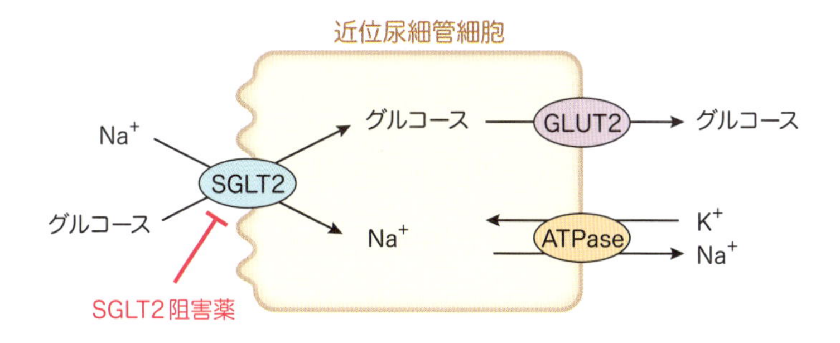

- 最近の大規模臨床試験の結果、SGLT2 阻害薬は血糖値を下げるだけでなく、心血管イベントを抑制する、腎機能の悪化を抑制する、といった臓器保護効果が報告されています。データのさらなる蓄積と腎保護メカニズムの解明が待たれます。

第6章 治療薬

腎疾患の治療方針は、大きく分けて2つあります。1つは「腎炎に対する治療」です。その多くは免疫異常が関与しているため、ステロイドや免疫抑制薬などを用いた免疫抑制療法が主になります。

もう1つは「腎機能を悪化させない治療」です。生活習慣の改善や血圧のコントロール、血糖管理、脂質管理、減量などです。

この章では、主に腎炎に対する治療薬について説明します。腎炎のタイプにより多少異なりますが、基本的にステロイドが使われます。

ステロイドは非常に有効な薬剤です。でも、副作用もたくさんあります。患者さんに効果や副作用について十分理解して頂くためにも、ステロイドの使い方について熟知しておく必要があります。

腎炎の治療薬

- 腎炎のタイプにより治療内容は多少異なりますが、基本的に**ステロイド**が使われます。通常の経口投与のほかに、大量のステロイドを間欠的に投与するパルス療法も行われます。
- 活動性の高い腎炎では、ステロイドに加えて**免疫抑制薬**を併用して疾患活動性をコントロールする場合もあります。
- ステロイドは非常に有効な薬剤です。ただ、副作用もたくさんありますので、患者さんには副作用について十分説明し、理解していただく必要があります。

腎炎に対する主な治療薬

- **副腎皮質ステロイド**
  プレドニゾロン（プレドニン®）
  メチルプレドニゾロン（メドロール®）
  デキサメタゾン（デカドロン®）
  ベタメタゾン（リンデロン®）
- **免疫抑制薬**（主にループス腎炎やANCA関連血管炎などで使用）
  アザチオプリン（イムラン®）
  シクロスポリン（ネオーラル®）
  タクロリムス（プログラフ®）
  シクロホスファミド（エンドキサン®）
  ミゾリビン（ブレディニン®）
  ミコフェノール酸モフェチル（セルセプト®）
- **抗血小板薬**
  ジピリダモール（ペルサンチン®）
  塩酸ジラゼプ（コメリアン®）
  アスピリン（バイアスピリン®）
- **腎臓への負担（尿蛋白）を軽減する薬**
  レニン・アンジオテンシン系阻害薬

ステロイドとは？

- 副腎皮質ホルモンを人工的に合成した薬を**ステロイド**といいます。
- ステロイドは様々な疾患の治療に使われます。蕁麻疹、薬疹、気管支喘息、アレルギー性皮膚炎、潰瘍性大腸炎、クローン病、腎疾患、膠原病、ショックなどです。
- ステロイドの投与経路は、内服、点滴、軟膏・クリームなどがあります。投与期間も数日から数年と疾患によって異なります。

ステロイドの種類

- 表のように、ステロイドには多くの種類があります。抗炎症作用が強いもの、Na 貯留作用が強いもの、半減期が短いものなど、それぞれ特徴があります。
- 腎炎によく用いられるステロイドは、**プレドニゾロン**（プレドニン®）です。

	ステロイド	グルココルチコイド作用	ミネラルコルチコイド作用	1 錠中の量（mg）	血漿消失半減期（時間）	生物学的半減期（時間）
短時間作用型	コルチゾール	1	1	10	1.2	8～12
	コルチゾン	0.7	0.7	25	1.2	8～12
中時間作用型	プレドニゾロン	4	0.8	1.5	2.5	12～36
	プレドニゾン	4	0.8	5	3.3	12～36
	メチルプレドニゾロン	5	0	4	2.8	12～36
	トリアムシノロン	5	0	4	3	24～48
長時間作用型	パラメタゾン	10	0	2	3.5	36～54
	デキサメタゾン	25	0	0.5	3.5	36～54
	ベタメタゾン	25	0	0.5	3.5	36～54

山本一彦 編：ステロイド薬の選び方・使い方ハンドブック．羊土社，2011，p21 より引用

ステロイドの副作用

- ステロイドは非常に有効に作用する反面、副作用も多い薬です。副作用は、1 日あたりの使用量に依存します。また、次ページの図に示すように、副作用によって出現しやすい時期に違いがあります。

数時間	数日	1〜2ヵ月	3ヵ月以上
高血糖 不整脈	高血圧 精神障害 浮腫	感染症 ステロイド筋症 消化性潰瘍 緑内障 脂質異常症 満月様顔貌 骨粗鬆症 無菌性骨壊死	副腎不全 白内障

- 腎疾患の場合、ステロイドは長期投与になります。高齢者では、**日和見感染症**に特に注意が必要です。ステロイド投与中に**帯状疱疹**を併発する方も少なくありません。
- 高齢女性の場合は**骨粗鬆症**に要注意です。転んだり、重いものを持ったりしただけで、簡単に腰椎の圧迫骨折を生じます。寝たきりになってしまうケースもあり、著しいQOLの低下を生じてしまいます。

ステロイド服用開始前のチェック項目

〈それぞれの副作用のリスク要因をすでに持っているかどうか〉

- 糖尿病や脂質異常がすでにあるかどうか
- 高血圧や心不全はないか
- 鎮痛薬（NSAIDs）併用の有無
- 骨折歴、骨密度
- 慢性感染症の存在（結核歴、慢性呼吸器感染、B型肝炎など）
- 白内障、緑内障（眼科受診歴）
- 消化性潰瘍の既往歴

ステロイド服用中にモニターすべき項目

- 血圧上昇（ステロイドのNa貯留作用によって生じる）
- 心不全、浮腫（ステロイドのNa貯留作用によって生じる）
- 血糖や脂質の悪化
- 白内障、緑内障
- 骨密度（骨粗鬆症の有無は常にチェック）

ステロイドの副作用

易感染性

- 一般的に、プレドニゾロン20mg/日以上で感染症のリスクが増加するとされています。**細菌性肺炎**、**カリニ肺炎**、**サイトメガロウイルス感染**などです。
- ステロイド治療中は発熱、炎症反応が抑制されています。感染症の症状がマスクされるため、感染を合併してもわかりにくいです。
- 少しでも疑ったら、胸部レントゲンやCTを行います。場合によっては、特殊検査（プロカルシトニン、β-D-グルカン、サイトメガロウイルスアンチゲネミアなど）が必要です。
- 細菌感染はステロイド治療開始後、比較的早期に起こるとされています。
- 一方、結核、帯状疱疹などのウイルス感染、真菌感染は長期治療中に起こりやすいです。特に免疫抑制薬を併用している症例、もともと免疫力が低下している高齢者では要注意です。
- 感染リスクが高い症例では、感染症をしっかり予防する必要があります（予防していても、起こすときは起こしますが）。

感染予防対策

- **カリニ肺炎予防**：抗菌薬のST合剤（バクタ®）の内服、または
  ペンタミジン（ベナンバックス®）の吸入
- **真菌感染予防**　：イトリゾール、または
  アムホテリシンB（ファンギゾン®シロップ）

- 強力な免疫抑制療法を行う症例では、いくつか事前検査をしておく必要があります。潜伏感染のチェックです。

ステロイド投与前の事前チェック

- **B型肝炎**（HBs抗原、HBc抗体、HBs抗体など）
- **結核**（クォンティフェロン、Tスポット®）

- 検査結果が陽性であった場合、免疫抑制療法により再活性化する可能性があります。肝臓内科あるいは呼吸器内科にコンサルトして、治療の必要性、あるいは予防薬投与の必要性を検討します。
- 感染予防として、うがい、手洗い、マスク着用を心がけるよう説明します。

ステロイドの副作用

ステロイド性糖尿病、体格の変化

ステロイド性糖尿病

- ステロイド投与によって糖尿病になる方がいます。いわゆる**ステロイド性糖尿病**です。潜在的に耐糖能低下のある場合は発症しやすいです。すでに糖尿病がある方は、高血糖に要注意です。
- ステロイド治療中は、定期的に血糖値を測定しましょう。高血糖を認めた場合は、糖尿病の治療に準じて経口糖尿病薬あるいはインスリンを用います。
- ステロイド服用開始後数時間で血糖上昇が顕著になることもあります。特にステロイドを大量投与する場合には、適宜、血糖を測定してインスリンのスケール打ちを行います。
- 注意が必要なのは、ステロイド使用量が一定ではないということです。初期治療が終了するとステロイドは漸減しますので、それに応じて血糖値も変化（低下）します。そのため、今度は低血糖にならないよう注意が必要です。
- ステロイドによる耐糖能障害は、食後および夕方の高血糖が特徴です。したがって、昼食後と夕食前に血糖測定を行い、耐糖能障害の有無を評価します。
- ステロイド減量によって高血糖が改善する場合もありますが、そのままインスリン導入になるケースもあります。

満月様顔貌（moon face）など体格の変化

- ステロイドの用量とその使用期間によって、体格の変化が出てきます。**中心性肥満**、顔が丸くなる（**満月様顔貌**）などの変化です。ちょうど、クッシング症候群（コルチゾールが増加した病態）で認められる症状と同じです。
- 褐色脂肪組織の多い顔面、肩に脂肪がつきやすいようです。通常は可逆性であり、ステロイドの減量・中止により改善します。
- ステロイドには脂肪を蓄積するだけでなく、食欲亢進作用もあるため、**体重増加**を認めるケースもあります。間食はなるべく避けるよう説明します。脂質異常症もきたしやすくなるので、カロリー制限について食事指導します。
- 以前経験した症例ですが、ステロイド治療により 2 ヵ月で体重が約 10kg 増えてしまった女性もいらっしゃいました。
- ステロイドを減量して 1 日 10mg 以下になれば、元の状態に戻ることが多いです。

ステロイドの副作用

ステロイド性骨粗鬆症

- ステロイドの副作用は骨にも生じます。**骨粗鬆症**を生じやすく、骨折の発生率も関連して増えてしまいます。腰のレントゲンを撮ってみたら圧迫骨折していたなど、無症候性の場合も少なくありません。
- 「骨粗鬆症の予防と治療ガイドライン2015」では、右の項目がステロイド骨粗鬆症における骨折の危険因子として挙げられています。
- **スコア3以上**の場合は薬物療法が必要です。そうすると、プレドニン換算で7.5 mg/日以上のステロイド内服中の方はスコア4点になるため、薬物療法の適応になります。
- **% YAM**とは、若年成人平均(young adult mean：YAM)の何パーセントに相当するかを表します。骨密度検査をすると必ず表示される数字です。80%未満であれば積極的に予防と治療を行います。
- 骨密度（BMD）がすでに低い、骨折歴あり、高齢、などにあてはまる方は、骨折のリスクが高いといえます。特に閉経後の女性は、もともと骨密度が低いため、注意が必要です。
- 治療・予防薬として、下記の治療薬が推奨されています。

骨折リスクの評価

危険因子		スコア
既存骨折	なし	0
	あり	7
年齢（歳）	＜50	0
	50≦　＜65	2
	≧65	4
ステロイド投与量(PSL換算mg/日)	＜5	0
	5≦　＜7.5	1
	≧7.5	4
腰椎骨密度(% YAM)	≧80	0
	70≦　＜80	2
	＜70	4

Suzuki Y, *et al. J Bone Miner Metab* 2014；32：337-50 より引用

ステロイド性骨粗鬆症の治療薬

- ビスフォスフォネート製剤
- 活性型ビタミンD_3製剤
- ヒト副甲状腺ホルモン
- ビタミンK_2製剤
- 選択的エストロゲン受容体モジュレーター（SERM）
- ヒト型RANKLモノクローナル抗体

ステロイドの副作用

大腿骨頭壊死

- **大腿骨頭壊死**とは、大腿骨頭への血行が障害されることによって大腿骨頭に陥没を生じ、股関節の機能障害を生じる疾患です。
- 発生部位は大腿骨頭が最も多いとされていますが、長管骨の骨端であればどこにでも起こりえます。自験例では、膝関節の骨頭壊死を認めた患者さんがいらっしゃいました。
- ステロイドパルス療法後や長期ステロイド治療例でみられます。

- 従来は単純 X 線写真で診断されてきましたが、骨に変化が生じていないと診断できません。
- 早期診断には MRI が有用です。MRI では発生直後の早期の虚血性変化が観察できるようになっています。

ステロイド治療中にみられた右大腿骨頭壊死

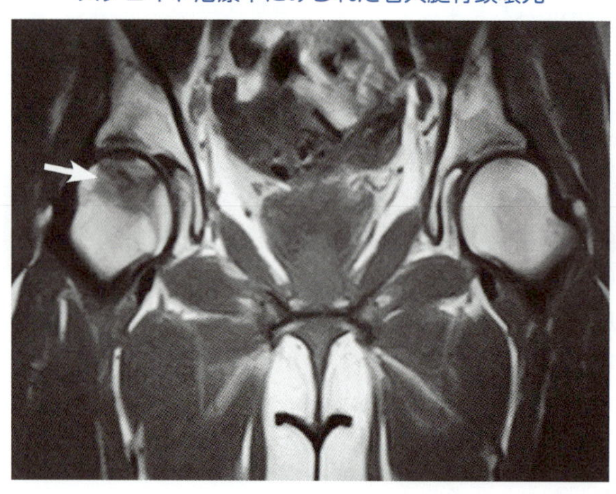

- 治療は、安静、荷重軽減と安定期の外科手術です。骨粗鬆症と異なり、残念ながら、現時点で予防法はありません。

ステロイドの副作用

その他の副作用

- ステロイド使用中は皮膚が薄くなり、ちょっとした刺激でアザ（**紫斑**）ができやすくなります。また、毛細血管が脆弱になり、**皮下出血**をきたします。高齢者の皮下組織が脆弱な人によくみられますが、対処法はなく、様子を見るしかありません。

- ステロイドにより水晶体が濁ったり、眼圧が上昇したりする方がいらっしゃいます。つまり、**白内障**や**緑内障**になりやすいということです。両方ともステロイドの用量と期間依存的に増加します。10mg/日以上の量と1年間以上の投与期間があると、合併しやすいと言われています。

- ステロイドによって視床下部・下垂体機能が低下し、**月経異常**を生じることがあります。高用量ステロイド内服中は無月経になる方もいます。ステロイド減量によって回復することが多いですが、産婦人科にコンサルトし、ホルモン療法で生理不順を治す場合もあります。

- ステロイドにはミネラルコルチコイド作用も多少あるため、水分や塩分が貯留して**高血圧**を生じます。対策は塩分制限です。降圧薬を用いる場合もあります。

- ステロイド使用時は、ステロイドがもつ異化作用により筋肉組織が減少します。いわゆる、**ステロイドミオパチー**（筋症）です。筋組織量は、MRIで定量的評価が可能です。筋原性酵素（CKやアルドラーゼ）は上昇しません。治療法はなく、ステロイドを減量するしかありません。プレドニゾロン換算で10mg/日以下になると回復が期待できます。

- **胃潰瘍**は古くからステロイドの副作用として知られています。特にNSAIDsと併用した際に、消化性潰瘍のリスクが増加します。上腹部症状がなくてもプロトンポンプ阻害薬を併用するのが一般的です。

- ステロイド大量投与により**精神症状**をきたすことがあります。気分の変化、神経質、集中できない、躁症状などです。ステロイド減量により軽快しますが、対症療法として抗精神病薬、抗不安薬、睡眠導入薬などを用います。対応困難な場合は、速やかに精神科にコンサルトします。

ステロイドの投与法

- ステロイドは、その免疫抑制作用や抗炎症作用を期待して、ネフローゼ症候群、糸球体腎炎、間質性腎炎、移植腎拒絶反応など腎疾患に幅広く使用されます。
- 腎疾患におけるステロイドの主な投与法には、**経口ステロイド療法**と**ステロイドパルス療法**があります。
- 経口投与の**初期量**は疾患によって異なりますが、プレドニゾロン（プレドニン®）として0.8～1.0mg/kg/日で初期治療を開始することが多いです。
- 基本的には最初に十分な量を投与し、徐々に減量していく**漸減法**を用いるのが一般的です。

> • **漸減法**：初期量を１ヵ月投与後、２～４週おきに10%減量

ステロイドパルス療法

- **パルス療法**とは大量のステロイドを間欠的に投与する方法です。大量投与することによって強力な効果を期待し、間欠投与することによって副作用を抑えるために考えられた方法です。
- 血中濃度を一気に上げて強力な薬効を得ると同時に、速やかに血中濃度を下げることによって副作用を軽減させることができます。通常、血中濃度の上昇および低下の速やかな静注製剤を用います。
- 一般的には、メチルプレドニゾロン（ソル・メドロール®）を１回1g、週に３日間の点滴を１クールとして投与するなどの方法が用いられます。

ステロイド投与量の推移（例）

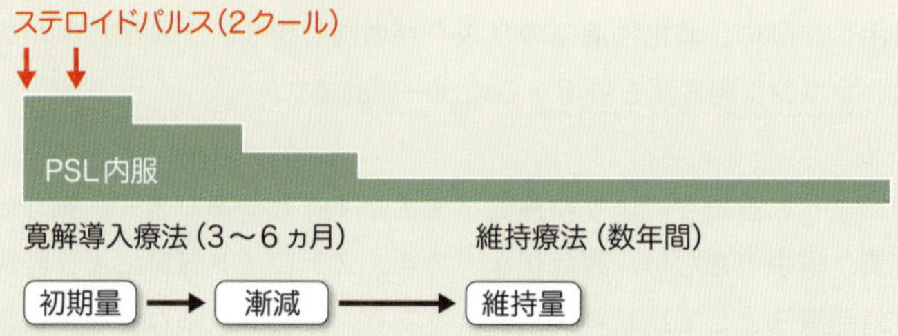

ステロイドパルス(2クール)
PSL内服
寛解導入療法(3～6ヵ月)
維持療法(数年間)
初期量 → 漸減 → 維持量

ステロイド離脱症候群

- ステロイド投与中は患者さんが自己判断でステロイドを急に減らしたり、中止したりしないよう注意が必要です。もちろん他の薬でもそうなのですが、ステロイドでは急に服用を中止すると大変なことが起こってしまいます。

ステロイド中止あるいは急激な減量が引き起こす問題

- **離脱症候群**：ステロイドの急激な減量後に一時的な欠乏が起こり、急性副腎不全のような状態に陥る
- **リバウンド現象**：ステロイドの急激な減量によって、症状のコントロールに必要な量に満たなくなり、病状の再燃、増悪が起こる

- 長期間のステロイド治療中は、視床下部や下垂体前葉に negative feedback がかかり、体内の副腎皮質ホルモンの合成が著しく減少しています。
- このような状態でステロイドの服用を急にやめてしまうと、副腎皮質ホルモンの血中濃度が極端に低下し、生命を維持するのに最低限必要なホルモンさえ作ることができず、**急性副腎不全**の状態になってしまいます。
- 血圧低下、ショック、吐き気、嘔吐、腹痛、脱力、倦怠感、発熱、錯乱や昏睡などをきたし、**ステロイド離脱症候群**と呼んでいます。

- 次のようなケースで注意が必要です。

視床下部－下垂体－副腎（HPA）軸の抑制が生じるケース

- プレドニゾロンで 20 mg/日以上の量を 3 週間以上服用
- 朝のみでなく夜の服用も数週間以上続けている

- ステロイド離脱症候群を避けるためにも、3 週間以上投与された場合、ステロイドの減量はゆっくり行います。急に止めると、原疾患の症状悪化が心配です（**リバウンド現象**）。

- 患者さんには「内服を急に止めない」「定められた量を守る」ということを十分理解していただく必要があります。

ステロイドは基本的に朝投与する

- 一部のホルモンは体内時計に従って、決まった時間帯に分泌されます。副腎皮質ホルモンは朝の分泌が多いホルモンです。そのため、自然の日内変動に近づける意味で朝に処方される場合が多いのです。
- プレドニゾロン（プレドニン®）などの内服薬を1日1回で使う場合は、朝に飲むのが基本です。

ステロイドを朝投与する理由

- 体内のステロイド分泌の日内変動に合わせるため

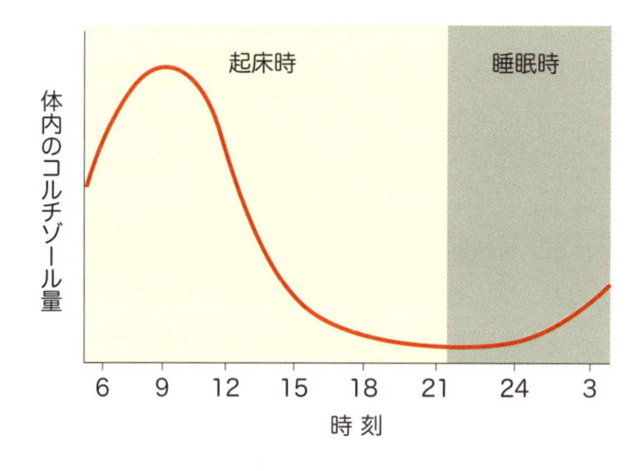

- ステロイドの初期量が多い場合は、必ずしも1日1回で使うわけではありません。1日2～3回に分けて飲むこともあります。
- その場合でも、薬の1日量を均等に2～3回に分けるのではなく、朝の量を多めに設定します。朝夕ではなく朝昼に設定するなど、できるだけホルモンの自然な増減リズムに合わせて使うことが大切です。
- さらにステロイドには覚醒作用があるため、夜にステロイドを内服すると眠れなくなってしまいます。

ステロイドの対象疾患

- ステロイドはすべての腎炎に有効なのでしょうか？
- 答えは「No」です。下表のように、腎炎のタイプによってステロイドの有効性が異なります。たとえば、微小変化型ネフローゼでは劇的な効果を示します。活動性 SLE もステロイド療法が必須です。
- 膜性腎症や巣状糸球体硬化症、膜性増殖性糸球体腎炎、進行型の IgA 腎症でもステロイド治療を行いますが、有効性は症例によって様々です。
- 一方、糖尿病性腎症は炎症性疾患ではないため、ステロイドは無効です。むしろ血糖値を上げて糖尿病を悪化させてしまいます。

腎疾患に対するステロイドの効果

◎ 効果が非常に期待できる
微小変化型ネフローゼ

○ 効果がある程度期待できる
IgA 腎症
膜性腎症
ループス腎炎
ANCA 関連腎炎

△ あまり期待できないが、試してみる
巣状糸球体硬化症
膜性増殖性糸球体腎炎

✕ 効果が期待できない（使用しない）
糖尿病性腎症
高血圧性腎硬化症
アミロイドーシス

- ステロイド治療でも疾患活動性をコントロールできない場合は、免疫抑制薬の併用を行います。

好酸球数からステロイドの効果を予測する

- 腎疾患の治療に際して、ステロイドの治療効果が乏しい場合、悩むことがあります。

  ステロイドの使用量が少ないのか？
  免疫抑制薬を追加した方がいいのか？
  ステロイドをきちんと内服しているのか？　怠薬はないか？

- あらかじめ副作用を説明して治療を始めるのですが、若い女性の場合、満月様顔貌などを嫌って、指示通りに服用していただけないこともまれにあります。
- このような場合は**好酸球数**をチェックしてみましょう。ステロイド内服中は末梢血に白血球が増えますが、好酸球数はゼロになります（ステロイド量が少なければ必ずしもそうではありませんが）。
- もし好酸球数がゼロでなければ、ステロイド量が不十分、またはステロイドがきちんと体内に吸収されていない可能性があります。内服状況を確認したり、投与ルートの変更（内服を点滴に変更など）を検討します。

Case study

【症例】　ネフローゼ症候群の患者さんに腎生検を施行し、微小変化型と診断。ステロイド内服開始するも尿蛋白改善せず、巣状糸球体硬化症も疑ったが、末梢血の好酸球数がゼロでなかった。全身浮腫が著明であり、腹部CT上、腸管浮腫もあったため、ステロイドがきちんと吸収されていないと判断し、点滴静注に変更したところ、すみやかに尿蛋白は陰性化した。

Case study

【症例】　ループス腎炎に対してステロイド維持療法中の若年女性。何のきっかけもなく蛋白尿が増え、再燃と診断された。これまでは好酸球数ゼロであった。しかし、再燃時は好酸球数がゼロではなかったため、ご本人によく聞いてみると、moon faceが嫌なのでステロイドを自己中断していたことを告白した。

腎炎の治療に抗凝固薬、抗血小板薬を用いる理由

抗凝固薬

- 糸球体腎炎では血液が凝固しやすくなっています。糸球体や小血管に**フィブリン**の沈着が認められ、血中や尿中で**フィブリン分解産物**（**FDP**）の上昇もみられます。糸球体血管内凝固が腎炎の進展に関与するため、抗凝固薬による過凝固の改善が腎炎の改善にもつながると考えられています。
- 腎生検で半月体形成、糸球体硬化、ボウマン嚢との癒着などが目立つ場合にも抗凝固薬が有効です。さらにネフローゼでは血栓症を合併することもあるため、これも抗凝固薬の適応になります。
- 抗凝固薬の至適投与量の設定には、ワルファリン（ワーファリン®）の場合、**PT-INR**（プロトロンビン時間 - 国際標準比）を用います。
- 入院患者ではヘパリンを使用することもあります。ヘパリンの場合は **APTT**（活性化部分トロンボプラスチン時間）の延長の程度をみて投与量を調節します。

抗血小板薬

- 腎炎の治療に抗血小板薬を用いる場合もあります。慢性糸球体腎炎、ループス腎炎などでは、糸球体内での血小板機能の亢進が病態を悪化させています。したがって、糸球体毛細血管内での良好な血流を保つために抗血小板薬を用いて血液をサラサラにします。
- わが国では主に**ジピリダモール**（ペルサンチン®）、**塩酸ジラゼプ**（コメリアン®）が用いられます。
- 保険適応はありませんが、海外ではイコサペント酸エチル（エパデール®）がIgA 腎症の予後を改善するという報告があります。

RAS阻害薬による腎保護メカニズム

- 高血圧の治療では様々な降圧薬が用いられますが、その中でもレニン・アンジオテンシン系（RAS）阻害薬には腎保護効果があることが知られています。

主な降圧薬の種類と作用

- **RAS阻害薬** ………… 血圧上昇ホルモンを抑制 ➡ **腎保護作用あり**
- **カルシウム拮抗薬** ………… 血管を拡張
- **利尿薬** ………… 塩を尿中に排泄
- **β遮断薬・α遮断薬** ………… 交感神経の働きを抑制

- RAS阻害薬は降圧薬として全身の血圧を下げる効果があります。腎臓では輸入細動脈を拡張せずに輸出細動脈を拡張させることがわかっています。これによって、糸球体内圧を下げて蛋白尿を減らすことができるわけです。
- これは、**アンジオテンシンⅡ受容体**が輸出細動脈に多いためと考えられています。実際、糖尿病性腎症患者でアンジオテンシンⅡ受容体拮抗薬（ARB）の腎保護効果が証明されています（☞228ページ）。
- 糖尿病性腎症では糸球体内圧が亢進しているため、RAS阻害薬による糸球体後負荷軽減により、腎保護作用が期待できます。

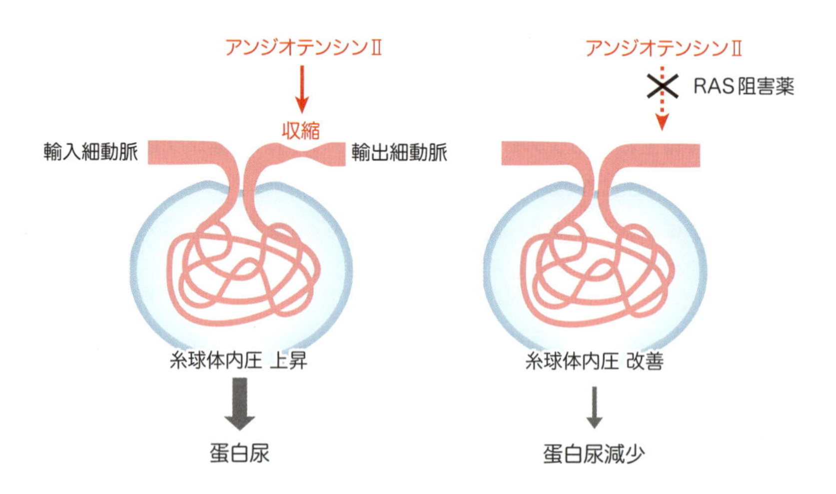

- アンジオテンシンⅡは、メサンギウム細胞の増殖因子の1つです。したがって、RAS阻害薬によってその作用を抑制すると、メサンギウム細胞や基質の増加を抑制して糸球体硬化を減らすのでは、と期待されています。

第7章

遺伝性腎疾患

検尿異常や腎障害を生じる患者さんの中には、ご両親や親戚の中に腎疾患を患っていた方や透析を行っていた方がいる場合があります。

このようなケースでは、遺伝性腎疾患の可能性がありますので注意深い問診が必要です。

代表的な遺伝性腎疾患として、画像検査で診断がつく多発性嚢胞腎や、腎生検によって診断を確定するアルポート症候群があります。ファブリー病は血液検査で診断することが可能です。予後の良い菲薄基底膜腎症もあります。

この章では、上記４つの遺伝性腎疾患について説明します。

多発性嚢胞腎とは

- **多発性嚢胞腎**は、「両側の腎臓に多発性に嚢胞が生じて慢性腎不全を生じる遺伝性腎疾患」と定義されています。
- 最も頻度の高い遺伝性腎疾患です。遺伝形式から常染色体優性遺伝と常染色体劣性遺伝の2つに分けられます。

多発性嚢胞腎の分類

- **常染色体優性**多発性嚢胞腎
  (Autosomal Dominant Polycystic Kidney Disease：ADPKD)
- **常染色体劣性**多発性嚢胞腎
  (Autosomal Recessive Polycystic Kidney Disease：ARPKD)

- 常染色体劣性遺伝で発症するARPKDは、主に新生児期に発症します。我々内科医が診療する可能性があるのは、常染色体優性遺伝で発症するADPKDです。

常染色体優性遺伝形式

- **常染色体優性遺伝**とはどのような遺伝形式か、再確認してみましょう。
- たとえば、変異遺伝子を持っている母親から生まれた子供は、メンデルの法則に従ってその50%が変異遺伝子を受け継ぐことになります。親から変異遺伝子を引き継いだ子供は、100%発病します。
- ただし、あくまでも確率なので、すべての子供に遺伝するケースもあれば、すべての子供に遺伝しないケースもあります。
- 多発性嚢胞腎の推定患者数は3万1000人です。頻度は約4000人に1人です。
- 透析導入の原因となる腎疾患のうち、多発性嚢胞腎は約3%で、5番目に多い疾患です（第1位は糖尿病性腎症）。

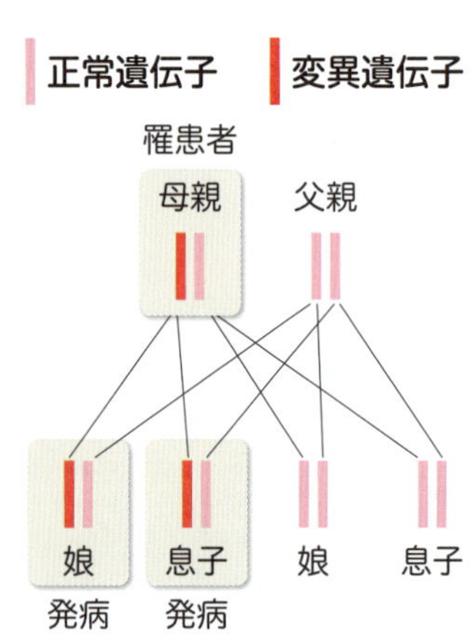

原因

- この病気は**PKD 遺伝子**の変異が原因です。約 85%の患者は *PKD1* 遺伝子の変異、約 15%の患者が *PKD2* 遺伝子の変異と考えられています。*PKD* 遺伝子はポリシスチン蛋白をコードする遺伝子です。
- **ポリシスチン**とはどのような蛋白でしょうか？　腎尿細管上皮細胞には、一次線毛（cilia）というヒゲのような構造があります。一次線毛は、尿の流れを感知するセンサーとして機能しています。ポリシスチン蛋白はこの一次線毛に存在し、細胞内へのカルシウム流入を調節しています。
- 尿細管細胞内へのカルシウム流入は細胞増殖に深く関わっていることがわかっています。ですから、ポリシスチン蛋白の機能異常が起こると細胞内へのカルシウム流入が減少し、細胞内 cAMP 濃度が増加して、細胞増殖や尿細管径の増大、嚢胞形成が誘導されてしまうわけです。

診断

- 多発性嚢胞腎の診断は簡単です。家族歴と画像診断で行います。嚢胞が 1 つだけだったら、**単純性嚢胞**です。両側の腎臓に嚢胞が複数確認できたら、**嚢胞腎**の可能性を考慮します。
- スクリーニング検査としてエコーは非常に有用です。嚢胞の有無、数、大きさを確認します。重症度や進行度の評価には、CT や MRI の方が向いています。

腹部エコー

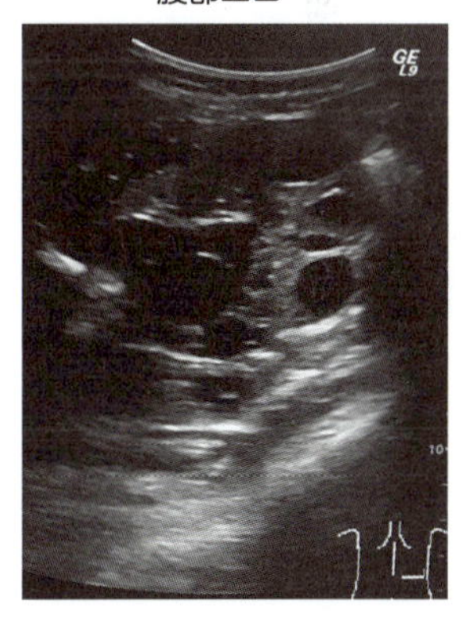

単純 CT 画像

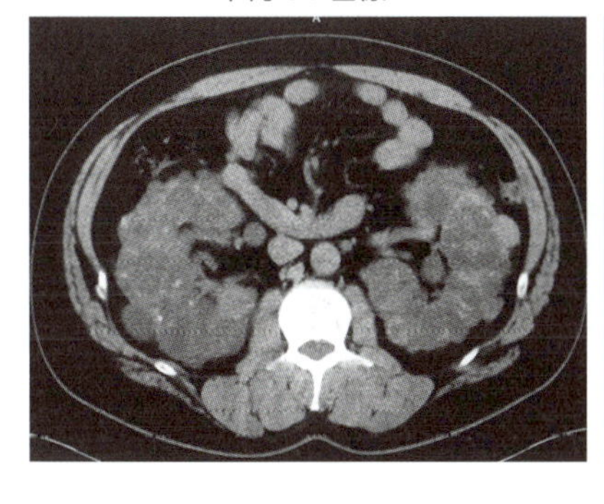

MRI T2 強調画像

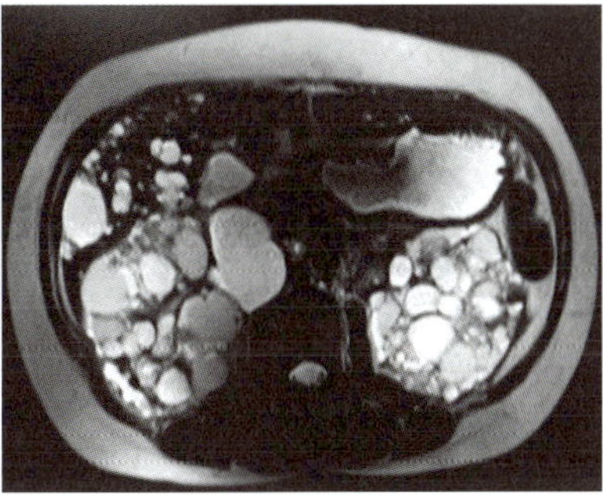

多発性嚢胞腎の診断基準

- **家族内発生が確認されている場合**
  1）超音波断層像で両腎に各々**3個以上**確認されているもの
  2）CT、MRIでは、両腎に嚢胞が各々**5個以上**確認されているもの

- **家族内発生が確認されていない場合**
  1）15歳以下：CT、MRIまたは超音波断層像で両腎に各々**3個以上**嚢胞が確認され、以下の疾患が除外される場合
  2）16歳以上：CT、MRIまたは超音波断層像で両腎に各々**5個以上**嚢胞が確認され、以下の疾患が除外される場合

- **除外すべき疾患**

  多発性単純性腎嚢胞
  尿細管性アシドーシス
  多嚢胞腎（多嚢胞性異形成腎）
  多房性腎嚢胞
  髄質嚢胞性疾患（若年性ネフロン癆）
  多嚢胞化萎縮腎（後天性嚢胞性腎疾患）
  常染色体劣性多発性嚢胞腎

嚢胞の大きさと腎機能の関係

- 腎嚢胞の大きさ（腎容積）と腎機能には相関があります。腎炎などの場合、腎機能の低下とともに腎臓は萎縮して小さくなります。多発性嚢胞腎の場合はその逆で、腎容積が大きければ大きいほど、腎機能は低下しています。

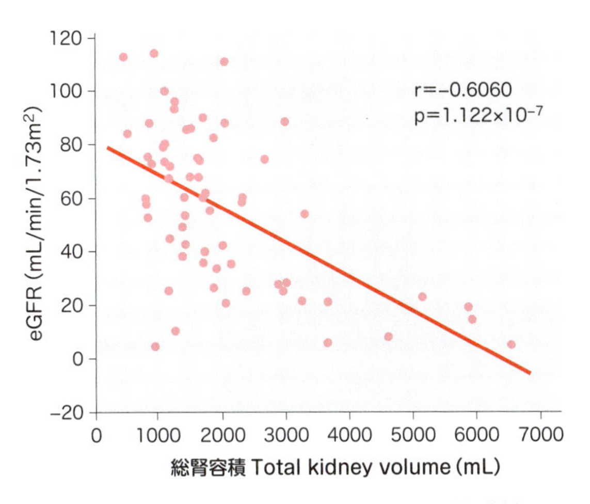

（Higashihara, *et al.* *CEN* 2014；18：157-65 より改変）

- 実際に嚢胞腎の患者さんを診察していると、嚢胞の拡大率に個人差があることを実感します。急速に嚢胞が増大して腎機能の進行が早く、すぐに透析導入になるケースと、嚢胞の拡大率が非常にゆっくりで腎機能の低下も緩やかなため、透析導入には至らないケースがあるのです。

- 嚢胞拡大に関与する要因にはいくつかあります。その要因の１つは ***PKD*** **遺伝子**です。*PKD2* 遺伝子変異と比べて、*PKD1* 遺伝子変異は急速に腎容積が増大する傾向にあります。透析導入に至る年齢も、*PKD1* 遺伝子変異の方が *PKD2* 遺伝子変異よりも早いことが知られています。

- 嚢胞拡大に影響するもう１つの要因は**高血圧**です。高血圧は嚢胞腎の腎不全進展のリスク因子です。嚢胞腎に限らず、すべての腎疾患で言えることですが、血圧をきちんとコントロールすることが重要です。

多発性嚢胞腎の合併症

- 嚢胞腎には様々な臓器合併症があります。

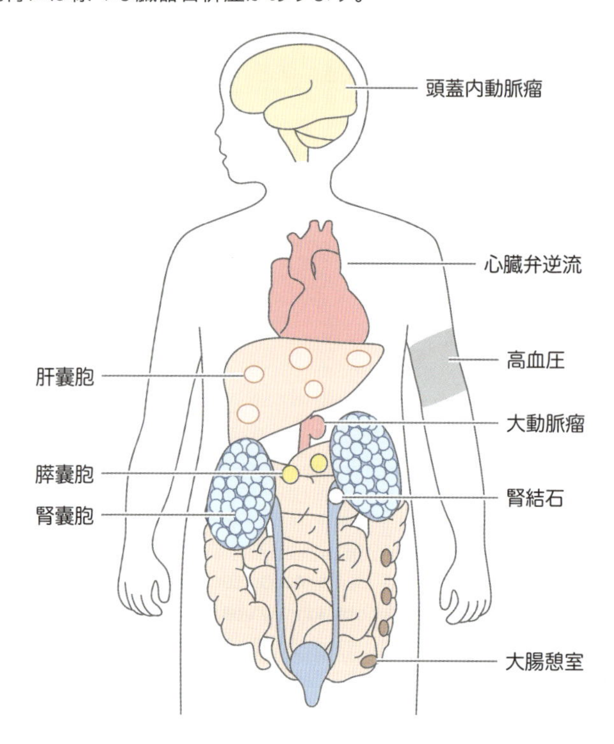

（多発性嚢胞腎診療指針：日腎会誌 2011；53(4)：558 より引用）

脳動脈瘤

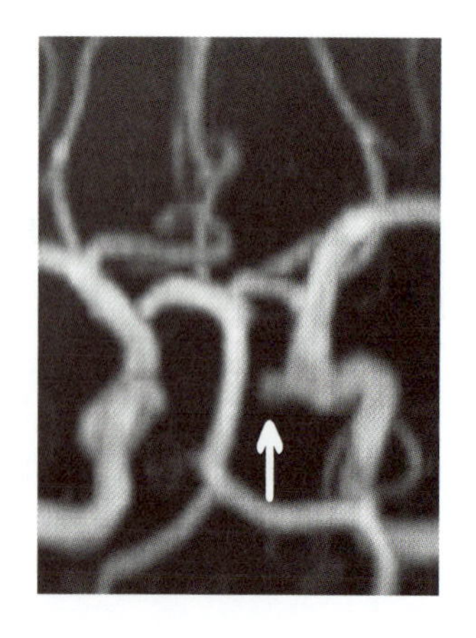

- 最も注意すべき重要な合併症は脳動脈瘤で、**クモ膜下出血**の原因となります。一般人口と比べて高頻度で脳動脈瘤を合併し、若くしてクモ膜下出血を発症することが多いです。
- したがって、多発性嚢胞腎の患者さんを診たら、必ず頭部 MR angiography による頭蓋内動脈瘤のスクリーニングを行いましょう。もし動脈瘤が見つかった場合は、クリッピングなどの治療の適応について脳神経外科にコンサルトします。

肝嚢胞

- 肝臓は、腎臓に次いで嚢胞の好発部位です。MRI 診断では約 8 割の嚢胞腎患者に肝嚢胞が存在していることがわかっています。膵臓、卵巣、甲状腺にも嚢胞を認めることがあります。
- 根本的な治療法はありません。圧迫症状が強い場合は、症状軽快を目的として外科的手法がとられます。症状の個人差が大きいため、個々の症例に応じて様々な手法が検討されます。

嚢胞感染

- 嚢胞感染を合併するケースもたまに経験します。閉鎖腔である嚢胞内で細菌の増殖をきたすため、難治性です。嚢胞出血は嚢胞内血管の破綻によるもので、疼痛や血尿の原因となります。嚢胞の圧迫によって尿流が停滞し、結石ができやすいと考えられています。
- 嚢胞内に浸透するのは脂溶性の薬剤に限られます。そのため脂溶性でグラム陰性桿菌に効果の高い抗菌薬の使用が望ましく、ニューキノロン系のシプロフロキサシンや、ST 合剤、マクロライド系のエリスロマイシン、およびクリンダマイシンなどが使用されます。
- 腹痛は頻度の高い自覚症状の 1 つです。腹部膨満感や肉眼的血尿を認めるケースも多いです。一方、糸球体病変の合併はないため、蛋白尿を認めることは少ないです。

Case study

【症例】 60 代女性。多発性嚢胞腎のため外来通院中。血清クレアチニン値 2.53 mg/dL、Hb 12.0 g/dL 前後で推移。1 週間前に腹痛と同時に肉眼的血尿を自覚。腹痛はすぐ治まったため、様子を見ていた。来院時、労作時息切れあり。Hb 7.0 g/dL。

- 緊急で腹部 CT を施行したところ、嚢胞出血を認めたため、同日入院となりました。連日、輸血と止血剤点滴を行い、経過観察したところ、貧血は改善し、肉眼的血尿も消失しました。
- 本例は嚢胞出血を認めた多発性嚢胞腎の症例です。もし腹痛が持続し、出血が止まらなかったら、塞栓術や腎臓摘出術を検討しなければなりませんでした。その場合は、腎機能のさらなる悪化を伴い、そのまま透析導入になる可能性もありましたが、幸いにも保存的治療で止血し、経過観察となりました。

多発性嚢胞腎の治療

- 残念ながら現時点で嚢胞腎に対する根本的な治療法はありません。高血圧、嚢胞感染、脳動脈瘤などの合併症に対する対症療法が中心となります。

- 嚢胞出血に伴う疼痛の場合にはNSAIDs、感染に伴う疼痛の場合には抗菌薬の使用を検討します。
- 嚢胞感染は難治性のことが多いです。嚢胞内への移行性を考慮し、脂溶性でグラム陰性桿菌に効果の高いニューキノロン系抗菌薬、ST合剤、マクロライド系抗菌薬などを使用します。
- 嚢胞の増大による圧迫症状、疼痛、感染によるQOLの改善目的に外科的な腎摘除術、嚢胞ドレナージ術、嚢胞開窓術などが行われます。また、透析導入患者においては腎動脈塞栓療法（TAE）が施行されるケースもあります。

- 腎機能障害が進行して末期腎不全に至った場合は、血液透析や腎臓移植を実施します。嚢胞腎では腹腔内のスペースが少ないため、腹膜透析は困難です。

- 2014年、バソプレッシン受容体拮抗薬の**トルバプタン**が嚢胞腎に対する治療薬として保険適応が承認されました。バソプレッシンは視床下部から分泌され、抗水利尿ホルモンとして機能します。このホルモンの作用をブロックすることにより、尿細管細胞内のサイクリックAMP濃度を下げて細胞増殖を抑制し、ひいては嚢胞の拡大を抑制することが期待できます（Torres VE, *et al. N Engl J Med* 2012；367:2407-18）。

多発性嚢胞腎の予後

- 嚢胞腎という疾患は、腎不全になって透析導入になる可能性がありますが、他の腎疾患と比較して予後はそれほど悪くありません。透析導入後の生存率を比較したグラフでは、糖尿病性腎症や腎硬化症よりも生存率は高く、慢性糸球体腎炎と同程度です。

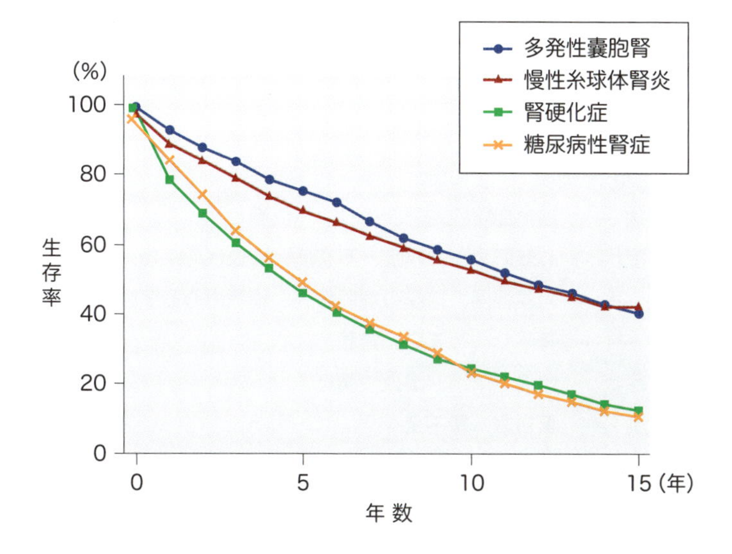

（わが国の慢性透析療法の現況：透析会誌 2001；34：1-31 より引用）

第7章 遺伝性腎疾患

ファブリー病

- ファブリー病は遺伝性の酵素欠損病です。ライソゾーム酵素の 1 つである **α- ガラクトシダーゼ**の欠損により、基質である**グロボトリアオシルセラミド（GL-3）**が蓄積して様々な障害を起こします。
- 皮膚科医である Anderson 博士と Fabry 博士が「被角血管腫を伴う症例」を発表したのが初めての報告です。その後、蓄積物質が証明され、欠損酵素の発見につながりました。
- **X 染色体劣性遺伝**形式をとり、様々な症状を呈しますが、腎障害も合併します。

ファブリー病の臨床症状

- 皮膚症状 ……… 被角血管腫、下肢のリンパ浮腫
- 循環器症状 …… 心筋肥大、弁膜症、不整脈、虚血性心疾患、刺激伝導障害
- 眼症状 ………… 角膜混濁、結膜の静脈怒張、網脈中心動脈閉塞症
- 耳症状 ………… 耳鳴り、めまい、難聴
- 消化器症状 …… 腹痛、下痢、虚血性腸炎
- **腎症状 ………… 蛋白尿、腎不全**
- 神経症状 ……… 四肢の痛み、低汗症、脳梗塞、頭痛

X 染色体劣性遺伝形式

- α- ガラクトシダーゼ遺伝子は、X 染色体の中にあります。病気を引き起こす異常な X 染色体の遺伝子は、正常な X 染色体の遺伝子によって補われるため、XX である女性では発症しにくいとされています。
- 一方、XY である男性の場合は、異常な X 染色体を補う遺伝子が Y 染色体に存在しないため発症しやすいとされています。
- ファブリー病の母親からは男児、女児が 2 分の 1 の割合で遺伝します。父親からは女児に遺伝しますが、男児には遺伝しません。患者さんによって症状の出方が異なるため、遺伝子異常だけですべての症状や程度を説明できるわけではありません。

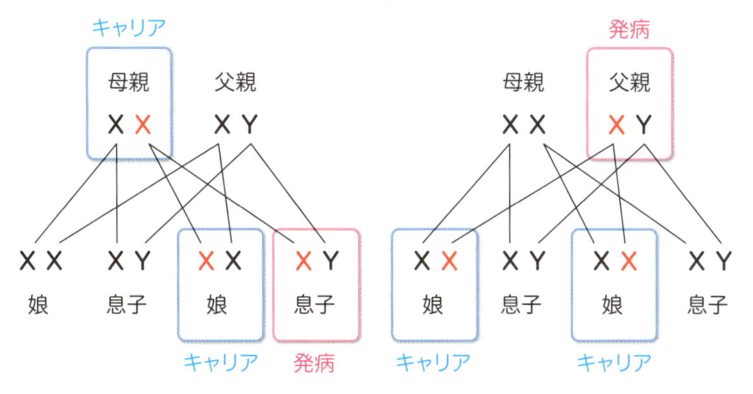

診断・治療

- 多彩な全身症状、腎不全の家族歴を有することが診断の手がかりになります。血液中の血漿、白血球、あるいは尿中のα-ガラクトシダーゼ活性の測定を行います。酵素活性の欠損や低下が認められれば確定診断となります。

- 腎臓はファブリー病の代表的な標的臓器の1つです。腎臓を構成するあらゆる細胞に**GL-3の沈着**が起こります。
- 腎生検上、電子顕微鏡では、主に糸球体上皮細胞内にあたかもミエリン鞘のような層状構造を示す沈着物を多数認め、シマウマの皮紋状封入体（**ゼブラ小体**）と呼ばれます。

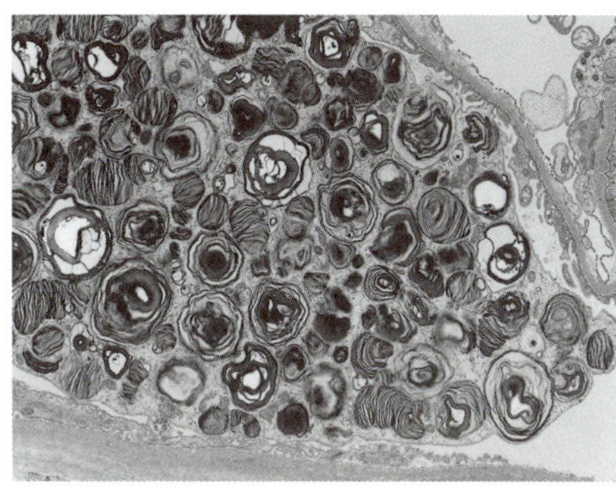

（湯村和子：臨床のための腎病理, 日本医事新報社, 2010, p175より引用）

- 思春期に微量アルブミン尿と尿濃縮能の低下が出現します。30代にGFR低下と蛋白尿が明らかになることが多く、40～50代には末期腎不全に進行します。
- **酵素補充療法**の治療薬として遺伝子組換え製剤が認められています。α-ガラクトシダーゼを製剤化した薬を点滴で補充し、体内で蓄積している糖脂質（GL-3）を分解・代謝する治療法です。症状の改善や病気の進行を抑えることが期待できます。

アルポート症候群

- アルポート症候群は、持続性の顕微鏡的血尿、蛋白尿や腎機能低下を伴う**進行性の腎炎**です。感音性難聴や眼の異常を合併します。Alport 医師によって発表された、難聴を合併する慢性腎炎の家系が最初の報告です。

遺伝様式

- 糸球体基底膜の構成成分であるⅣ型コラーゲンα鎖の遺伝子異常が原因です。遺伝形式は図に示すような **X 染色体連鎖型**が大部分を占めます。
- 発症頻度は欧米では 5000 ～ 10000 人に 1 人とされ、人種差や地域差はないとされています。

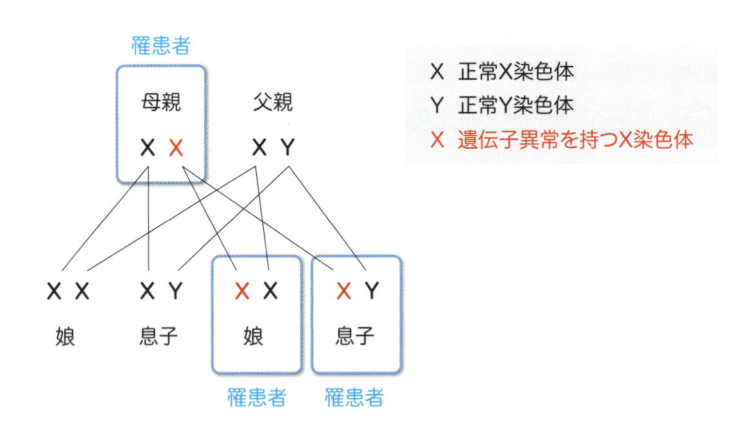

アルポート症候群の遺伝形式（頻度）と末期腎不全到達年齢

- **X 染色体連鎖型**（80%）……… 男性は平均 25 歳、女性は 40 歳で 12%
- **常染色体劣性型**（15%）………… 平均 21 歳（男女同じ）
- **常染色体優性型**（5%）…………… 平均 60 歳前後（男女同じ）

診断

- 診断は家族歴、腎生検、腎外症状がポイントです。家族性の腎障害、特異な電顕像、α鎖の分布異常、腎外症状から総合的に診断します。
- **感音性難聴**は7～10歳ごろ両側性に出現し、まず高周波領域における聴力低下が起こり、進行性に増悪していきます。遺伝性腎炎の患者の約1/3に難聴がみられます。男児に多く、女児にはまれです。感音性難聴は40歳までに80～90%の男性患者で認められます。
- 腎機能は小児期には正常ですが、思春期以後徐々に低下します。男性患者では発症が早く進行性で、多くは30歳代までに腎不全に至ります。女性患者では腎機能の低下が緩やかで、軽度の尿異常のみで経過することが多いです。

治療

- 現時点でアルポート症候群に有効な治療法はありません。基本的には下記のような保存的治療になります。

アルポート症候群の治療

- 高血圧のコントロール
- 進行性腎機能障害による合併症のマネージメント

菲薄基底膜腎症

- 菲薄基底膜腎症は、「**良性家族性血尿**」とも呼ばれる病気です。糸球体基底膜が薄くなってしまう遺伝性疾患で、遺伝様式は**常染色体優性遺伝**と考えられています。
- 通常、糸球体基底膜の厚さは成長とともに増加します。10歳前後で成人の基底膜の厚さに達し、それ以後はほぼ一定と考えられています。菲薄基底膜病は、糸球体基底膜の成長過程の異常と推測されていますが、詳細は不明です。
- 持続的な**顕微鏡的血尿**と、ときに生じる肉眼的血尿が特徴です。血尿が出現する機序は、糸球体基底膜の菲薄化による糸球体基底膜の脆弱性が関与していると推測されています。
- アルポート症候群と違い、蛋白尿、腎機能低下、腎外の異常などは認められません。
- 腎生検では、光顕所見は正常です。電顕所見で糸球体基底膜の不規則な菲薄化と緻密層の密度低下を認めます。

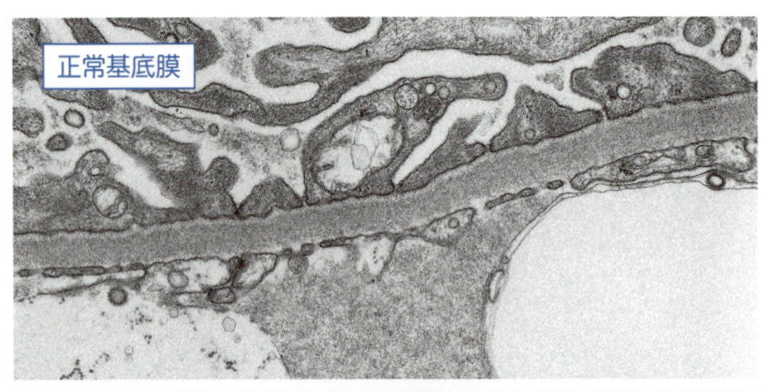

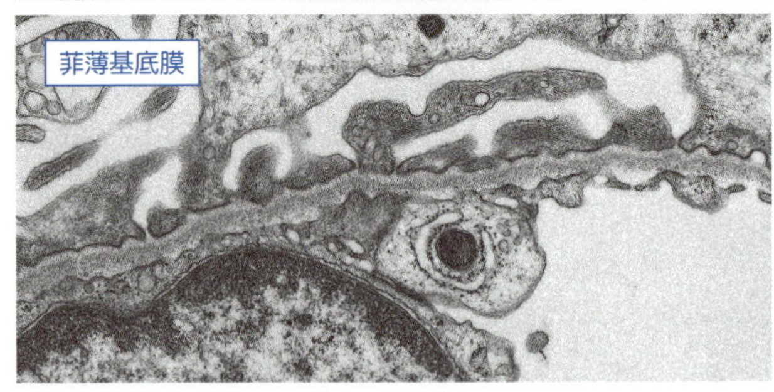

(湯村和子：臨床のための腎病理, 日本医事新報社, 2010, p164より引用)

- 基本的に良性疾患であるため、治療は行いません。

第8章
慢性腎不全

慢性腎不全の患者さんから「腎機能はいったん悪くなると元に戻らないのは本当ですか？」と聞かれることがあります。

そのときは「残念ながら、本当です。現状維持が治療の目標になります。食事療法や内服薬で、これ以上腎機能が悪くならないようにしましょう」と説明しています。

精密な血液濾過装置である糸球体は、いったん壊れると元に戻りません。でも、老廃物は常に排泄する必要があります。残された糸球体は無理をして血液を濾過しようと頑張り過ぎてしまいます（糸球体過剰濾過）。この状態が持続すると次第に疲れて、壊れていきます。慢性腎不全では、この悪循環が続いてしまうわけです。

働く人が減ると、残された人の仕事量が増えるのと同じことです。糸球体も人も同じですね。

したがって、慢性腎不全では「残された腎臓（糸球体）の負担を軽くするための治療」が必要になります。

慢性腎不全とは

病態

- 慢性腎不全は「数ヵ月ないし数年にわたって持続的に腎予備能力が低下し、腎機能不全に至って体液の量・質的恒常性が維持できなくなり、多彩な症状を呈する症候群」と定義されています。
- 末期腎不全になると、乏尿、貧血、むくみ、食欲不振、倦怠感、口臭、頭痛、かゆみなどの症状が現れ、いわゆる**尿毒症**の状態となります。

慢性腎不全の病態

糸球体濾過障害 （GFR 低下）	BUN 上昇・Cr 上昇 → **尿毒症**
	水排泄低下 → 高血圧、心不全、肺水腫
尿細管障害 （電解質、酸の排泄障害）	**高 K 血症**
	代謝性アシドーシス
	高リン血症 → PTH 上昇 → **二次性副甲状腺機能亢進症**
内分泌機能障害	ビタミン D 活性化⇓ → 低 Ca 血症 → PTH 上昇 → 二次性副甲状腺機能亢進症
	エリスロポエチン産生低下 → **腎性貧血**

治療

- 老廃物の排泄、水分調節、電解質調節、エリスロポエチン産生などが機能不全に陥るため、それぞれに対する治療を行います。
- 具体的には、塩分、水分、蛋白質、カリウム、リンを控えた高カロリーの**食事療法**とそれぞれの症状に対する**薬物療法**が中心となります。

慢性腎不全はなぜ悪くなる一方なのか

- 慢性腎不全の状態になると、腎機能が正常に戻ることはありません。なぜでしょう。簡単に言うと、以下のような悪循環を繰り返すためです。残された糸球体の負担がどんどん大きくなってしまうのですね。

腎機能が低下すると（機能する糸球体が減少すると）

→ 残された糸球体が無理をして老廃物を排泄
　→ 個々の糸球体の負担が増える
　　→ 糸球体障害が増強し、正常な糸球体がさらに減少
　　　→ 残された糸球体がさらに無理をして老廃物を排泄
　　　　→ 腎機能がさらに低下

- たとえば、10の仕事を10個の糸球体が担うと仮定します（下図）。◯の面積は個々の糸球体の仕事量を示していますが、腎機能の低下とともに糸球体1個あたりの仕事量がどんどん増えてしまうのがわかります。

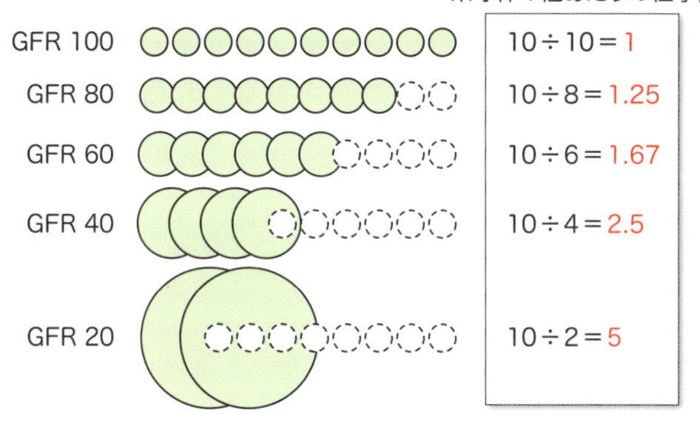

- 腎機能の低下に伴って個々の糸球体の負担が増す結果、進行性に糸球体が破壊されていきます。そのため、正常な糸球体が減って腎機能の低下がさらに進み、末期腎不全に至ってしまうわけです。この考え方は**糸球体過剰濾過仮説**（hyperfiltration theory）と呼ばれています。
- ですから、血圧や血糖コントロール、食事療法（蛋白制限）を行うことによって、個々の糸球体の負担をなるべく軽減しよう、この悪循環を断ち切って腎不全の進行を遅らせよう、というのが腎不全治療の基本的な考え方です。

腎不全に伴う血清 Cr 値の推移

- 慢性腎不全は徐々に進行する病態ですが、血清クレアチニン（Cr）値や eGFR は腎機能の低下とともにどのような変化を示すのでしょうか。
- 下のグラフは、腎不全における血清 Cr 値と eGFR の推移を示しています。縦軸は腎機能、横軸は経過年数を表しています。

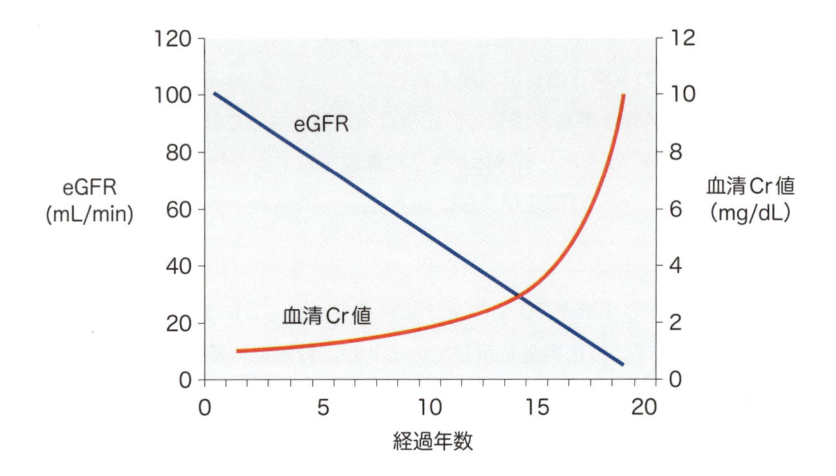

- 何らかの腎炎を発症し、治療が奏効せず蛋白尿が持続すると、徐々に腎障害が進行していきます。このとき、血清 Cr 値はグラフのようなパターンをたどります。つまり、2.00 mg/dL くらいまではほとんど変わらず、2.00 mg/dL を超えると急に上昇してくるということです。急に悪くなっているように見えますが、これが腎不全のときの通常のパターンです。

グラフから読み取れる腎臓病の特性は？

- 第 1 に、腎臓病は慢性疾患であるということです。横軸の単位は「日」でもなく「月」でもなく、「年」です。つまり、腎障害はものすごく時間をかけて、ゆっくりゆっくり進行するということです。
- 腎臓病治療の難しい点はここにあります。つまり、何らかの治療を開始しても「腎機能が良くなっているのか」「腎機能の低下を抑制できているのか」が血清 Cr 値の変化だけではなかなか判断が難しいということです。
- 第 2 に、腎機能はいったん悪くなると悪化の一途をたどるということです。グラフの eGFR の値は、いったん悪化傾向を示すとそのまま右肩下がりの直線を描きます。この傾きをゆるやかにするために腎不全の治療を行います。

- 第３に、腎機能が相当悪くならないと血清 Cr 値は上昇しないということです。言い方を変えれば、慢性腎不全の末期になって初めて血清 Cr 値は上昇するともいえます。

eGFR 変化率

- 腎障害が進むと徐々に eGFR は低下します。グラフを見ても、ほぼ直線的に低下していることがわかります。ところが、腎障害が進行しても血清 Cr 値はそれほど変化しません。eGFR が 30 mL/min 以下になって初めて上昇傾向を示します。
- 血清 Cr 値が正常値を超えてきた時点で、すでに腎機能は相当悪くなっていると判断した方がよさそうです。血清 Cr 値は簡便かつ有用ですが、非常に感度が鈍い指標ということです。
- eGFR は一定の割合で低下しているように見えますが、実は残存腎機能に対する腎機能低下の割合は、腎障害の進行とともに大きくなっています。

eGFR の推移と変化率

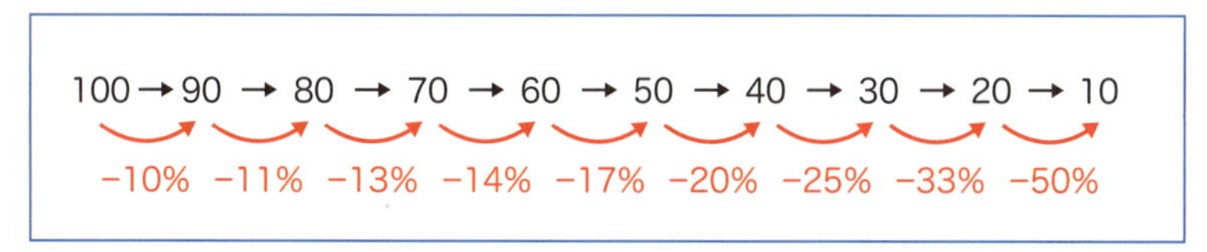

- この **eGFR 変化率**をグラフにすると下のようになります。血清 Cr 値とほぼ同じ推移を示しています。慢性腎不全の末期に急激に血清 Cr 値が上昇するように見えるのは、このためです。

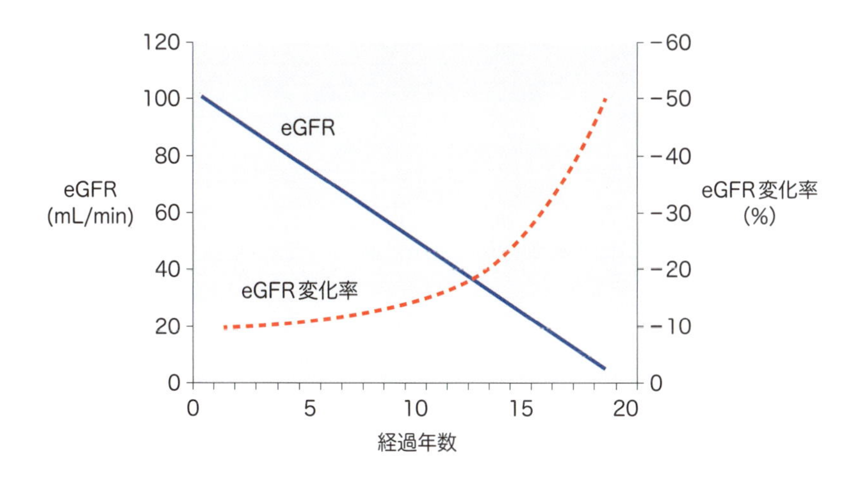

腎機能が相当悪くならないと尿毒症症状は現れない

- 腎不全では、本来尿中に排泄されるべき老廃物が体内に蓄積します。でも、保存期腎不全では自覚症状はほとんどありません。腎機能が相当悪くなった末期腎不全になって初めて様々な症状が出現するようになります。そのような状態を**尿毒症**といいます。
- 尿毒症症状の中で頻度が高いのは、**消化器症状**や**中枢神経症状**です。消化器症状としては食思不振や嘔気・嘔吐、中枢神経症状としては倦怠感、集中力低下、うつ状態などがよくみられます。出血傾向、肺水腫などもみられます。
- 尿毒症症状を認めたら透析導入のタイミングと言えます。

尿毒症症状

循環器・呼吸器	高血圧、浮腫、心不全、不整脈、心外膜炎、肺水腫、胸水
消化器	悪心、嘔吐、食欲低下、味覚異常、口臭、胃十二指腸潰瘍、下痢
血液	貧血、出血傾向、凝固亢進、血小板機能異常
神経系	意識障害、末梢神経障害（知覚異常など）、自律神経障害、けいれん、いらいら感、記銘力低下、眠気、restless leg syndrome
電解質・酸塩基平衡	低Na血症、高K血症、低Ca血症、高リン血症、代謝性アシドーシス
内分泌・代謝	脂質代謝異常、無月経、アミロイドーシス
骨代謝	二次性副甲状腺機能亢進症、異所性石灰化、骨低形成
皮膚	瘙痒感、脱毛、色素沈着
眼	網膜病変、結膜炎、石灰沈着
免疫系	易感染性

慢性腎不全になると骨が障害される

血清Ca濃度の調節機構

- 腎臓と骨にはどのような関係があるのでしょうか。まず、生理的なカルシウム代謝について復習しましょう。
- 血清Ca濃度は、**腸管（食事からの吸収）**、**腎臓（尿中排泄）**、**骨（貯蔵）**のバランスで規定されています。骨は、体内Caの99%を保管する貯蔵庫として機能します。

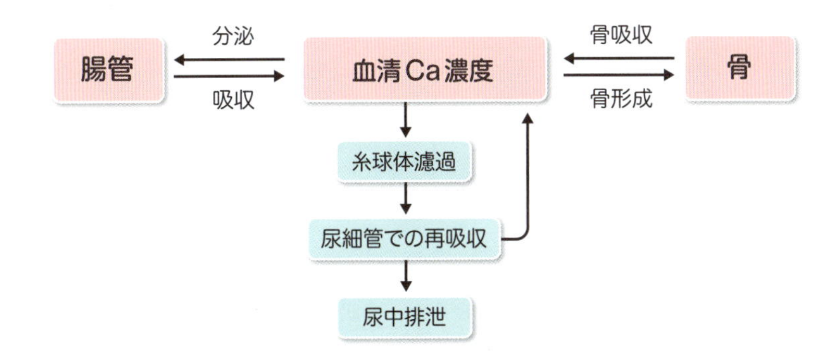

- 血清Ca濃度を調節しているのは、**副甲状腺ホルモン（PTH）**と腎臓で作られる**活性型ビタミンD**です。この2つのホルモンが腸管、骨、腎臓に作用して血中Ca濃度が維持されています（☞110ページ）。
- PTHは骨と腎臓に作用して血清Ca濃度を上昇させる働きがあります。

PTHの生理作用

- **骨**：　破骨細胞を活性化し骨吸収を促進 ➡ 血清Ca濃度上昇
- **腎臓**：尿細管でのCa再吸収を促進 ➡ 血清Ca濃度上昇
- **腎臓**：活性型ビタミンDの産生を増加 ➡ 腸管でのCa吸収増加

- ビタミンDは肝臓で25位の水酸化により$25(OH)D_3$となり、その後近位尿細管に存在する1α位水酸化酵素により、活性型の$1,25(OH)_2D_3$となります。活性型ビタミンDは腸管に作用して、Ca吸収を促進します。また、腎尿細管におけるCa再吸収を促進します。

腎性骨異栄養症とは

- 慢性腎不全では上記のバランスが崩れ、**低Ca血症**、**高リン血症**をきたします。その結果、副甲状腺機能が亢進し、PTHが過剰に分泌されます（**二次性副甲状腺機能亢進症**）。

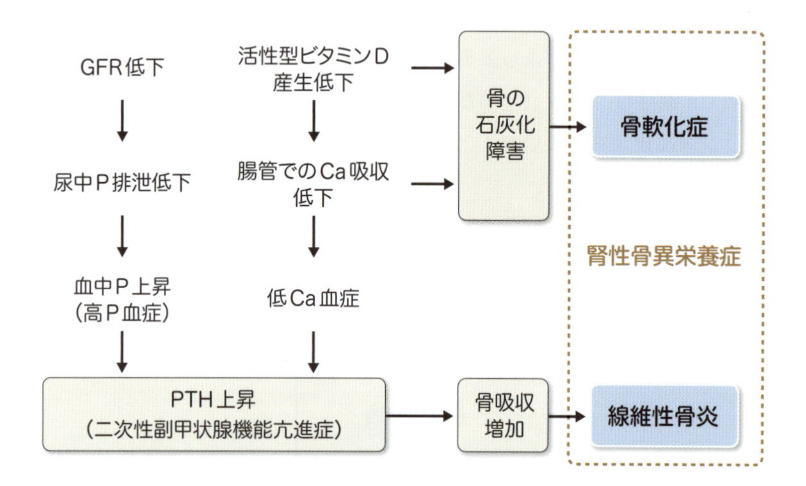

- PTHが過剰に分泌される状態が続くと、骨吸収も骨形成も亢進した状態（高回転骨）になります。やがて加速した骨吸収のスピードに骨形成が追いつかなくなり、骨量の減少をきたします。それに伴って骨髄内の線維増生がみられることから、**線維性骨炎**と呼ばれます。
- さらに、腎不全の進行に伴う活性型ビタミンD不足は、骨の石灰化障害を引き起こします。いわゆる**骨軟化症**になり、骨折を起こしやすくなります。
- これらの骨病変を総称して**腎性骨異栄養症**（renal osteodystrophy）と呼んでいます。

CKD-MBDという新しい概念

- 腎不全に合併する骨病変は従来、腎性骨異栄養症（renal osteodystrophy）として認識されてきました。ところが、最近の観察研究により、この病態が骨だけでなく、血管石灰化を介して死亡リスクの増大にも関与していることが示されました。
- そこで、**慢性腎臓病に伴う骨ミネラル代謝異常**（CKD-mineral and bone disorder：**CKD-MBD**）という全身性疾患としての概念が提唱され、その管理も生命予後をアウトカムとして行われるようになっています。

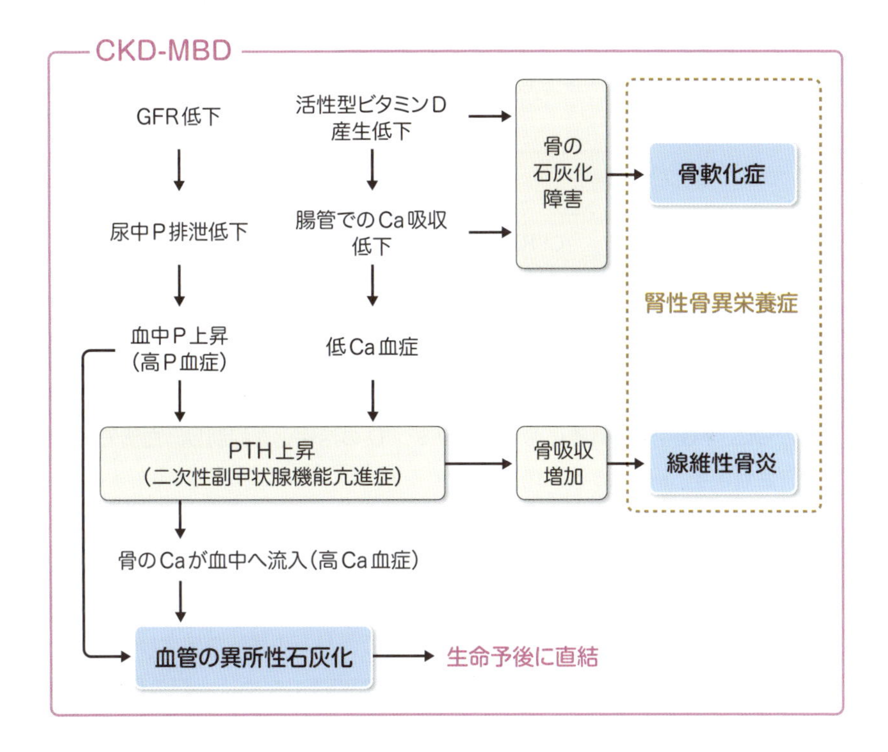

- 従来の「腎性骨異栄養症」という名称は骨病変に限って使用されます。

第8章 慢性腎不全

慢性腎不全における血清リン濃度の推移

- GFRの低下に伴って、リンの尿中排泄も低下します。このとき、血清リン濃度はどのように変化するのでしょうか。リン濃度を調節するホルモン（FGF23、PTH、活性型ビタミンD）の推移とともにグラフに示しました。

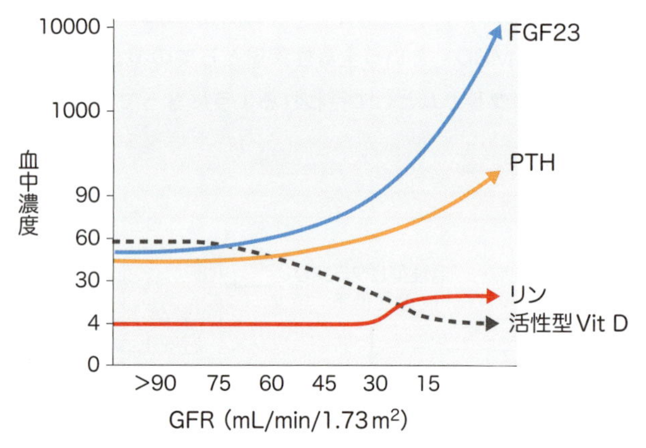

（Wolf M *et al. J Am Soc Nephrol* 2010；21：1427-35 より引用）

- GFRの低下に対応して、最初に変化するのが**FGF23**です。血中にリンが蓄積すると、骨からのFGF23の分泌が亢進して、リンの排泄を増加させます。さらに、FGF23は腎臓におけるビタミンDの活性化を抑制し、血清Caを低下させます（☞ 115ページ）。
- 次は**活性型ビタミンD**です。腎不全の進行とともに腎臓でのビタミンDの活性化ができなくなります。
- 次は**PTH**です。リンが蓄積すると副甲状腺からのPTH分泌が亢進して、尿細管でのリンの再吸収を抑制します。つまり、リンの排泄を促進します。
- 最後に変化するのが**リン**です。リンの排泄が低下しても、上記の代償機構が働くため、すぐに血清リン値が上昇するわけではありません。代償機構のcapacityを超えるくらいリンが蓄積して初めて血清リン値は上昇します。実際に血清リン値が上昇してくるのはeGFR 30 mL/min以下になってからです。

- 血清リン値が適切に管理されなければ、PTH分泌が持続的に刺激されるため、**副甲状腺過形成**を伴う二次性副甲状腺機能亢進症を発症します。放っておくと副甲状腺が徐々に腫大し、透析期には外科的治療が必要になることもあるため、注意が必要です。

高リン血症の治療

- 慢性腎不全では、尿からのリン排泄を増やすことは困難です。したがって、高リン血症を是正するには、食事中のリン制限およびリン吸着薬の服用が必要になります。
- 食事は、乳製品や過剰な蛋白摂取を避けることが重要です。
- さらに、リンの腸管からの吸収率を低下させるために、**炭酸カルシウム**などのリン吸着薬を食事と同時に投与します。腸管内でリン酸イオンと結合して、リンを不溶性に変え、吸収できないようにする薬剤です。腸管からのリン吸収抑制と同時にカルシウム補給にもなります。
- リン吸着薬にはカルシウム負荷にならない**塩酸セベラマー**もあります。また、低カルシウム血症の合併がある場合は、**活性型ビタミン D 製剤**を併用します。

高リン血症治療薬

- 沈降炭酸カルシウム（Ca 製剤）………… カルタン®
- 炭酸ランタン水和物（La 製剤）………… ホスレノール®
- クエン酸第二鉄水和物（Fe 製剤）………… リオナ®
- スクロオキシ水酸化鉄（Fe 製剤）………… ピートル®
- セベラマー塩酸塩（リン結合性ポリマー）………… レナジェル®、フォスブロック®
- ビキサロマー（リン結合性ポリマー）………… キックリン®

- 副甲状腺のカルシウム感知受容体を直接刺激して PTH 分泌を抑制する**カルシウム受容体作動薬**も有効です。

カルシウム受容体作動薬

- シナカルセト（レグパラ®）内服薬
- エテルカルセチド（パーサビブ®）静注製剤
- エボカルセト（オルケディア®）内服薬
- ウパシカルセト（ウパシタ®） 静注製剤

- 主に透析中の患者さんのリンのコントロールに用いられます。

腎性貧血の治療

- 腎臓は造血ホルモンを産生しています。慢性腎不全に陥るとそのホルモンの産生が低下し、腎性貧血を生じます。造血ホルモンの名前は**エリスロポエチン**（erythropoietin：**EPO**）です。赤血球の産生を促進する因子の 1 つであり、腎臓の尿細管間質に存在する線維芽細胞から産生されています。
- 通常、貧血の症状としては息切れ、動悸、めまい、頭痛、疲労感、食欲不振などが現れます。でも、腎性貧血は非常に緩徐に進行するため、自覚症状をあまり認めません。重度の貧血になって初めて症状が現れることが多いです。
- 腎性貧血は**正球性正色素性貧血**を呈します。貧血があるにもかかわらず、網状赤血球の数は正常範囲です（反応性に増加しません）。

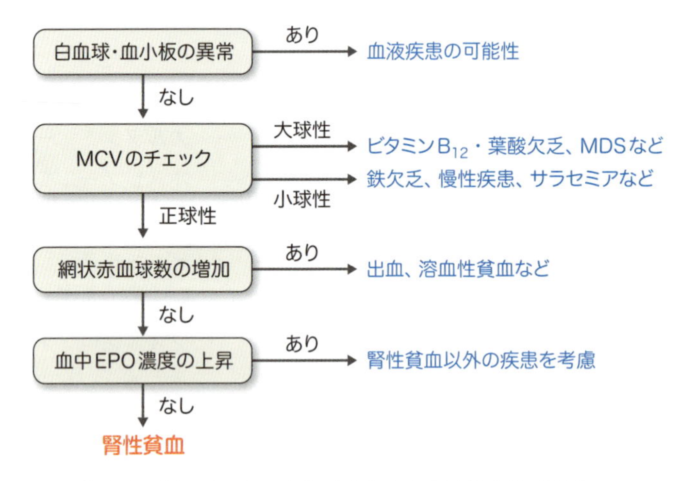

（永山 泉・前嶋明人：CKD 患者の貧血管理，日本医事新報社，2021）

各種貧血の原因

- 鉄欠乏性貧血 …………………… 鉄分不足
- **腎性貧血** ………………………… エリスロポエチン産生低下
- 溶血性貧血 ……………………… 末梢で赤血球が壊れる
- 再生不良性貧血 ……………… 骨髄での造血能低下

- 赤血球は酸素を全身に運ぶ役割があります。貧血になると組織への酸素の供給量が低下し、それを補うために心臓は頑張って心拍出量を増加させます。そのため高血圧、心肥大となり、長期的にみると心不全の原因になります。ですから、腎性貧血をそのまま放置しておくのは体によくありません。

- 昔は、腎性貧血になると輸血をしていました。そのため、輸血によるウイルス性肝炎や、頻回輸血による鉄分蓄積が引き起こす肝障害（ヘモクロマトーシス）などが問題でした。
- 現在は、遺伝子組換え技術によって作られた**エリスロポエチン製剤**のおかげで、ほとんどの腎不全患者さんの貧血は改善します。輸血する必要はありません。赤血球造血刺激因子製剤（erythropoiesis stimulating agents：**ESA**）とも呼ばれています。

ESA製剤の種類

- エポエチンα（エスポー®）……………………… 半減期7～9時間
- エポエチンβ（エポジン®）……………………… 半減期7～9時間
- ダルベポエチンα（ネスプ®）…………………… 半減期25時間
- エポエチンβペゴル（ミルセラ®）………… 半減期168～217時間

- エポエチンα（エスポー®）やエポエチンβ（エポジン®）は血中半減期が7～9時間程度と短いため、透析後に毎回投与されることが多いです。
- エポエチンαは165個のアミノ酸で構成されていますが、そのアミノ酸配列の一部を変更して、活性に重要な役割を果たす新たな糖鎖を付加させたものをダルベポエチンα（ネスプ®）といいます。新たな糖鎖を付加したことにより、血中半減期が25時間程度と延長されました。透析患者への投与は週に1回です。
- エポエチンβペゴル（ミルセラ®）は、従来のエポエチンβに直鎖メトキシポリエチレングリコール（PEG）分子をくっつけたものです。血中半減期は168～217時間とかなり延長しました。投与間隔は2週間に1回または1ヵ月に1回になります。

- 最近、腎性貧血に対する新たな治療薬として**HIF-PH**（hypoxia inducible factor-prolyl hydroxylase）阻害薬が登場しました。HIF-PH阻害薬は、HIFを活性化（安定化）することによりEPO産生を促し、腎性貧血を改善する薬剤です。

HIF-PH阻害薬の種類

- ロキサデュスタット（エベレンゾ®）………………………… 週3回経口投与
- バダデュスタット（バフセオ®）…………………………… 1日1回経口投与
- ダプロデュスタット（ダーブロック®）…………………… 1日1回経口投与
- エナロデュスタット（エナロイ®）………………………… 1日1回経口投与
- モリデュスタットナトリウム（マスーレッド®）……… 1日1回経口投与

「慢性腎不全の貧血＝腎性貧血」とは限らない！！

- 進行した慢性腎不全で、正球性正色素性の貧血があれば、まず腎性貧血を疑います。腎臓でのエリスロポエチン（EPO）産生が低下し、腎性貧血を生じるためです。しかし、これは腎性貧血以外の原因を否定するものではありません。必ず、他の貧血の原因を否定しておきましょう。
- **鉄欠乏性貧血**は必ず除外すべきです。MCV が小さくなっていないか、便潜血は陽性でないか、フェリチン値は低下していないか、など要チェックです。
- **溶血性貧血**の有無も念のため調べておきます。溶血を示唆する所見として、LDH 高値、間接ビリルビン高値、網状赤血球増加、ハプトグロビン低下は確認しておきましょう。
- **血中 EPO 値**も重要です。通常何らかの貧血がある場合、腎機能が正常であれば反応性に EPO は高値となります。著明な貧血があるのに血中 EPO 値の上昇がなければ、EPO 不足、すなわち腎性貧血の診断ができます。

Case study

【症例】70 代女性。慢性腎不全にて通院中。血清 Cr 値 2.56 mg/dL、Hb 7.8 g/dL。
徐々に貧血が進行したため、ESA 製剤の開始を検討。念のため血中 EPO 値を測定したところ、高値。あれっ、EPO がちゃんと産生されている。腎性貧血ではないのか？　その後、便潜血陽性が判明。消化器内科にコンサルトしたところ、大腸内視鏡にて**大腸癌**が見つかりました。

Case study

【症例】60 代男性。慢性腎不全にて他院通院中。呼吸苦があり、胸部 X 線上、心不全を認めたため、透析導入目的に紹介受診。血清 Cr 値 8.76 mg/dL、Hb 8.1 g/dL。同日入院となり、血液透析導入となった。
透析 2 日目に大量のタール便を排便。胃内視鏡にて**出血性胃潰瘍**を認めたため、緊急クリッピングを施行した。

慢性腎不全の治療目標は「現状維持」

- 「腎不全と言われたのですが、治るのでしょうか？」と患者さんから聞かれることがあります。そのときは、このように説明しています。
- 「残念ながら、いったん慢性腎不全の状態になると、元に戻ることはありません。これ以上腎機能が悪くならないように、食事療法やお薬で治療していきましょう。高血圧や糖尿病でも、食事療法とお薬で血圧や血糖をコントロールしていますね。それと同じ考え方です」と説明しています。
- もし腎機能が低下して**末期腎不全**に至った場合は、血液透析、腹膜透析などの血液浄化法あるいは腎移植が必要となります。
- 透析医療がなかった時代は、腎不全になるとそのまま亡くなっていました。現在でも発展途上国ではそうだと思います。以前は救命のために行われていた透析医療ですが、新たな透析器やダイアライザーも開発され、かなり進歩しました。今では、透析を始めて 20 年以上という患者さんも少なくありません。

腎機能の悪化するスピード

- 腎機能の悪くなるスピードは、腎疾患によって異なります。悪化スピードが速いのは、何と言っても**糖尿病性腎症**です。顕性蛋白尿を認めて腎機能が悪くなり始めると、2～3 年で透析導入になってしまう方もいます。
- 一方、非糖尿病性の腎不全は、それほど急に悪くなることはありません。血清 Cr 値が 2.00mg/dL くらいのままで 10 年以上経過している患者さんもいます。

- **糖尿病性腎症** ➡ 非常に速く悪化
- **糖尿病性腎症以外の腎不全** ➡ ゆっくり悪化

- ちなみに**保存期腎不全**という言葉は、慢性腎不全のうち透析が必要でない段階、つまり尿毒症症状が出現する以前の段階のことをいいます。

慢性腎不全の治療

- **保存期腎不全** ➡ 食事療法、薬物療法で透析回避を図る
- **末期腎不全** ➡ 透析や腎移植

保存期腎不全の治療

- 保存期腎不全の治療は、2 種類あります。

保存期腎不全の治療

- 腎不全の進行を遅らせる（腎臓に過重労働をさせない）ための治療
- 腎不全症状に対する対症療法

残った正常糸球体の負担を軽くする

- おさらいですが、下図のようにいったん腎機能が低下してくると、それを食い止める手段はありません。腎不全の進行がなるべくゆっくりになるよう、悪化因子を除去して、血圧、血糖、脂質をコントロールすることが重要です。

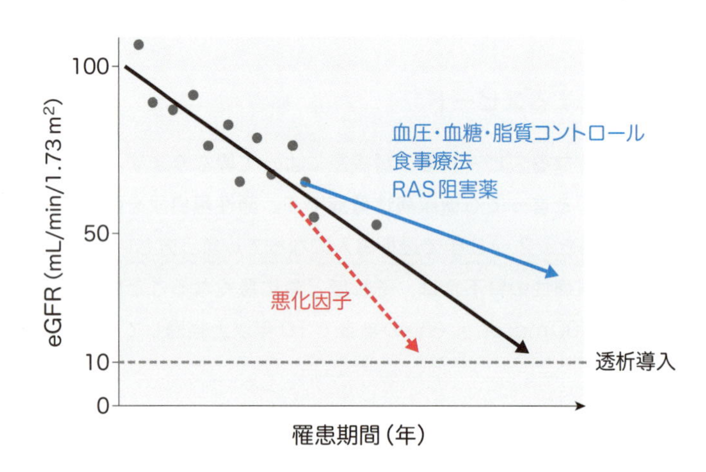

- 腎不全の進行を遅らせるために、残された正常糸球体に過重労働をさせず、負担をなるべく軽減することが目標になります。具体的には食事療法と降圧療法です。
- **食事療法**としては**塩分制限**と**蛋白制限**が重要です。高蛋白食は腎臓の負荷を増やしますので、蛋白制限によって負担を減らします。
- **降圧療法**として主に RAS 阻害薬が使われます。アンジオテンシンⅡは腎不全の進行に関与しているので、その作用をブロックする **ACE 阻害薬**や **ARB** は慢性腎不全の進行を遅らせる作用（腎保護作用）があります。

慢性腎不全の病態と保存的治療

食事療法（低蛋白食、減塩食、高カロリー）	• **蛋白**：0.6～0.8g/標準体重kg/日 • **塩分**：3～6g/日 • **熱量**：25～35kcal/標準体重kg/日
薬物療法	• **高尿酸血症** ➡ 尿酸合成阻害薬 • **高カリウム血症** ➡ イオン交換樹脂 • **高リン血症** ➡ リン吸着剤、カルシウム製剤 • **アシドーシス** ➡ アルカリ化薬 • **溢水** ➡ 利尿薬 • **腎性貧血** ➡ 遺伝子組換えヒトエリスロポエチン製剤 • **二次性副甲状腺機能亢進症** ➡ 活性型ビタミンD製剤
悪化因子の除去	高血圧、高脂血症、脱水、感染症、腎毒性薬剤、喫煙、激しい運動

慢性腎不全の食事療法

- 腎機能を守るための食事療法の基本は、**低蛋白、高カロリー、減塩食**です。病期によって食事療法の内容は多少違います。

CKD 生活・食事指導基準（成人）

CKDステージ	G1/G2	G3a/b	G4	G5
生活習慣の改善	禁煙・BMI 25 未満			
食事管理	高血圧があれば減塩 3g/日以上 6g/日未満	食塩摂取量 3 g/ 日以上 6 g/ 日未満		
		蛋白質制限 G3a：0.8～1.0 g/kg/日 G3b：0.6～0.8 g/kg/日	蛋白質制限 0.6 ～ 0.8 g/kg/ 日	
		高 K 血症があれば K 制限		
血圧管理	130/80 mmHg 未満			
血糖管理（糖尿病の場合）	HbA1c 7.0%未満			
脂質管理	LDL-C 120mg/dL 未満			

（日本腎臓学会：慢性腎臓病生活・食事指導マニュアル，2015，p11 より引用）

蛋白制限

- 慢性腎不全ではネフロン数が減少し、残存したネフロンが老廃物を処理するために過剰労働を強いられることが増悪因子になっています。蛋白制限は、糸球体の負荷を軽減して、腎機能のさらなる悪化を抑制しようとするものです。

蛋白制限

- **ステージ G3a**：　0.8 ～ 1.0 g/kg 体重/日
- **ステージ G3b 以降**：　0.6 ～ 0.8 g/kg 体重/日

- CKD ステージ G3 以降の食事療法については、腎臓専門医と連携して治療することが望ましいですね。
- ちなみに健常日本人の蛋白質摂取推奨量は 0.9g/kg 体重 / 日（厚生労働省：日本人の食事摂取基準 2010 年版）となっています。
- 「腎臓病はすべて蛋白制限が必要」と勘違いされる方がいらっしゃいますが、それは間違いです。腎機能が低下して初めて蛋白制限が必要になります。腎機能が正常であれば、蛋白制限は必要ありません。

- なお、蛋白質の摂取量は「**標準体重**当たり」で表示されています。

- **標準体重** (kg) ＝ 身長 (m) × 身長 (m) × 22

塩分制限

- CKD 患者の食塩摂取量は 3g/日以上 6g/日未満が基本です。ただし、CKD ステージ G1 ～ G2 で高血圧や体液過剰を伴わない場合は、制限緩和も可能です。逆に、ステージ G4 ～ G5 で体液過剰の徴候があれば、より少ない食塩摂取量に制限する必要があります。

水分

- 水分は、尿の排泄障害がない場合、健常者と同様です（のどが渇いたら水分を摂取する）。腎機能が低下している場合は水分過剰摂取、または極端な制限は行うべきではありません。

カリウム

- 高カリウム血症を認めるケースでは、**カリウム制限**を行います。生野菜や果物、海草、豆類、いも類などカリウム含有量の多い食品を制限します。

カロリー

- CKD 患者のエネルギー必要量は健常人と同程度です。年齢、性別、身体活動度により概ね 25 ～ 35kcal/kg 標準体重 / 日が推奨されます。
- 脂質は動脈硬化性疾患予防の観点から、CKD 患者でも健常人と同様にコントロールする必要があります。

減塩による降圧効果は本当にあるの?

- 塩分制限をすると、本当に血圧は下がるのでしょうか？　答えは「Yes」です。
- 外来では、患者さんに塩分制限の指導をして、それが著効したという実感はなかなか得られません。ところが、そのような患者さんが入院すると、減塩が著効することをしばしば経験します。
- たとえば、高血圧患者さんが入院したとします。食事は当然、高血圧食（塩分 6g/日）になります。入院して 1 週間もすると、降圧薬を増やしているわけでもないのに、徐々に血圧が下がってきます。患者さんによっては収縮期血圧が 100 前後まで下がり、めまいや立ちくらみが出て、降圧薬を減量しないといけないケースすらあります。

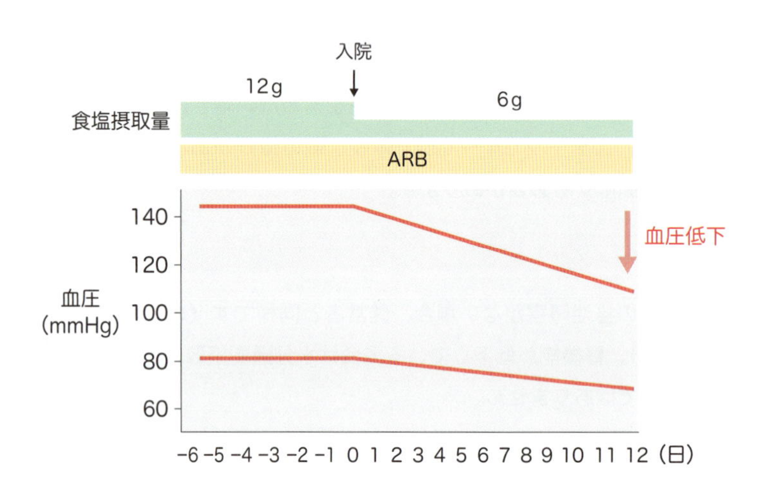

減塩は降圧薬の効果を増強する

- これは何を意味しているのでしょうか。家庭での食塩摂取量が多く、入院して塩分制限をすることにより血圧が下がったことは確かでしょう。と同時に、減塩によって体内のナトリウム量が減少し、併用していた降圧薬の効果が増強した可能性があります。
- たとえば、**ARB と少量の利尿薬の組み合わせ**は非常に良い降圧効果を示すことが知られています。これは利尿薬によるナトリウム排泄増加（＝減塩）により、体内のナトリウム量が減少し、ARB の効果を増強しているためです。配合剤も出ていますね。

- 降圧薬の作用を最大限発揮させるためにも塩分制限は非常に重要です。

- このように、入院患者さんでは塩分制限の効果が著明に認められる場合があります。残念ながら、このような患者さんは、退院して外来に戻るとまた血圧が高くなってしまい、降圧薬を元の量に戻さないといけないことがよくあります。入院中に高血圧食の塩分量に慣れていただき、家庭でも続けていただけるとよいのですが…。
- いずれにしても、このようなケースは非常に多く経験します。特に高齢の方に起きやすいため、厳格な塩分制限には注意が必要です。

保存期腎不全に対する治療の具体例

Case study

【症例】60代女性。若い頃、健診で検尿異常を指摘されたことがある。その後高血圧のため、近医で降圧薬を処方されていた。最近、徐々に腎機能障害が進行し、当科紹介となった。血圧160/87mmHg
血液検査：TP 7.2g/dL、Alb 3.8g/dL、Na 139mEq/L、K 4.6mEq/L、Cl 108mEq/L、BUN 47mg/dL、血清Cr 2.54mg/dL、Hb 9.5g/dL
尿検査：尿蛋白（2+）、尿潜血（+）

鑑別のポイント

- 腎エコーでは、両腎とも軽度の萎縮がみられました。腎機能の低下と尿所見の異常（蛋白陽性、潜血陽性）から、慢性糸球体腎炎による慢性腎不全の可能性が考えられます。

治療のポイント

- 降圧薬を処方されていますが、血圧は高めです。尿蛋白が出ていますので、**ACE阻害薬**または**ARB**を追加投与したほうがよいでしょう。ただし、急速なCr値の上昇や高K血症をきたすことがあるので注意が必要です。食事の注意をした上で、少量から開始します。
- 他の貧血の可能性を除外した上で、腎性貧血に対しては**エリスロポエチン製剤**を投与します。保存期腎不全でも皮下注射の投与が認められています。
- あるいは**HIF-PH阻害薬**を投与します。ESA（注射製剤）とHIF-PH阻害薬（経口薬）の選択については、作用機序および投与方法が異なるため、患者さんの状態や嗜好、通院頻度、ポリファーマシーや服薬アドヒアランスなどに応じて判断します。
- さらに腎機能が低下して高リン血症を認める場合には、リン吸着剤を投与します。**炭酸カルシウム**がよく用いられます。また、必要に応じて**活性型ビタミンD製剤**を投与します。慢性腎不全が進行して維持透析となった症例では、カルシウムとリンの代謝異常はさらに進行するため、きちんとした管理を要します。透析だけではリンのコントロールはつきません。
- もし著明な代謝性アシドーシスを認める場合は、対症的に**重曹**を経口投与し、血清HCO_3^-を20mEq/L以上に保つようにします。
- もちろん、塩分制限とカリウム制限は常に必要です。

第9章

急性腎障害(AKI)

近年、「急性腎不全」に代わって、「急性腎障害」という用語が使われるようになっています。

急性腎不全は、「日単位で急速に腎機能が低下する病態」を指す言葉です。しかし、これは腎機能が悪くなった「結果」を示す病名であり、診断された時点ですでに腎不全が完成しています。

これに対し、より軽微かつ早期の腎機能低下を意味する新しい疾患概念が、急性腎障害（acute kidney injury：AKI）です。これは、腎機能の「変化」を捉えて、腎不全になりそうな患者をいち早く見つけようという考えに基づいています。

つまり、結果（急性腎不全）から変化（急性腎障害）へのパラダイムシフトですね。

急性腎障害（AKI）とは

- 最近、新たな概念として認識されるようになった腎臓の病態として**急性腎障害**（acute kidney injury：**AKI**）があります。急性腎不全よりも軽微、かつ早期の腎機能低下を意味する疾患概念です。
- これまでは「日単位で急速に腎機能が低下する病態」を**急性腎不全**と呼んでいました。これは腎機能が悪くなった**結果**を示す病名であり、診断された時点ですでに腎不全が完成してしまっています。その時点で治療介入しても十分な効果は得られません。
- そこで、腎不全の悪化が完成した結果ではなく、腎機能の悪化を**変化**として早期に捉えようとする考えが出てきました。
- なぜかというと、複数の疫学的検討から、急性期におけるわずかな血清クレアチニン値の上昇も予後に影響することが明らかになってきたからです。

腎不全が完成する前にその兆候を捉える

- 腎不全になってしまったら予後が悪いのは容易に想像できます。しかし、腎機能が少し変化しただけでも予後に影響することがわかったのです。これは主に救急医療の現場のデータからわかってきた事実です。

- 従来は、入院患者さんの腎機能が少し悪くなったとき、カンファレンスでは、

  「肺炎で入院中ですが、抗菌薬投与によって腎機能の悪化がみられます」

  「心不全による腎前性腎不全の状態です」

  「肺癌に対して抗癌剤投与中ですが、薬剤性の腎障害を認めます」

  といったように、腎不全が完成した状態を確認して終わっていました。
- もちろん、それに対して何らかの対応（輸液、薬剤の減量、被疑薬の中止など）をするわけですが、最終的には腎機能の自然回復を待つしかありません。
- これからは腎機能のちょっとした悪化を早期に発見し、もっと早く治療に結びつけようというわけです。

- 急性腎障害は内科医だけが診る病気ではありません。薬剤、手術など様々な要因によって急性腎不全は発症します。高齢者はそれだけで急性腎障害のハイリスク患者です。したがって、どの診療科においても遭遇しうる重要な病態と言えます。

AKI の概念ができた背景

- かつて急性腎不全には国際的に統一された定義がなく、各施設や論文で個々に定義されていました。たとえば、次の 2 つのデータを比べてみましょう。

- **A 病院**：急性腎不全の発症率 10%
「数日で血清 Cr 値が 2.5 mg/dL 以上に悪化」を急性腎不全と定義
- **B 病院**：急性腎不全の発症率 10%
「血清 Cr 値が 0.5 mg/dL/ 日以上の速度で上昇」を急性腎不全と定義

- 同じ発症率でも定義が異なると直接比較はできません。そのため急性腎不全の発症率や死亡率は疫学的解析が困難で、研究がうまく進みませんでした。
- このような背景から、急性腎不全に対するガイドライン制定を目的として、国際的な腎臓および救急の専門家グループが集まって Acute Dialysis Quality Initiative（ADQI）が組織されました。そこで、急性腎障害の概念が提唱され、**RIFLE 分類**が発表されました。

RIFLE 分類

- RIFLE 分類は、血清クレアチニン値あるいは糸球体濾過値（GFR）と尿量という 2 つの基準を用いて急性腎不全を総合的に評価しようという試みです。

RIFLE 分類（7 日以内に診断）

Risk（リスク）	血清 Cr 値が 1.5 倍以上上昇または 尿量 0.5 mL/kg/hr 以下が 6 時間以上持続
Injury（障害）	血清 Cr 値が 2 倍以上上昇または 尿量 0.5 mL/kg/hr 以下が 12 時間以上持続
Failure（不全）	血清 Cr 値が 3 倍以上上昇または 尿量 0.3 mL/kg/hr 以下が 24 時間以上持続 （または無尿が 12 時間以上持続）
Loss（腎機能喪失）	4 週以上続く急性腎不全
End Stage Renal Disease（末期腎不全）	3ヵ月を超える透析の必要性

- それぞれの指標の頭文字から **RIFLE** と名付けられています。

AKIN 分類

- その後、ADQI のメンバーを中心に各学会のメンバーが集まり、Acute Kidney Injury Network（AKIN）が組織されました。
- その際、**acute kidney failure（ARF）**という用語に代わって、より早期の段階の腎障害を含めた **acute kidney injury（AKI）**の概念が考案され、RIFLE 分類を一部改訂・発展させた **AKIN 分類**が提唱されました。

AKIN 分類（48 時間以内に診断）

- **診断**：血清 Cr 値の 0.3mg/dL 以上または 50% 以上の増加、あるいは尿量が 0.5mL/kg/ 時間に低下する状態が 6 時間を超えること。
- **重症度分類**：Stage1 / 2 / 3

KDIGO 分類

- さらに 2012 年、別のグループの Kidney Disease Improving Global Outcomes（KDIGO）が、RIFLE 分類と AKIN 分類の両者を合体させたような定義を提唱しました。下記 3 項目のうち 1 つでも満たせばよいというものです。

KDIGO 分類による AKI 診断と病期分類

定義 1 ～ 3 のどれか 1 つを満たせば AKI と診断

AKI の定義	1	血清 Cr 値が 48 時間以内に 0.3 mg/dL 以上上昇
	2	血清 Cr 値が 7 日以内に基礎値から 1.5 倍以上上昇
	3	尿量 0.5 mL/kg/hr 以下が 6 時間以上持続

病期分類	血清 Cr 値による基準		尿量による基準	
	Cr		尿量	持続時間
Stage 1	1.5 ～ 2 倍上昇	48 時間以内に 0.3mg/dL 以上増加	< 0.5mL/kg/hr	6 時間以上
Stage 2	2 ～ 3 倍上昇		< 0.5mL/kg/hr	12 時間以上
Stage 3	3 倍上昇	4.0mg/dL 以上まで上昇または腎代替療法開始	< 0.3mL/kg/hr	24 時間以上
			無尿	12 時間以上

早期診断が重要（Stage 1・Stage 2）

（*Kidney International* 2015；87：62-73 より引用改変）

- 実際の症例に当てはめて診断してみましょう。

症例 1

- ICU 入室時　血清 Cr 値　1.00 mg/dL
- 2 日後　血清 Cr 値　1.40 mg/dL

48 時間以内に血清 Cr 値 0.3 mg/dL 以上の上昇あり ➡ **AKI stage 1**

症例 2

- 体重 60 kg の男性、肺癌にて化学療法中
- 朝 6：00 から昼 12：00 までの尿量　170 mL（<180 mL）

尿量 0.5 mL/kg/hr 未満が 6 時間以上持続 ➡ **AKI stage 1**

症例 3

- 肺炎にて入院時　血清 Cr 値　0.67 mg/dL
- 抗菌薬にて治療 5 日後　血清 Cr 値　1.45 mg/dL

過去 7 日以内の基礎値より 2 倍以上に上昇 ➡ **AKI stage 2**

- 最近、RIFLE 分類の重症度分類に従って死亡リスクが増大することがシステマティックレビューで示され、その妥当性も検証されています。診断基準をはっきりさせることで、AKI と予後の関連がきちんと確認されたわけです。
- さらに、分類上 Failure（不全）に至らない、より早期あるいは軽度の腎機能障害でも予後に大きく影響するということが判明してきました。
- つまり、RIFLE 分類の Risk/Injury や、AKIN 分類または KDIGO 分類の Stage 1/2 をいかにして早期に発見し対応していくかが重要になってきます。

AKI での GFR と血清 Cr 値の時間的なずれ

- AKI の診断基準では、血清クレアチニン値が用いられます。ところが、血清クレアチニン値の限界として、GFR の変化に対し**時間的なずれ**が生じます。
- 下のグラフは、急性腎障害における GFR と血清クレアチニン値の経時的変化を示したものです。

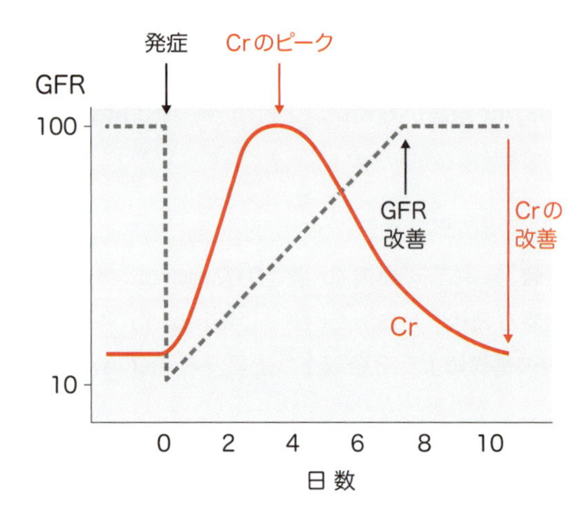

(Myers BD, Moran SM. *N Engl J Med* 1986 ; 314:97-105)

- 何らかの原因により急性腎障害を発症し、急激に GFR が低下しても、血清クレアチニンは徐々にしか上昇しません。GFR が低下してから血清クレアチニンが上昇するまでにはタイムラグがあります。
- 一方、GFR が回復傾向を示しても血清クレアチニン値は上昇し続けています。さらに GFR が改善してから血清クレアチニン値が回復するまでにもタイムラグがあります。
- 血清クレアチニン値は簡便で有用な検査なのですが、急性腎障害時の指標としては非常に鈍いということです。したがって、血清クレアチニン値から換算する eGFR の推算式は急性腎障害では用いることができません。

- もう 1 つ重要なのは、この刻々と変化する病態を最もよく反映するのは**時間尿**ということです。「時間あたりの尿量」はリアルタイムに病態を反映しています。RIFLE 分類と AKIN 分類はいずれも重症度分類ですが、尿量の変化が重視されているのは、このような理由からです。

どのような患者さんがAKIになりやすいのか？

- 急性腎障害には**リスク因子**がたくさんあります。リスク因子を多く持っている患者さんほど、急性腎障害になりやすいといえます。今現在治療している患者さんが急性腎障害のハイリスクなのか、そうでないのかを把握しておくことは日常診療において常に重要ですね。

- 一般的に知られているリスク因子には、次のような病態が含まれます。

背景因子

- 脱水
- 高齢者
- 糖尿病
- 肝硬変
- 肝不全
- うっ血性心不全
- 慢性腎臓病

侵襲

- 敗血症
- 循環不全（体液量減少、低血圧など）
- 熱傷
- 外傷
- 心臓手術
- 腎毒性物質
- 造影剤

- 入院患者さんは体液バランスや血行動態の変化、さまざまな薬物の投与など新規のリスク因子を負う機会が非常に多いです。上記の既存のリスク因子は介入不可能なことが多いですが、新規リスク因子は回避できることもあります。
- たとえば、「**糖尿病**で少し**脱水傾向**のある**高齢**の患者さんに**腎毒性の薬剤**（NSAIDs、抗菌薬）や**造影剤**を使用する際は急性腎障害に注意する」ということですね。

AKIを反映する尿中バイオマーカー

- 急性腎障害は、出血、脱水、ショック、心不全など様々な原因により発症し、重症化した場合には腎代替療法を要します。
- したがって、早期の腎機能低下をいち早く見つけることが重要なのですが、現在の血清Cr値を用いた指標では限界があります。腎障害後に血清Crが上昇するまでには数日を要するため、AKI診断時にはすでに治療介入の時期を逸していることも少なくありません。

- そこで、血清Crが上昇する前に腎機能障害を判断できる尿中バイオマーカーの探索が精力的に行われています。いわば「心筋梗塞におけるトロポニンI」に相当する急性腎障害マーカーです。
- 現在、尿細管障害マーカーとして保険診療で承認されているのは、尿中**L-FABP**、**NAG**、**β_2MG**、**α_1MG**、**NGAL**です。

- 近年、急性腎障害の病態を鋭敏に反映する新規尿中バイオマーカーとして、以下のマーカーが同定されています。主に、尿細管上皮細胞障害を鋭敏に検出するものです。ICU入室時や大手術直後にこれらのマーカーを測定することで、AKIの発症や予後を予測することが可能になりつつあります。

AKIの新規尿中バイオマーカー

- **KIM-1 (kidney injury molecule-1)**：腎障害後の近位尿細管刷子縁に発現。酵素の働きで細胞膜から切断され、尿中に排泄される。尿細管腔に脱落したアポトーシス細胞の貪食を促進する。
- **NGAL (neutrophil gelatinase-associated lipocalin)**：リポカインファミリーに属する蛋白で、活性化した好中球から分泌される。腎障害に伴う炎症に反応して速やかに尿細管で発現が誘導される。1滴の尿で測定できる簡易キットも開発され、最近、保険適応になった。
- **IL-18**：炎症性サイトカインの1つ。腎障害時に近位尿細管から尿中へ誘導される。

AKI の分類とその鑑別評価

- AKI の原因は、主に次の 3 つに分類されます。実際には完全に分類できず、腎性と腎前性は共存している場合も多いです。

AKI の原因

- **腎前性** ………… 腎血流の障害（腎血流量や圧の低下）➡ 院外発症が多い
- **腎性** ……………… 腎実質の障害 ➡ 院内発症（特に ICU）が多い
- **腎後性** ………… 尿路系の障害（尿路閉塞）

- AKI の結果としての「急性腎不全」も、次のように分けられます。

腎前性急性腎不全

- 循環血液量の減少、心拍出量の低下などによって、腎血流量が低下した状態です。腎臓に器質的変化はありません。尿細管機能は正常なため、反応性に Na を再吸収し、尿中 Na 排泄率は著明に低下します。

- **循環血液量の減少**：出血、脱水、イレウス、熱傷、下痢、嘔吐、発熱、利尿薬の服用
- **有効循環血漿量の減少**：心不全、非代償性肝硬変

腎性急性腎不全

- 腎実質の器質的な異常によって糸球体濾過量が低下した状態です。AKI の回復に長い時間を要します。最も頻度が高いのは**急性尿細管壊死**です。虚血性のものや腎毒性によるものがあります。

- 腎前性からの移行
- 薬剤や横紋筋融解症などによる急性尿細管壊死
- 急性腎炎症候群、急速進行性糸球体腎炎など
- DIC、TTP/HUS など

- 腎前性と腎性を鑑別するポイントは、脱水の有無、エコー所見、尿所見です。

腎後性急性腎不全

- 尿路のどこかに閉塞や狭窄を生じることにより尿がうっ滞して発生します。**水腎症**を呈し、画像診断が診断の決め手になります。
- 早期に発見して泌尿器科的処置を行えば、腎機能が完全に回復する例も多いです。したがって、AKI を診たら、まず腎後性を除外することが臨床的に重要です。

- **両側性の上部尿路閉塞**：骨盤腔内の腫瘤の浸潤・圧迫、後腹膜線維症
- **下部尿路閉塞**：神経因性膀胱による膀胱の収縮不良、著しい前立腺肥大

- 片側の尿路が完全閉塞しても通常は対側が代償するので、腎後性急性腎不全となりません。外来で多くみられる腎後性急性腎不全は、**前立腺疾患**による尿閉です。治療は尿路閉塞の解除です。尿管ステントカテーテルや尿道カテーテルを用います。

Case study

【症例】 60 代男性。以前より尿量の減少を自覚していた。昨日より下腹部の痛みを自覚するようになり来院した。
尿蛋白（+）、尿潜血（+）
BUN 87 mg/dL、血清 Cr 7.95 mg/dL

- 本例は急性腎不全と診断し、入院となりました。腹部エコー上、緊満した膀胱を認め、尿カテーテルを挿入したところ 2 リットルほど排尿がありました。
- その後、腎機能は徐々に改善し、2 日後には血清 Cr 値は 1.00 mg/dL まで戻りました。後日の検査で、腎後性急性腎不全の原因は前立腺肥大による尿閉と判明しました。

AKI はどこで起こっているのか？

院内発症が多い

- 急性腎障害の発症率は、年々増加していることが知られています。なかでもICU での発症頻度が最も高いと言われています。

急性腎障害の発症場所と原因

• 院外	**腎前性** ≫ 腎性 ＞ 腎後性
• 院内（ICU 以外）	**腎性** ＞ 腎前性 ＞ 腎後性
• 院内（ICU）	**腎性** ≫ 腎前性 ＞ 腎後性

- 急性腎障害の原因別頻度を見てみると、院外では腎前性が多いですが、院内では腎性が多いです。特に ICU では腎性がほとんどです。造影剤を代表とする**薬剤性**（医原性）や**手術後**（特に心臓手術後）の急性腎障害が多いようです。

Acute on Chronic

- CKD をもつ患者さんが AKI を発症した場合、AKI から回復する可能性が低いこと、長期的に透析導入となる可能性が高いことも知られています。これはよく経験します。
- つまり腎不全が一段階進行した状態になるわけで、**acute on chronic**（慢性疾患の急性増悪）と呼ばれる病態です。

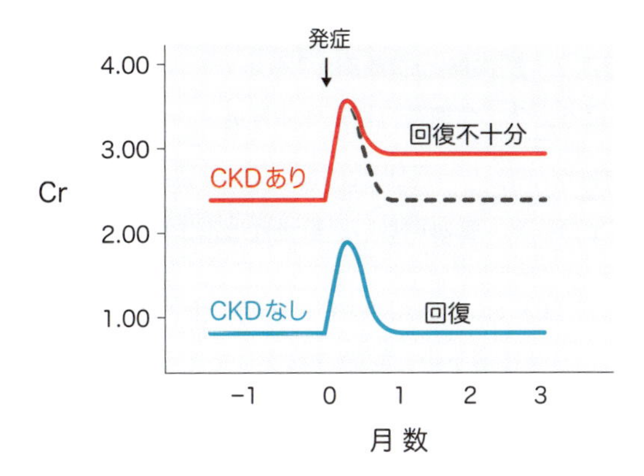

内因性腎毒性物質による AKI

- 腎毒性物質には様々なものがあります。外因性と内因性に分けられます。

外因性毒性物質

- 造影剤
- 腎毒性抗菌薬（アミノ配糖体など）
- 腎毒性抗癌剤（シスプラチンなど）
- 重金属（鉛、水銀）
- リチウム
- フッ素系麻酔薬（メトキシフルラン、ハロタン）
- 有機溶剤（エチレングリコールなど）

内因性毒性物質

- 横紋筋融解症（ミオグロビン）
- 溶血（ヘモグロビン）
- 腫瘍崩壊症候群
- 骨髄腫
- 高カルシウム血症

- 内因性腎毒性物質による AKI の診断を、実際の症例でみてみましょう。

Case study 1

【症例】 60 代男性。1 週間前の大雪の日に半日雪かきをした。その後、筋肉痛が出現。様子を見ていたが、動けなくなってきたため、救急外来を受診。血清 Cr 値 5.60 mg/dL、尿蛋白（−）、尿潜血（+）

鑑別のポイント

①腎不全の原因は？　筋肉痛との関係は？

➡ 急性腎不全？　急速進行性糸球体腎炎？　慢性腎不全の急性増悪？

②腎臓のサイズは？

➡ 腹部エコー上、腎萎縮なし。腎後性は否定的。

- 血液検査の結果、CK が 10280 IU/L と著明に上昇していることが判明し、**横紋筋融解**による急性腎不全と診断されました。その後、輸液により徐々に腎機能の改善を認め、正常値まで回復し、1 週間後退院となりました。

Case study 2

【症例】70 代男性。発熱、呼吸困難を訴え近医を受診。肺雑音聴取、胸部 X 線で肺炎を認め、BUN 52 mg/dL、Cr 3.62 mg/dL と腎障害あり。CK 52004 IU/L と著明に上昇。両上腕と大腿の自発痛、把握痛あり。

入院時血液検査：Hb 12.8 g/dL、WBC 10360/μL、Plt 15 万 /μL、BUN 101 mg/dL、Cr 7.98 mg/dL、K 4.4 mEq/L、CK 33826 IU/L、CRP 30.31 mg/dL

尿検査：蛋白（+）、潜血（3+）、尿中肺炎球菌抗原（+）

- 肺炎とともに筋肉痛、乏尿を認めた横紋筋融解による急性腎不全の症例です。入院後、抗菌薬投与により肺炎は改善しました。急性腎不全に対しては血液透析を連日 3 日間施行、その後隔日で行い、計 6 回で透析離脱しました。自尿も認められ、Cr 3.32 mg/dL まで改善し、CK も徐々に正常化しました。

横紋筋融解症について

- 横紋筋融解症の原因としては外傷や薬剤が多いですが、最近は感染症に伴う症例も増えています。内科地方会のデータベースで検索すると、レジオネラ肺炎やインフルエンザ、肺炎球菌性肺炎などに横紋筋融解症を併発した急性腎不全の報告が多数ありました。いずれも高齢者でなりやすいようです。

横紋筋融解症

- 骨格筋の融解や壊死によって筋細胞内の成分が血中に流出する
- 筋肉痛や筋の腫脹、四肢の脱力、疼痛、しびれ等が下腿を中心に出現
- ミオグロビン尿によって尿が赤褐色になる
- 血中、尿中ミオグロビンが上昇
- 血中 CK、LDH、AST（GOT）等も急激に上昇
- 急性腎不全から多臓器不全を併発し、死に至る場合もある

横紋筋融解症の原因

- **外傷**
- **薬剤**：スタチン、フィブラート系薬剤、ニューキノロン、グリチルリチン製剤、テオフィリン、利尿薬、向精神薬、全身麻酔薬など
- **その他**：低カリウム血症、低リン血症、アルコール

AKIの診断の流れ

- 急に血清クレアチニン値が上昇した患者さんを診たら、何をしたらよいでしょうか。

  - 緊急透析が必要な病態かどうか？
  - 原因は何か？　薬剤性の可能性は？
  - 腎前性？　腎性？　腎後性？

- 以下の検査や問診を行って、診断を進めていきます。

急性腎障害の診断に必要な検査・情報

- 腹部エコー
- 尿所見
- 血清クレアチニン値
- 病歴、薬剤歴
- 身体所見（尿毒症、高カリウム血症、代謝性アシドーシス、心不全）

腹部エコー

- まず行うべきなのが、**腎エコー**です。最初に除外すべき腎後性AKIの診断に最も有用なツールです。膀胱や腎盂の拡張の有無を確認します。腎後性AKIの多くは**水腎症**を呈しますので、腎エコーでわかります。尿が出ているからといって100%否定はできません。
- 腎エコー上、皮質の浮腫（エコー輝度低下）は、腎前性や虚血による急性尿細管壊死の早期病変の可能性を示唆しています。
- 一方、腎萎縮を伴う皮質のエコー輝度上昇を認めた場合は、慢性腎臓病がもともと存在していた可能性を示唆しています。そこに急性腎障害が加わった、いわゆるacute on chronicの病態と考えます。
- 腎前性の要素を調べるため、腹部エコーによる下大静脈径の計測も重要です。血管内volumeの評価を行って脱水の有無をチェックします。
- **心エコー**で心不全の有無をチェックします。心不全は腎前性の原因になります。

尿所見

- 尿所見の中でも **Na 排泄分画（FENa）** は特に重要です。腎前性と腎性の AKI を鑑別するポイントとして、教科書に必ず記載されています。

FENa = （尿中 Na / 血清 Na）÷（尿中 Cr / 血清 Cr）× 100

- FENa は、糸球体で濾過された Na 量の何%が尿中に排泄されたかを示します。尿細管での Na 再吸収率の指標となり、健常者では 99%が再吸収されているため、FENa は 1%未満です。もし FENa が 1% 未満であれば、尿細管で Na がきちんと再吸収されている（尿細管機能が保たれている）、つまり腎前性を意味します。

基本的に尿細管機能は正常。血圧や循環血漿量を保つために Na や水をたくさん再吸収する

尿細管障害によって、Na や水の再吸収ができない。Na 排泄が増えて希釈尿になる

	腎前性	腎 性
尿中 Na 濃度（mEq/L）	< 20	> 40
FENa（%）	< 1	> 1
尿比重	> 1.020	< 1.012
尿浸透圧（mOsm/kgH_2O）	> 500	< 350
尿沈渣	軽微	円柱多数

血清 Cr 値

- 血清 Cr 値の過去のデータがあれば、1/Cr（または eGFR）のグラフを書いてみましょう。近似線の傾きが急に強くなる点が AKI を起こした時点と推測できます。
- その時点でどのようなイベントがあったのか（新規薬剤が始まった、造影剤を使用したなど）を調べて、原因を探ることができます。

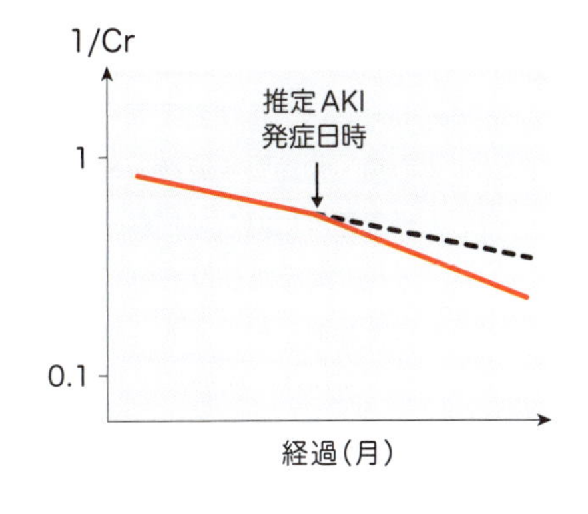

病歴、身体所見

- 病歴や身体所見もAKIの診断に重要です。尿路結石や前立腺肥大の既往、排尿困難・排尿痛、側腹部の痛みなどがあれば、腎後性の可能性が高くなります。
- 腎前性では、体液量減少（脱水）や低血圧につながるエピソード（嘔吐・下痢、発熱や感染など）について問診することが重要です。

薬剤歴

- 腎毒性物質の曝露歴の有無は、診断の重要なポイントです。
- 尿細管でのクレアチニン分泌阻害などにより見かけ上、血清クレアチニン値の上昇を起こす薬剤があります。

尿細管でのクレアチニン分泌を阻害する薬剤

- ST合剤（バクタ®）、シメチジン（タガメット®）など

- これらの薬剤は、糸球体濾過量に直接影響を与えずに、尿細管からのクレアチニン分泌を阻害するため、見かけ上血清クレアチニン値を上昇させます。実際に腎臓が障害されているわけではありません。
- 免疫抑制療法中の患者さんに日和見感染の予防としてST合剤を処方することがあります。投与開始後数日して血清クレアチニン値が上昇するのをしばしば経験します。休薬すると元に戻ります。

- AKIは高齢者で起こりやすいです。典型的なAKIの発症パターンをまとめると、次のようになります。

高齢者で起こりやすい典型的なAKI

- **心カテーテル検査後** ➡ 造影剤による急性腎障害
- **心臓・大血管手術後** ➡ 虚血性急性腎不全
- **骨粗鬆症**に対してビタミンDやカルシウム製剤処方
  ➡ 高カルシウム血症に伴う急性腎障害
- 慢性腰痛に対して**NSAIDs**処方 ➡ 急性腎障害

AKIを疑ったときの問診のポイント

- いつから尿が出ていないのか？
- 発熱、嘔吐、下痢、脱水、出血はなかったか？
  ➡ 循環血漿量減少の有無、腎前性の可能性？
- 薬剤の開始や変更はなかったか？　造影剤を使用していないか？
  ➡ 薬剤性の可能性
- 結石や前立腺肥大の既往は？
  ➡ 尿路閉塞の有無、腎後性の可能性
- 心臓カテーテル検査や手術を数日以内に受けていないか？

Case study

【症例】 50代男性。不整脈治療のため循環器内科入院中。入院後徐々に血清Cr値が上昇した。腎障害の精査のため当科紹介となった。

[血清Cr値]	入院時	1.10mg/dL
	入院7日目	1.58mg/dL
	入院10日目	2.30mg/dL

鑑別のポイント

①入院中に発症した腎不全の原因は？
➡ 急性腎不全？　急速進行性糸球体腎炎？　慢性腎不全の急性増悪？

②腎臓のサイズは？
➡ 腹部エコー上、腎萎縮なし。水腎症の所見はなく、腎後性は否定的。

③尿蛋白（−）、尿潜血（2+）、尿中NAG高値と判明
➡ 尿細管障害？

④薬剤性腎障害？
➡ 入院後、内服薬の追加変更はなし

- 原因精査を目的として腎生検を行ったところ、**急性尿細管壊死**の所見を認めました。入院時に腹部造影CTを施行しており、造影剤を原因とした腎性急性腎不全が考えられました。補液により徐々に腎機能改善傾向を認め、退院となりました。

造影剤腎症は予防するしかない

- **造影剤腎症**は、造影剤投与後72時間以内に生じるAKIと考えられています。造影剤投与後2～3日で血清クレアチニン値がピークになり、1～2週間で回復することが多いです。
- 腎組織像は急性尿細管壊死を呈します。

- 発症機序として、次のような機序が推測されています。

造影剤腎症の発症機序

- 尿細管上皮への直接毒性
- 腎血管収縮による腎虚血

- 有効な治療法はないため、リスク因子をきちんと把握して予防するしかありません。

造影剤腎症のリスク因子

- 腎障害
- 糖尿病
- 高齢者
- 心不全
- 脱水
- NSAIDs
- RAS阻害薬
- カルシニューリン阻害薬

正常血圧性虚血性 AKI

- 通常、虚血性の急性腎障害では、体液量減少などによる血圧低下を伴います。では、正常血圧性虚血性 AKI とはどのような病態でしょうか。
- **正常血圧性虚血性 AKI** とは、血圧低下が軽いにも関わらず、急速に GFR が低下し AKI を生じる病態をいいます。原因として、輸入細動脈の拡張不全または輸出細動脈の拡張による腎灌流不全が考えられています。

正常血圧性虚血性 AKI のリスク因子

- 高齢者（動脈硬化）
- 既存の CKD
- 重症感染症
- 高 Ca 血症
- 造影剤
- NSAIDs

輸入・輸出細動脈のバランスが崩れるとどうなるか

- GFR は、糸球体の輸入細動脈と輸出細動脈のトーヌスのバランスによって自動的に調節されています。たとえば、全身血圧が低下した場合、輸入細動脈が拡張し、輸出細動脈が収縮することによって、GFR は正常に維持されます。

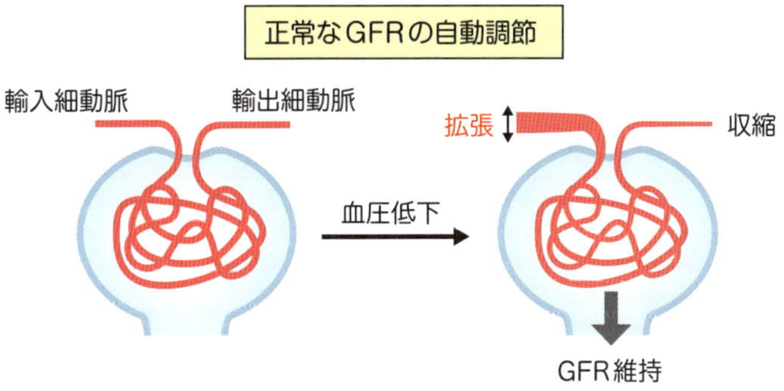

正常なGFRの自動調節

輸入細動脈
輸出細動脈
血圧低下
拡張
収縮
GFR維持

- しかし、輸入細動脈が器質的あるいは機能的に狭窄している場合、この自動調節は破綻します。高齢による動脈硬化などの器質的狭窄や、重症感染症などによる機能的収縮が輸入細動脈に起こっている時に生じます。

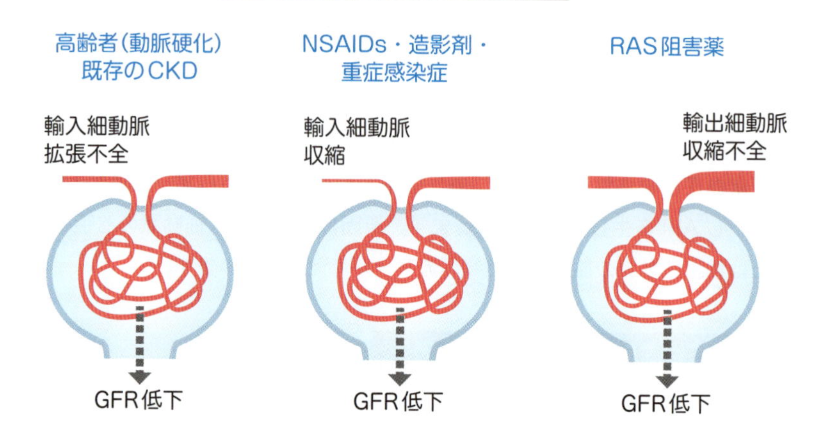

- NSAIDsは輸入細動脈の拡張を阻害してGFRを低下させます。一方、RAS阻害薬内服中は輸出細動脈の収縮が阻害されているため、GFRが低下しやすいです。

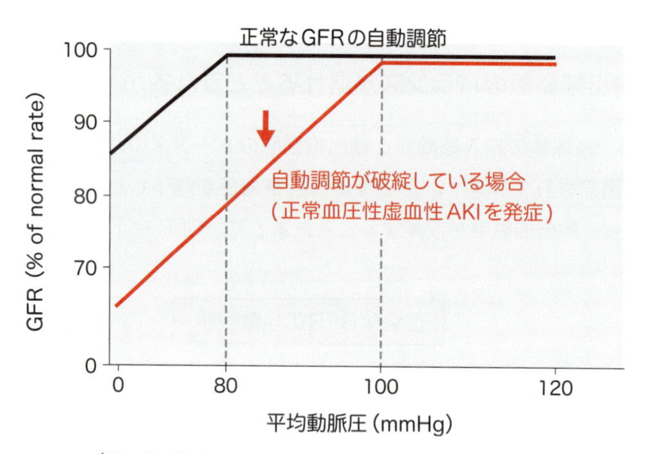

(Abuelo JG : *N Engl J Med* 2007; 357: 797-805 より引用改変)

- 通常は平均血圧(拡張期血圧+脈圧÷3)が80mmHgまで低下して初めてGFRが下がってきます。ところが、GFRの自動調節が破綻していると、平均血圧が80mmHg以上でもGFRの低下が起こってしまうわけです。これが正常血圧性虚血性AKIの発症機序です。

腎機能悪化のとらえ方

- 腎障害が悪化している患者さんを診察する際に把握すべき重要なポイントは、腎機能の悪化（変化）の速さです。

❶ 日に日に血清 Cr 値が悪化してくるケース

→ **急性腎障害（急性腎不全）**に相当します

- この場合は**緊急性**がありますね。すぐに診断して適切な治療を行わないといけません。「明日は土曜日だから、週明けに腎臓内科に紹介しよう」では遅すぎます。**すぐに**腎臓専門医に電話して指示を仰ぎましょう。

❷ ここ数ヵ月で徐々に血清 Cr が悪化しているケース

→ **急速進行性糸球体腎炎**の可能性があります

- AKI ほどの緊急性はありませんが、腎臓専門医へのコンサルトは**必須**です。なぜならば、腎生検をして診断・治療しなければならない病気の可能性が高いからです（ANCA 関連血管炎、ループス腎炎、抗基底膜病など）。

- このように、腎機能悪化の速度がどの程度かによって、対応が異なります。腎臓専門医は腎疾患の精査の際に、下記の項目を必ず調べます。言い方を変えると、下記の情報が記載されている紹介状は、腎臓専門医にとって非常にありがたいですね。

腎臓専門医が鑑別のときに知りたい情報

- **血清 Cr 値の上昇速度**
  → 過去の腎機能の推移（できるだけさかのぼって）
- **尿所見**
  → 蛋白尿、血尿、沈渣異常の有無
- **腎臓のサイズ、形態**
  → 腎萎縮の有無、嚢胞の有無、結石の有無など

AKI の典型的なパターン

- 急性腎障害は基本的に高齢者（潜在的慢性腎臓病）に起こりやすいです。今後もその傾向は続くでしょう。

頻度の高いケース

- **RAS 阻害薬**や**利尿薬**内服中の高齢者 ＋ 体液量減少（脱水、発熱、下痢）
- 既存の慢性腎臓病患者 ＋ **NSAIDs**（坐剤含む）使用
- 既存の慢性腎臓病患者 ＋ 用量調整せずに**腎毒性物質**を使用
- 骨粗鬆症のある高齢者 ＋ **ビタミンD製剤**と**カルシウム製剤**使用
- 慢性腰痛のある高齢者 ＋ 除痛のための **NSAIDs** 使用

たまに遭遇するケース

- 血管内カテーテル操作、大血管手術後の網状皮疹、Blue toe syndrome、好酸球増多 ➡ **コレステロール血栓塞栓症**
- 心房細動患者の突然の側腹部痛と LDH の上昇 ➡ **腎動脈塞栓症**
- 高齢男性の抗コリン薬、抗うつ薬、抗ヒスタミン薬内服
  ➡ **尿閉**に伴う腎後性急性腎障害

まれに遭遇するケース

- 急激な無酸素運動後の側腹部痛、低尿酸血症
  ➡ 運動後急性腎障害
- 高齢者の骨痛、貧血、血清総蛋白 / 血清アルブミン比の解離
  ➡ 多発性骨髄腫による AKI

- 潜在的慢性腎臓病である高齢者や、腎機能が少し低下していそうな患者さんに何らかの薬剤を投与する際は、

  - **必ず患者の eGFR を把握すること**
  - **投与薬剤の排泄経路（肝代謝か腎排泄か）を調べること**

  を心がけましょう。

AKI鑑別診断の具体例

Case study

【症例】 50代男性。舌がしびれる、内臓が痛い感じを自覚したため、近医を受診した。血圧170/102 mmHg
血液検査：BUN 120 mg/dL、血清Cr 12.58 mg/dL、Hb 6.8 g/dL
尿検査：尿蛋白（3+）、尿潜血（2+）、尿中赤血球70/HPF
胸部レントゲン：心拡大あり、CTR 58%、両側胸水あり

鑑別のポイント

①緊急透析の適応か。体液貯留、アシドーシスの程度は？
②腎不全の原因は何か。腎臓のサイズは？
→ 急性腎不全？　急速進行性糸球体腎炎？　慢性腎不全の急性増悪？
③著明な貧血の原因は何か。出血？　溶血？　造血不全？

問診で判明したこと

- 5年前の健康診断で蛋白尿、血尿を指摘されていたが放置。
  → 何らかの腎炎が基礎疾患にあるのか？
- 2週間前に感冒症状あり。近医にて総合感冒薬と抗菌薬を処方された。
  → 感染後急性糸球体腎炎？　薬剤性腎障害？
- 高血圧や糖尿病の既往なし
  → 腎硬化症や糖尿病性腎症は否定的
- 家族や親戚に腎臓病の方はいない
  → 遺伝性腎疾患は否定的
- 便は黒くないとのこと（その後便潜血も陰性が判明）
  → 消化管出血はなさそう

画像検査で判明したこと

- 腹部CTで尿路閉塞なし・水腎症なし → 腎後性急性腎不全は否定的
- 腹部エコーで左右の腎臓とも長径8.5 cm、皮質のエコー輝度上昇あり
  → 腎萎縮がありそう。慢性腎不全がもともとあった？

血液検査で判明したこと

- 網状赤血球数は正常範囲
  ➡ 著明な貧血にもかかわらず増加していない。腎性貧血か？
- ビリルビン、LDH、ハプトグロビン正常 ➡ 溶血は否定的
- Ca ⬇、P ⬆、iPTH 高値
  ➡ 二次性副甲状腺機能亢進症？　慢性腎不全がもともとあった？

入院数日後に判明したこと

- MPO-ANCA 陰性、PR3-ANCA 陰性 ➡ ANCA 関連血管炎は否定的
- 抗基底膜抗体陰性（問診でも今までに血痰はなかったとのこと）
  ➡ 抗基底膜病や Goodpasture 症候群は否定的
- FENa 12%
  ➡ Na 再吸収障害がある。腎前性の要素（出血、脱水など）は否定的

- 以上の結果から「**慢性腎不全の急性増悪**」と判断しました。すでに腎萎縮があり、得られる情報は少ないと判断して腎生検は行いませんでした。したがって、慢性腎不全の原疾患は不明のままです。
- 全身倦怠感、胸水貯留、pH 7.23 と著明な代謝性アシドーシスを認めたため、除水とアシドーシス補正のため、入院当日にダブルルーメンカテーテルを挿入、緊急血液透析を実施しました。透析導入後、徐々に臨床症状の改善を認めました。しかし、最終的に腎機能は改善せず、透析離脱には至っていません。現在も維持透析を継続しています。

AKI における透析の適応

- 基本的に保存的治療で臨床症状がコントロール困難な場合や困難が予想される場合が、透析療法の適応になります。腎機能の数値で決まるものではありません。

透析の適応

- 著明な高カリウム血症
- 高度の代謝性アシドーシス
- 尿毒症症状（脳症、心膜炎、神経炎など）
- コントロール困難な体液過剰、肺水腫

第⑩章

慢性腎臓病(CKD)

従来の腎疾患の分類とは別に、腎障害の存在と GFR に基づいて、末期腎不全や心血管イベントのリスクとして包括的に捉えたものを「慢性腎臓病」と言います。

医師だけでなく、患者さんや一般市民にとって身近なものになるように作られた疾患概念です。

一般の方々に慢性腎臓病の説明をするとき、重要なポイントとして以下の点を特に強調しています。患者さんへの説明に応用してみてください。

慢性腎臓病のポイント

- 腎臓は体液の環境を守る大切な臓器
- 慢性腎臓病は「腎臓の働きが低下した状態」または「低下する危険性が高い状態」
- 慢性腎臓病は国民の８人に１人（新たな国民病）
- 慢性腎臓病は多くは無症状で気づかない
- 慢性腎臓病は脳卒中や心筋梗塞の危険因子
- 慢性腎臓病の診断は簡単（血液と尿１滴）
- 慢性腎臓病は予防と治療が可能

慢性腎臓病（CKD）とは

- 腎臓病は、その原因や病態、臨床像、組織像に応じて、たくさんの病名が存在します。
- そのため腎疾患の診断や治療は、患者さんはもちろん、一般内科医にさえわかりにくい状況が続いていました。「専門性が高いから、腎臓専門医でないと腎疾患は診られない」と考える医師も少なくありません。

- そこで、従来の疾患分類（慢性糸球体腎炎、糖尿病性腎症、慢性腎不全…など）とは別に、

- **検尿異常**
- **糸球体濾過値**（glomerular filtration rate：GFR）

の２つを基準にして腎臓病を捉えようとする新しい疾患概念が生まれました。これが**慢性腎臓病（chronic kidney disease：CKD）**です。きわめてシンプルな診断方法です。

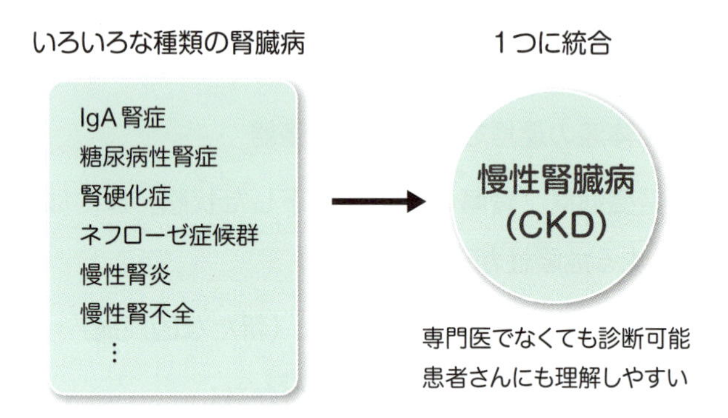

CKDの概念が生まれた背景

- CKDという用語とその概念は、2002年に米国腎臓財団（National Kidney Foundation）によって提唱され、今や世界中で使用されるようになっています。

- この概念が生まれた背景には、次のような理由があります。

CKD の概念が生まれた背景

- CKD は末期腎不全だけでなく心血管障害の発症リスクでもある
- CKD の有病率は高く、今後も増加することが危惧される
- 早期発見によって CKD の進展予防、治療が可能である
- 透析を要する末期腎不全患者が著増し、医療経済を圧迫している

- 腎臓病は腎臓だけの問題ではなく、生命を脅かす心血管イベント（心筋梗塞や脳出血など）のハイリスク因子でもあることが、最近の大規模臨床試験の結果からわかってきました。

- CKD 患者数は今後ますます増加することが予想されますが、早期に発見し治療介入できれば、進行抑制あるいは治癒も十分期待できます。
- この新しい概念を導入することによって、医師だけでなく患者さんにとっても腎臓の病気がより身近なものになるものと期待されています。

CKD の定義

- 慢性腎臓病（chronic kidney disease：CKD）は、以下のように定義されています。

慢性腎臓病（CKD）の定義

1）**尿異常**、画像診断、血液、病理で腎障害の存在が明らか
特に 0.15 g/gCr 以上の蛋白尿（30 mg/gCr 以上のアルブミン尿）の存在が重要

2）**GFR ＜ 60 mL/ 分 /1.73 m²**

上記 1）、2）のいずれか、または両方が 3 ヵ月以上持続する

- ここで強調しておきたいのは、GFR が正常でも、尿の異常や腎臓の形状の異常を認めるだけで慢性腎臓病に含まれるということです。
- これまでは、蛋白尿や尿潜血を認めていても、腎機能の低下（血清 Cr 値の上昇）がなければ、主治医の先生から「症状がなければ様子をみましょう」と言われて、そのまま放置されているケースも少なくなかったと思われます。
- でも今は、検尿異常のみでも慢性腎臓病に該当しますので、きちんとした精査が必要です。

慢性腎臓病（CKD）と慢性腎不全の違い

- 慢性腎臓病と慢性腎不全、言葉は似ていますが、何が違うのでしょうか。
- **慢性腎不全**は、「慢性的に腎機能が低下している状態」を意味します。通常、腎機能が正常の 30％程度に低下した状態をいいます。
- 一方、**慢性腎臓病**は「いま現在、腎機能が低下している人」だけでなく、「今後腎機能が低下するリスクの高い人」も含む幅広い疾患概念です。

- **慢性腎不全** ＝ 腎機能が低下している状態
- **慢性腎臓病** ＝ 腎機能が低下している状態 ＋ 今後腎機能が低下するリスクの高い状態

CKD のステージ分類

- 従来の慢性腎不全の考え方では、明らかに腎機能が低下した患者さんを対象に、「腎不全への進行をいかに遅らせ、透析導入をいかに防ぐか」ということに焦点を当てた治療が行われていました。
- ところが、最近になって、腎疾患を有すること自体が、その種類によらず心血管合併症の独立した危険因子であることが明らかになりました。そのため、今まで以上に早い時期から腎疾患を診断し、対応することが重要と考えられるようになっています。

- このため CKD ステージ分類では、腎機能低下は原疾患の種類にかかわらず、共通した連続的事象と捉え、腎機能が低下する以前の早期の腎障害を含んだものになっています。
- このステージ分類では、腎機能の指標として **GFR** が採用されています。ですから、たとえ血清 Cr 値が正常値でも、GFR が低下している状態を把握することができ、より早期の CKD を認識することが可能です。

GFR 区分 (mL/分/1.73m^2)			
	G1	正常または高値	≧ 90
	G2	正常または軽度低下	60 ～ 89
	G3a	軽度～中等度低下	45 ～ 59
	G3b	中等度～高度低下	30 ～ 44
	G4	高度低下	15 ～ 29
	G5	末期腎不全 (ESKD)	< 15

(KDIGO 2012 Clinical Practice Guideline for the Evaluation and Management of Chronic Kidney Disease より引用改変)

- GFR の低下の程度により、病期をステージ G1 からステージ G5 に分類しています。内服薬を中心とする内科的な治療（保存的な治療）で対応できる時期を**保存期腎不全**と呼びますが、この分類ではステージ G3 とステージ G4 に相当します。

ステージ G3（GFR 30 ～ 59）

- 高血圧、軽度の高窒素血症、軽度の貧血、夜間尿などを認めます。基本的に自覚症状は乏しい時期です。

ステージ G4（GFR 15～29）

- 高窒素血症、貧血に加えて、高カリウム血症、代謝性アシドーシス、高リン血症、低カルシウム血症など電解質異常を認めます。高血圧は難治性で、浮腫を認めます。

ステージ G5（GFR 15 未満）

- 腎不全がさらに進行し、内科的な治療では生命の恒常性維持が不可能になった状態です。上記症状に加えて、著明な体液貯留（浮腫、胸腹水、肺水腫）や尿毒症の症状が出現します。**末期腎不全**（end-stage renal disease：ESRD）に該当し、腎代替療法の準備が必要となります。

CKD 患者数はどれくらいか？

- 日本腎臓学会 CKD 対策委員会の調査によって、わが国の慢性腎臓病の患者数がおよそ推定されています。

GFR ステージ	GFR ($mL/分/1.73m^2$)	尿蛋白 (－)～(±)	尿蛋白 (1＋)以上
G1	≧ 90	2803 万人	61 万人（0.6%）
G2	60 ～ 89	6187 万人	171 万人（1.7%）
G3a	45 ～ 59	886 万人（8.6%）	58 万人（0.6%）
G3b	30 ～ 44	106 万人（1.0%）	24 万人（0.2%）
G4	15 ～ 29	10 万人（0.1%）	9 万人（0.1%）
G5	< 15	1 万人（0.01%）	4 万人（0.03%）

（平成 23 年度厚生労働省 CKD の早期発見・予防・治療標準化・進展阻止に関する研究班）

- 緑色の部分が慢性腎臓病に該当しますが、よく見てみると腎機能（GFR）が正常（90 mL/min 以上）でも慢性腎臓病に該当する方がいます。
- つまり、腎機能が正常だから大丈夫とはいえないのです。20 歳以上の成人では約 1330 万人が慢性腎臓病に該当すると考えられています。この数は成人の **8 人に 1 人**に相当し、慢性腎臓病は新たな国民病とも言われています。

- 透析をしている患者さんは、**氷山の一角**に過ぎません。その下には、膨大な数の透析予備軍である慢性腎臓病の患者さんが隠れているのです。

第10章 慢性腎臓病（CKD）

CKD の重症度分類

- 慢性腎臓病の重症度は、**原疾患**と **GFR**、**尿蛋白量**によって分類されています。

CKD の重症度分類

<table>
<tr><th colspan="2">原疾患</th><th colspan="2">蛋白尿区分</th><th>A1</th><th>A2</th><th>A3</th></tr>
<tr><td colspan="2" rowspan="2">糖尿病</td><td colspan="2">尿アルブミン定量
(mg/日)</td><td>正常</td><td>微量アル
ブミン尿</td><td>顕性アル
ブミン尿</td></tr>
<tr><td colspan="2">尿アルブミン /Cr 比
(mg/gCr)</td><td>30 未満</td><td>30 ～ 299</td><td>300 以上</td></tr>
<tr><td colspan="2" rowspan="2">高血圧
腎炎
多発性嚢胞腎
移植腎
不明
その他</td><td colspan="2">尿蛋白定量
(g/日)</td><td>正常</td><td>軽度
蛋白尿</td><td>高度
蛋白尿</td></tr>
<tr><td colspan="2">尿蛋白 /Cr 比
(g/gCr)</td><td>0.15 未満</td><td>0.15 ～
0.49</td><td>0.50 以上</td></tr>
<tr><td rowspan="6">GFR 区分
(mL/ 分 /
1.73 m²)</td><td>G1</td><td>正常または
高値</td><td>≧ 90</td><td></td><td></td><td></td></tr>
<tr><td>G2</td><td>正常または
軽度低下</td><td>60 ～ 89</td><td></td><td></td><td></td></tr>
<tr><td>G3a</td><td>軽度～
中等度低下</td><td>45 ～ 59</td><td></td><td></td><td></td></tr>
<tr><td>G3b</td><td>中等度～
高度低下</td><td>30 ～ 44</td><td></td><td></td><td></td></tr>
<tr><td>G4</td><td>高度低下</td><td>15 ～ 29</td><td></td><td></td><td></td></tr>
<tr><td>G5</td><td>末期腎不全
(ESKD)</td><td>< 15</td><td></td><td></td><td></td></tr>
</table>

(CKD 診療ガイド 2012 ; KDIGO CKD guideline 2012 を日本人用に改変)

- この表の縦軸は腎機能（GFR）に応じて、ステージ G1 からステージ G5 に分類されています。横軸は尿蛋白量の程度によって、A1、A2、A3 に分類されています。
- 見てわかるとおり、右下に向かって色が濃くなっています。GFR が低いほど、尿蛋白量が多いほど重症ということです。
- つまり、右下にいくほど、末期腎不全に至って透析医療が必要になるリスクが高くなります。当然と言えば当然ですね。

糖尿病と他の疾患を区別する理由

- ここで注意が必要なのは、横軸の尿蛋白量の分類を、糖尿病とそれ以外の疾患で区別している点です。
- 高血圧や腎炎の場合、尿蛋白量が 0.15g/gCr（＝150mg/gCr）を超えなければ正常（A1）です。しかし、糖尿病の場合、尿アルブミンが 30mg/gCr 未満であれば正常ですが、30mg/gCr を超えると微量アルブミン尿として A2 になります。
- たとえば、尿蛋白量 400mg/gCr（0.4g/gCr）の場合、糖尿病以外の腎疾患では A2 ですが、糖尿病性腎症では A3 に該当します。糖尿病の方が基準を低く設定してあり、微量アルブミン尿を認めた時点でかなり重症（末期腎不全のリスクが高い）であることを表しています。

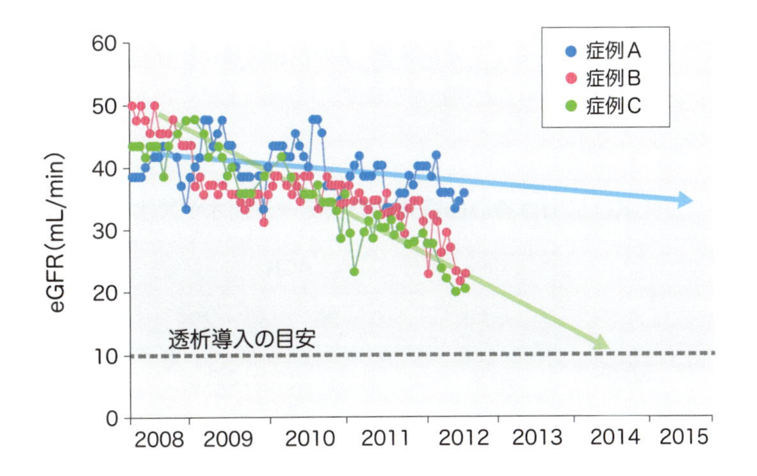

- 慢性腎臓病の A さん、B さん、C さんの 3 人の腎機能の推移を上のグラフに示します。当初は、3 人とも同じくらいの腎機能（血清 Cr 値 2.50mg/dL 程度）でした。A さんは血圧も落ち着いており、尿蛋白も消えていました。B さんは血圧はコントロールされていましたが、蛋白尿が残存していました。C さんは糖尿病性腎症による大量の蛋白尿を認め、高血圧、肥満も合併していました。
- 重症度分類の通り、C さんはやはり重症で、6 年後に透析導入になりました。10 年後の現在、B さんは透析導入となりましたが、A さんは現在も腎機能を悪化させずに維持できています。
- このように糖尿病性腎症では、いったん顕性蛋白尿が出始めると、徐々に腎機能が悪化してその進行を食い止めるのは非常に難しいです。

なぜ、いまCKDが問題になっているのか？

- CKDは、なぜこれほど大きな問題になっているのでしょうか。それはCKDが腎臓だけの病気ではなく、生命を脅かす**心血管イベント**の重要なリスクファクターであることがわかってきたからです。

CKDと心血管死亡の関係

- 下の表は、CKD患者における心血管死亡のリスクをステージ別に示しています。オッズ比が高いほど、心血管死亡が起こりやすいことを表します。**ACR**はAlbumin/Creatinine Ratio、すなわち尿アルブミン/クレアチニン比（mg/gCr）を意味します。
- 腎機能が低下していればしているほど、また尿蛋白量が多ければ多いほど心血管死亡のリスクが高いことがわかります。

CKDにおける心血管死亡のステージ別オッズ比

		ACR			
		＜10	10～29	30～299	≧300
eGFR	≧105	0.9	1.3	2.3	2.1
	90～104	Ref	1.5	1.7	3.7
	75～89	1.0	1.3	1.6	3.7
	60～74	1.1	1.4	2.0	4.1
	45～59	1.5	2.2	2.8	4.3
	30～44	2.2	2.7	3.4	5.2
	15～29	14	7.9	4.8	8.1

（KDIGO CKD guideline 2012より引用改変）

- この表で驚くのは、「ACR 30 ～ 299」の群、すなわち「微量アルブミン尿が出ている群」です。腎機能が GFR 60 以上でも心血管死亡のリスクが約 2 倍近く上昇しています。

- 2003 年に米国心臓学会（American Heart Association：AHA）より、「腎機能障害のみならず微量アルブミン尿の存在のみでさえも、心血管疾患の重要なリスクファクター」であることが提唱されました。つまり、ほとんど自覚症状が現れない早期腎症の段階で、非常に高い確率で心血管病変を合併することが明らかになりました。

- また、GFR 60 mL/min 未満の腎機能の時点ですでに心血管病変は始まっていることも明らかになっています。つまり、CKD 対策は末期腎不全への進行防止だけでなく、心血管病変による死亡率を低下させるためにも重要ということです。

- 日本の透析患者は毎年約 1 万人以上のペースで増加し、2021 年現在 34 万人を超え、医療費の増大は財政上の問題にもなっています。透析予備軍となっている CKD をいかに増やさないか、いかに減らしていくか、そのための対策が「今」必要になっています。

CKD の特徴

- CKD の特徴は、何といっても自覚症状がないことです。腎機能が正常の 20% 程度まで低下しないと、体に異変や不調は認められません。つまり、CKD は検査をしないと見つからないということです。

- 2 つ目の特徴は、**心筋梗塞**や**脳梗塞**との関係が非常に深いということです。下のグラフは 2 型糖尿病患者における脳卒中、冠動脈疾患、全心血管イベント発症の相対危険率を表したものです。
- このグラフは、「尿アルブミン正常で eGFR 60 mL/min 以上」、すなわち CKD でない人のリスクを 1 と設定しています。ご覧のように、CKD がない人と比べて、CKD がある人は心筋梗塞や脳梗塞の累積発症率が非常に高いということがわかります。

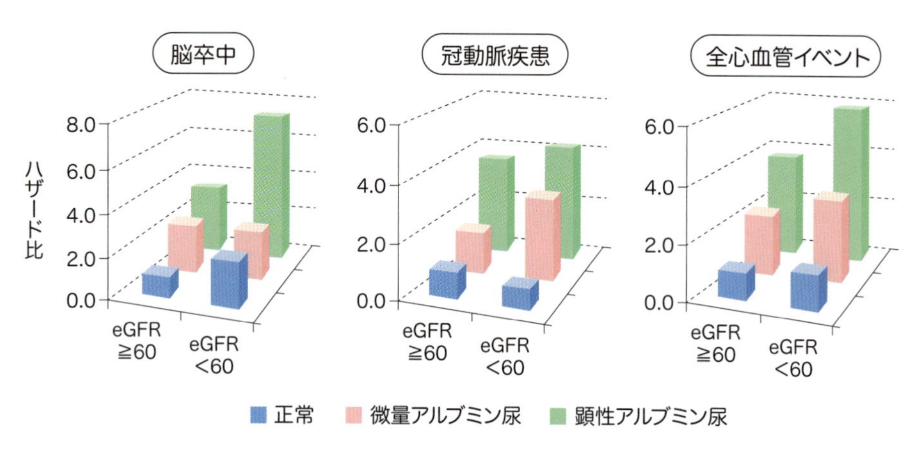

(Bouchi R *et al. Hypertens Res* 2010; 33 : 1298-304 より改変)

- 3 つ目の特徴は、いったん腎機能が低下すると元に戻らない（改善しない）ということです。腎不全の状態になると、腎機能が回復することはほとんどありません。
- 最終的には老廃物や毒素などが蓄積し、**尿毒症**といわれる状態を引き起こします。そうなると、老廃物や毒素、あるいは水分を体内から除去するために透析治療が必要になります。
- ですから、健康診断などによって、いかに腎疾患を早く見つけるかということが非常に重要になってくるわけです。

CKD の主な原因

生活習慣病

- **糖尿病性腎症**や高血圧に伴う**腎硬化症**がこれに相当します。生活習慣病の合併症として発症し、進行すると腎不全に陥ります。診断は主にそれまでの病歴から判断されることが多いです。

> - 糖尿病罹患歴 20 年。糖尿病性網膜症あり。蛋白尿あり。
>   → **糖尿病性腎症**と診断
> - 高血圧歴 10 年以上。血清 Cr 値が軽度悪化。すでに腎萎縮あり。
>   → **高血圧性腎硬化症**と診断

- これらは原因が生活習慣病であるため、腎合併症の進行を抑制するには生活習慣病（血糖、血圧、脂質など）をきちんとコントロールするしか方法はありません。

慢性糸球体腎炎

- **慢性糸球体腎炎**は何らかの免疫異常によって発症すると考えられています。腎生検によって診断され、治療は免疫抑制療法になります。治療が有効な場合は、蛋白尿が消失し、腎機能の悪化を抑制することが期待できます。

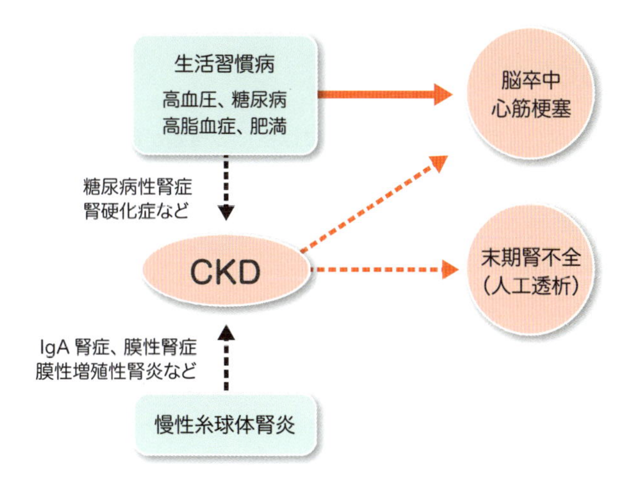

CKD の治療方針

腎機能を悪化させない治療

- 下のグラフは、CKD 患者さんの腎機能の経時的変化を示したものです。

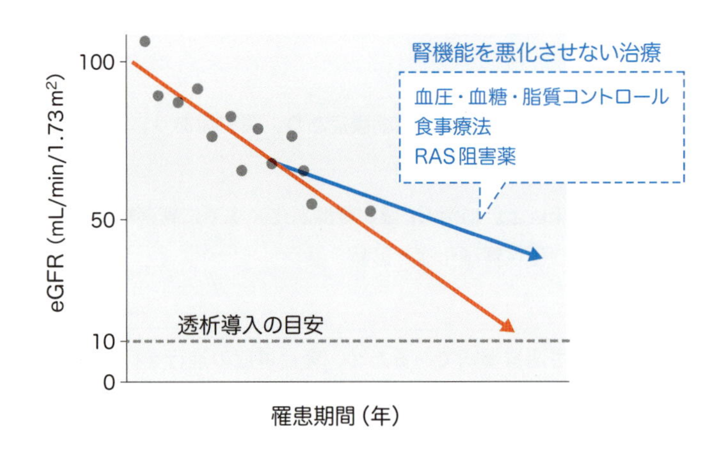

- このグラフの傾きを緩やかにして透析導入を回避するには、腎機能を悪化させない治療が必要不可欠です。具体的には**生活習慣の改善**、**血圧コントロール**、**血糖管理**、**脂質管理**、**減量**などです。
- これらの項目は、CKD の治療であると同時に、CKD にならないための予防でもあります。

腎炎そのものに対する治療

- 第 4 章で述べたように、糸球体腎炎には多くの種類があり、腎生検によって診断されます。糸球体腎炎の原因はよくわかっていませんが、免疫異常が関与していると考えられています。したがって、**ステロイド**や**免疫抑制薬**を用いた免疫抑制療法が治療の中心になります。
- また、糸球体腎炎では血小板の活性化が起こりやすいことから、抗血小板薬を用いることもあります。

高血圧は“サイレントキラー”

- 日本の高血圧患者数は約 4300 万人と推定され、どの診療科でも遭遇する頻度が非常に高いです。特に高齢者ではかなりの方が降圧薬を服用しています。
- 高血圧は持続すると動脈硬化を引き起こし、全身の臓器を障害します。それに伴って、心血管病、脳卒中、心筋梗塞、慢性腎臓病などの罹患リスクや死亡リスクは高くなります。

高血圧有病率（%）（2010 年）

	男性	女性
30 歳代	20.0	5.6
40 歳代	29.9	12.6
50 歳代	63.2	38.4
60 歳代	60.6	62.3
70 歳代	80.8	71.2

（NIPPON DATA2010 より引用）

- 日本における高血圧に起因する死亡者数は年間約 10 万人と推定されています。これは喫煙に次いで 2 番目に多い原因です。日本人の食塩摂取量は依然として多く、塩分制限は血圧をコントロールする上で最も重要です。
- 高血圧は“**サイレントキラー**”といわれます。自覚症状がほとんど現れないからです。よほど血圧が高ければ肩こりや頭重感を認めますが、多くの場合、症状を認めません。健康診断で高血圧を指摘されても、「これから塩分に気をつけよう」と言って無治療のまま放っておく方も少なくありません。

高血圧は糸球体硬化をもたらす

- 腎臓は血管が非常に豊富な臓器であり、心拍出量の約 25%が腎臓に流れます。高血圧が持続すると、当然、腎臓の血管にも動脈硬化を生じます。
- 特に糸球体は毛細血管の塊であり、動脈硬化の影響を直接受けます。動脈硬化が進んだ糸球体は、硬化して潰れていきます。いわゆる**糸球体硬化**です。
- **高血圧性腎硬化症**は、蛋白尿や血尿もあまり出ないまま、徐々に機能不全に陥っていきます。

高血圧による臓器障害

動脈硬化・血管障害
→ 脳卒中
→ 心筋梗塞・心不全
→ 高血圧性網膜症
→ 糸球体硬化 → 腎不全

高血圧の合併頻度は？

- 腎疾患患者で高血圧を合併している方は、どれくらいいるでしょうか。実は非常に多いです。高血圧が原因で腎障害をきたすケースと、腎障害が原因で高血圧をきたすケースがあります。

高血圧の合併頻度

- **保存期腎不全**：80% 以上
- **末期腎不全**：90%

二次性高血圧をきちんと鑑別する

- 高血圧の原因は様々です。それぞれに対応した治療法が必要なので、きちんとした鑑別診断が必要です。

高血圧を起こしうる患者背景

- **本態性高血圧**（高血圧患者の 90% を占める）
- **二次性高血圧**

  腎性高血圧：腎実質性高血圧、腎血管性高血圧

  原発性アルドステロン症

  褐色細胞腫

  Cushing 症候群など

- 病歴（突然の発症、若年発症、動悸など）、診察（腹部血管雑音の聴取など）、検査所見（血液、尿検査、画像検査など）で**二次性高血圧**を疑わせる所見がないかを確認することが重要です。
- なぜなら、二次性高血圧の場合、原疾患の治療を行うことによって、使用する薬剤の数や量を減らすことができ、場合によっては投薬なしで正常血圧に戻ることもあるからです。
- 高血圧の家族歴が強い家庭では、**本態性高血圧**が発症しやすくなります。これは遺伝の要素と、家族で似た生活習慣（食塩摂取量が多い、肥満が多い、運動不足など）にあることが考えられます。

高血圧は腎機能にどの程度影響するか？

- これまでの報告から、血圧が高いほど腎機能の悪化は早いことがわかっています。何となくイメージはできるのですが、実際にはどれくらいのスピードで悪くなるのでしょうか。

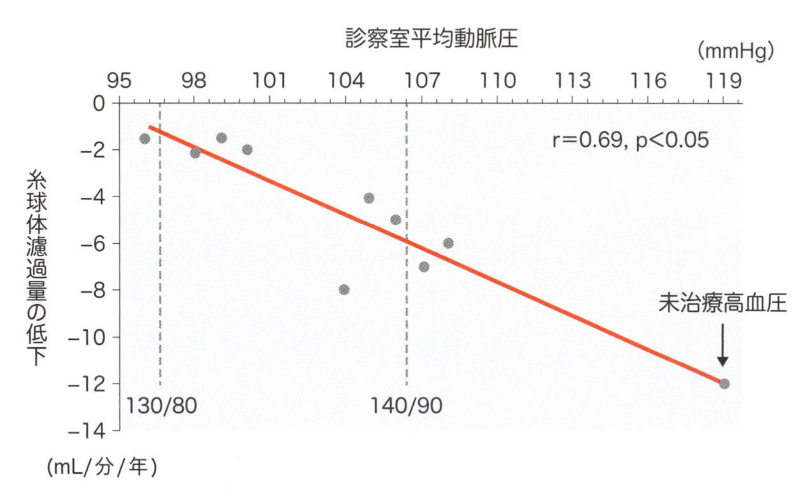

(Bakris GL *et al. Am J Kidney Dis* 2000; 36 : 646-61 より改変)

- このグラフは、GFR の低下速度と診察室血圧値の関係を示したものです。海外の報告です。
- ご覧のように、正常血圧に比べて血圧が高ければ高いほど、1 年あたりの GFR の低下が大きいことがわかります。 未治療群、つまり高血圧を治療せずにそのまま放っておくと、急速に腎機能が悪化することがわかります。

1 年あたりの GFR 低下速度

- 130/80 mmHg ……………………… **1** mL/min
- 140/90 mmHg ……………………… **6** mL/min
- 未治療 ………………………………… **10** mL/min 以上

CKD 患者の血圧管理

- 腎疾患患者では、**腎性高血圧**（**腎実質性高血圧**）を合併していることが多いです。この場合、厳格な血圧管理を行って、腎障害のさらなる悪化や心血管疾患の発生を抑制することが重要です。
- 原疾患や年齢によって、管理目標や治療内容が若干異なります。

降圧目標

	（診察室血圧）	（家庭血圧）
• **CKD 患者**	**130/80** mmHg 未満	125/75 mmHg 未満
• **75 歳未満の成人**	130/80 mmHg 未満	125/75 mmHg 未満
• **75 歳以上の高齢者**	140/90 mmHg 未満	135/85 mmHg 未満

降圧薬の種類

- **糖尿病あり・蛋白尿あり** * ➡ ACE 阻害薬または ARB が第 1 選択薬
- **糖尿病なし・蛋白尿なし** ** ➡ 降圧薬はどれでも OK
- **高度蛋白尿あり** ➡ RAS 阻害薬（尿蛋白 0.5g/gCr 未満を目指す）

* 0.15g/gCr 以上　** 0.15g/gCr 未満

血圧管理の注意点

- 高齢者の血圧の下げすぎに注意（収縮期 110mmHg 未満は避ける）
- RAS 阻害薬投与時は、血清 Cr 値の上昇や高 K 血症に注意

CKD を早期に見つけるには

CKD のリスク因子

- CKD のリスク因子をよく眺めてみましょう。
- 高血圧、高脂血症、糖尿病、高尿酸血症などの生活習慣病は、いずれも治療することが可能です。肥満、喫煙、塩分過剰も、コントロール可能です。
- 蛋白尿はどうでしょうか。腎臓専門医の力が必要ですが、治療によって蛋白尿を消失させる、あるいは尿蛋白量を減らすことは可能です。
- いずれにしても、早期発見してきちんと対応することができれば、CKD にならないようにすることが可能なのです。

CKD のリスク因子

- 高血圧
- 高脂血症
- 糖尿病
- 高尿酸血症
- 肥満
- 喫煙
- 塩分過剰
- 蛋白尿

CKD を早期に見つけるには

- では、CKD を早期に発見するためには、どうすればよいでしょうか。
- 足がむくむ、尿が出にくいなど何らかの症状が出現した場合は、患者さんが自ら受診するため、検査をしてすぐに診断されます。しかし、CKD は基本的に自覚症状を伴いません。これが問題です。
- そこで、健康診断の結果が非常に重要な手がかりになります。学校健診や会社の健診、人間ドックなど、少なくとも年 1 回は尿検査や血液検査を行うよう勧めましょう。

早期診断に必要な検査

- **尿検査** ………… 尿蛋白、尿潜血
- **血液検査** ……… **血清クレアチニン値、eGFR**
- **画像診断** ……… 腹部エコー、腹部 CT（腎臓の形、大きさや合併症の有無）
- **腎生検** ………… 腎臓専門医による確定診断

腎臓専門医にコンサルトするタイミング

- CKDは様々な腎疾患を包含した概念です。したがって、治療に際しては、原因疾患の検索と病態の把握が重要になります。原疾患の検索には腎臓専門医による精査が必要です。治療方針に迷ったときは、是非コンサルトしましょう。

よくあるケース

- 尿蛋白は少し出ているけど、経過観察でも良い状態なのか
- 尿蛋白は少しだけど、腎生検による精査が必要なのか
- 現在のARBによる治療だけでよいのか、何か追加した方がよいのか
- ステロイドを含む免疫抑制療法が必要なのか

専門医による精査を必要とするケース

- 「CKD診療ガイド2012」は、腎臓専門医へ紹介するタイミングを次のように記載しています。このような患者さんを診たら、一度は腎臓専門医にコンサルトして、腎疾患の原因と治療方針を判断してもらいましょう。

専門医に紹介するタイミング

下記のいずれかを認めた時点

- **蛋白尿の存在** ……………… 0.5 g/gCr（または2+以上）
- **腎機能障害**
  - 40歳未満 …………… GFR 60mL/分/1.73m^{2}未満
  - 40～70歳 ………… GFR 50mL/分/1.73m^{2}未満
  - 70歳以上 …………… GFR 40mL/分/1.73m^{2}未満
- **蛋白尿と血尿の混在** …… いずれも1+以上

- 腎機能障害については、GFR 60mL/分/1.73m^{2}未満でCKDに該当します。しかし、GFRは加齢とともに低下するため、高齢者の多くが該当してしまいます。そのため、年齢別にGFRの基準を甘くしてあります。

- 慢性腎臓病の患者数は非常に多いため、基本的にはかかりつけ医が診療することになります。しかし、慢性腎臓病の病態は刻々と変化することがあり、かかりつけ医の手に負えなくなることも少なくありません。以下のような状況では、積極的に腎臓専門医へのコンサルトが推奨されています。

専門医にコンサルトすべきケース

- 診断や治療方針、予後を明確にしたいとき
- 血圧や蛋白尿のコントロールを厳格にしたいとき
- 腎機能低下速度が速いとき
- 血液透析への移行時期
- 高カリウム血症を呈した場合

- 腎臓専門医とかかりつけ医の病診連携をスムーズに行うシステムの構築が非常に重要になってきます。

第11章

高齢者と腎臓

わが国は人口の高齢化が進んでおり、65 歳以上の高齢者は総人口の 25% 近くを占め、約 3500 万人にのぼります。加齢に伴い GFR は低下し、尿細管機能も低下するため、高齢者は潜在的慢性腎臓病患者と言っても過言ではありません。

また、高齢者は複数の医療機関から多数の薬剤を処方されているケースが少なくありません。NSAIDs、抗菌薬、ビタミン D 製剤などは腎機能を悪化させやすいですが、高齢者では処方する機会が増えるため、注意が必要です。

高齢者に起こりやすい脱水も、GFR 低下速度を加速させてしまう可能性があります。

いずれにしても、高齢者を診る際は慎重になる必要があります。

加齢に伴い腎機能は低下する

- 当然ですが、腎臓も年をとります。腎障害がなくても腎機能は加齢とともに低下することが知られています。いわゆる老化現象ですね。
- 特に腎臓は血管が豊富な組織であるため、老化に伴う動脈硬化の影響を受けやすい臓器といえます。もともと腎臓病のない方でも80歳になると、20歳の頃に比較して約2/3まで腎機能は低下します。

- したがって、高齢者を診たら腎機能が低下していると予想して診療内容を考えた方がよいと思います。
- たとえば、高齢者に**腎排泄性薬剤**を投与する際は注意が必要です。副作用が起こりやすくなるため、減量したほうがよいかを必ずチェックします。

- 下のグラフは、加齢に伴う腎機能をシミュレーションしたものです。赤い線は、将来、末期腎不全（透析導入）に至るリスクが高い患者さんを示しています。40代ですでにGFR 40 mL/minくらいの方は、60歳頃にはGFR 20 mL/minになり、70歳頃には透析導入になるかもしれません。

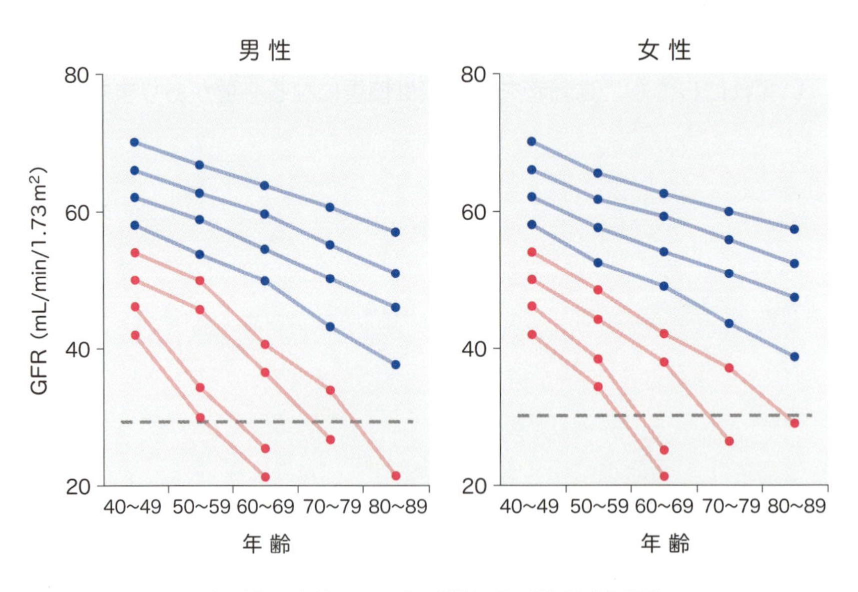

(Imai E *et al. Hypertens Res* 2008; 31: 433-41 より引用)

高齢者に多い腎疾患とは？

- 高齢者の腎疾患の鑑別は、若年層のそれと異なる特徴があります。
- 高齢者では、顕微鏡的多発血管炎（ANCA 関連腎炎）や骨髄腫腎といった二次性の疾患が多くなります。尿路系腫瘍の頻度も高くなりますね。

高齢者に多い腎疾患	
糸球体疾患	膜性腎症
	微小変化型ネフローゼ
	巣状糸球体硬化症
	IgA 腎症
	糖尿病性腎症
	ANCA 関連血管炎
	腎アミロイドーシス
	肝炎ウイルス関連腎炎
血管性疾患	高血圧性腎硬化症
	腎動脈狭窄症
	コレステロール塞栓症
	虚血性腎症
尿細管間質疾患	慢性間質性腎炎
	骨髄腫腎
	痛風腎
	薬剤性腎障害
泌尿器科疾患	前立腺肥大
	尿路結石
	尿路系腫瘍

高齢者の腎機能評価は慎重に

- 加齢に伴って正常な糸球体数は減少し、GFR が低下します。したがって、高齢者の健診では CKD が発見される頻度は高いです。その際、GFR の低下が加齢による生理的低下なのか、病的な低下なのかを考える必要があります。
- CKD は、「検尿異常や GFR 60 mL/min/1.73 m^2 以下の状態が 3 ヵ月以上続くこと」で診断されます。この「GFR **60**」という数字が目安になるのは、40 歳までです。
- 40 歳以上では、加齢変化を加味して GFR の基準が少し下がります。

CKD における GFR の目安

- **40 ～ 70 歳** ………… GFR **50** mL/min/1.73 m^2
- **70 歳以上** ……………… GFR **40** mL/min/1.73 m^2

- 70 歳以上の場合、GFR が 40 mL/min/1.73 m^2 以上であり、他のリスク因子（高血圧や糖尿病など）がなければ、年齢相応の腎機能と言えます。
- もちろん加齢に伴う腎機能の低下はありますが、それだけで治療介入の対象にはなりません。もし、蛋白尿を認めていたら精査を検討します。

高齢者ではクレアチニン排泄量が低下していることに注意

- 尿蛋白陽性の場合、**尿蛋白 / Cr 比**を測定する必要がありますが、そもそも尿蛋白 / Cr 比が 1 日尿蛋白量に相当するのは、クレアチニンを 1 日 1 g 排泄していることが大前提になっています。
- 高齢者では筋肉量の減少に伴って、クレアチニンの排泄量も低下しています。そのため、尿蛋白量を多く見積もってしまう可能性があり、注意が必要です。

筋肉量とクレアチニン排泄量の関係

- **平均的な筋肉量の人** ＝ 1 日尿中クレアチニン排泄量は約 1 g
  ➡ 尿蛋白 / Cr 比（g/gCr）は 1 日尿蛋白量（g/日）と**ほぼ等しい**
- **筋肉量が少ない人**（高齢者）＝ 1 日尿中クレアチニン排泄量は 1 g 以下
  ➡ 尿蛋白 / Cr 比（g/gCr）は 1 日尿蛋白量（g/日）より**高めに出る**

高齢者でよくみる電解質異常

- 高齢者で認められる電解質異常は、加齢に伴うもの、基礎疾患に伴うもの、薬剤の副作用の３つの要因が重複して起こります。複数の医療機関を受診し、多数の薬剤を服用していることが多いため、若年者よりも容易に水電解質異常を起こしやすく、特に水・ナトリウムの異常は頻度が高いです。

- 高齢者では、加齢によって次のような生理学的変化を生じています。

高齢者で認められる体内の変化

- **大脳皮質** ……… 口渇感⬇
- **視床下部** ……… ADH 分泌⬆　血漿浸透圧低下時の ADH 分泌抑制⬇
- **下垂体** …………… 神経下垂体反応➡
- **頚動脈** …………… 圧受容器反射⬇
- **腎臓** ……………… 糸球体濾過量⬇　ADH による尿濃縮力⬇
- **血液** ……………… レニン活性⬇　アルドステロン⬇　ANP⬆

- 体液量は加齢とともに減少します。成人の場合、体液量は体重の約 60%です。高齢者では体重の約 50%程度まで減少しています。
- また、**口渇中枢**の感受性が低下しており、血漿浸透圧が上昇しても口渇感を感じにくくなっています。そのため、容易に脱水をきたしやすく、薬剤の血中濃度も高くなりやすいです。
- 加齢により水分・浸透圧の調節機構は障害され、尿の濃縮力と希釈力はともに低下しています。そのため、塩分摂取過多では浮腫を生じ、減塩時には脱水を起こしやすくなります。すなわち、誘因があれば**高ナトリウム血症**も**低ナトリウム血症**もきたしやすい状態にあるわけです。
- 尿濃縮力の低下は、**夜間頻尿**の原因ともなります。
- 電解質異常の症状の多くは**非特異的な神経症状**（易疲労感、全身倦怠感、記銘力低下など）のことが多いです。高齢者の場合、不定愁訴と判断されたり、認知症が疑われるなど、電解質異常が見過ごされるケースも少なくありません。
- 高齢者で診断に苦慮するケースでは、「電解質異常」も鑑別診断の中に入れておいた方がよいでしょう。

高齢者でみられるナトリウム異常

正常な体液調節システム

- 高齢者の電解質異常を考える前に、まず正常な体液調節システムについて復習しましょう。
- 体液量を一定に保持するシステムとして、体内には**浸透圧調節系**と**容量調節系**の２つの調節系が存在します。
- 脱水になると血漿浸透圧が上昇します。その際、口渇感が出現しますが、それよりも前に**抗利尿ホルモン（ADH）**である**バソプレッシン**が下垂体後葉から分泌されます。ADH は腎臓の集合管に存在する受容体に作用して、水の再吸収を増やすことで脱水を防いでいます。
- 一方、循環血液量が減って血圧が低下すると、容量調節系である**レニン・アンジオテンシン・アルドステロン系**が活性化します。血管を収縮させ、腎臓での Na 再吸収を促進することによって、血圧を保つように働きます。

- 上記のシステムに異常をきたすことにより Na 異常を生じます。
- Na 異常を診断するにあたって、血清 Na 値、尿中 Na 排泄量、尿中・血清浸透圧、血漿 ADH 測定といった検査値はもちろん重要なのですが、身体所見も見逃さないようにしてください。皮膚の乾燥や浮腫、体重変化、血圧、脈拍、尿量といった身体所見は鑑別診断を行う上で重要です。

「低 Na 血症＝体内の Na 欠乏」ではありません！！

- 低 Na 血症は、入院患者で最も多い電解質異常です。
- 低 Na 血症で重要な点は、「低 Na 血症＝体内の Na 欠乏」ではなく、「**体液量に対し体内 Na 量の相対的な割合が低い**」ということです。体内 Na 量が多くても、それ以上に体液量が多ければ低 Na 血症になります。したがって、低 Na 血症の鑑別では、体液量と尿中 Na 排泄量の評価が重要です。

低 Na 血症のパターン

- 体液量（水分）と Na 量の割合から、低 Na 血症は３つのパターンに分類できます。右ページの図に示す①②③がそれです。

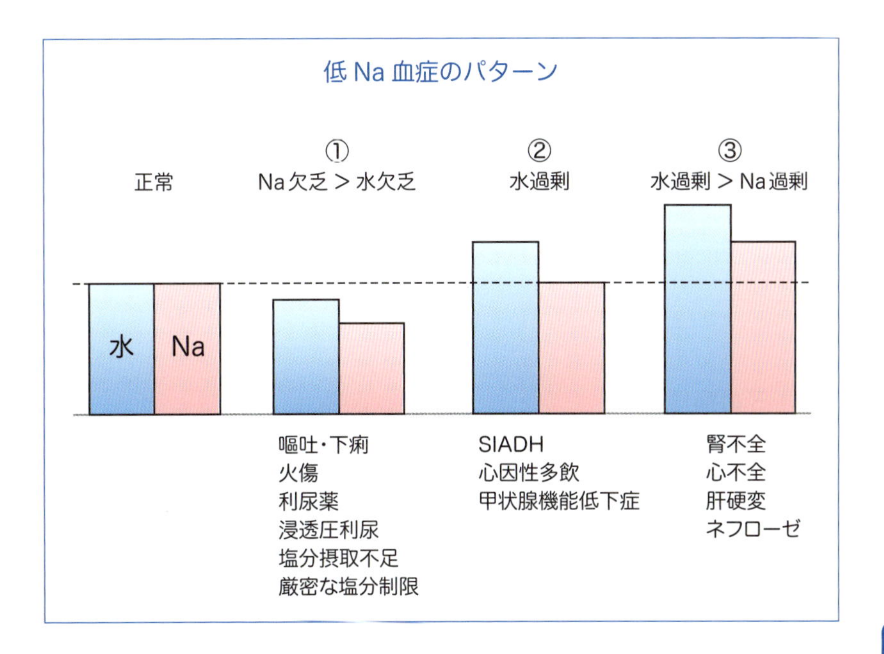

- 臨床的に多いのは、③のタイプです。**腎不全**、**うっ血性心不全**、**非代償期肝硬変**や**ネフローゼ症候群**などの浮腫性疾患で認められます。
- 体内の水分量は増加していますが、有効循環血液量が減少するため、ADH 分泌が亢進するとともに、レニン・アルドステロン系、交感神経系が活性化されます。その結果、腎における Na や水の再吸収が増加しますが、水貯留が Na 貯留を上回るために希釈性低 Na 血症を引き起こします。

- ①のタイプは、腎性あるいは腎外性に Na を喪失して細胞外液量の保持ができない病態です。Na と水の喪失をきたしますが、相対的に Na 喪失が水の喪失を上回るため低 Na 血症となります。原因として多いのは、**Na 摂取不足**、**下痢**や**嘔吐**などです。利尿薬による低 Na 血症もよく経験します。

- ②の **SIADH**（抗利尿ホルモン不適切分泌症候群）は、異所性 ADH 産生腫瘍（肺小細胞癌など）、中枢神経疾患、肺疾患、薬剤（抗癌剤、抗うつ薬など）などを要因とする ADH の過剰分泌が主たる病態です。
- 水分制限が原則ですが、高齢者では Na 保持能が低下しているため、厳格な水制限を行うと血清 Na 値の改善を認めずに脱水になる危険性もあり、注意を要します。

鉱質コルチコイド反応性低ナトリウム血症とは？

- 高齢者の低 Na 血症の原因として、**鉱質コルチコイド反応性低 Na 血症**（mineralocorticoid-responsive hyponatremia in elderly：**MRHE**）が注目されています。

MRHE の病態

- 加齢に伴いレニン・アルドステロン系の活性が低下し、腎臓での Na 保持能が低下するため、代償性に ADH の分泌が亢進します。これが MRHE の病態です。
- MRHE では軽度の脱水を生じ、歩行障害や注意力障害などを認めます。脱水を認めない SIADH とは異なる病態です。
- RAS 阻害薬（アルドステロンを阻害）や利尿薬（Na 排泄を助長）で起きやすくなります。

MRHE の治療

- 治療には鉱質コルチコイドホルモンの補充が有用です。フルドロコルチゾン（フロリネフ®）を投与し、尿中 Na 排泄量を減少させて、血清 Na 値の改善を図ります。使用量は最少限にして、高血圧、低カリウム血症、浮腫などの副作用に注意します。
- 慢性の低 Na 血症に対し急激な Na 濃度の是正を行うと、細胞外浸透圧の上昇により脳細胞内の水が細胞外へ移動し、**橋中心髄鞘崩壊症**（central pontine myelinolysis：CPM）を引き起こすため注意を要します。

- 最近では、低 Na 血症と骨粗鬆症や骨折リスクとの関連が報告されています。低 Na 血症が持続すると骨折リスクが増加するなど、ADH は骨に存在する AVP 受容体を介して骨吸収にも関わっているようです。

高齢者でみられる高ナトリウム血症

- 高 Na 血症とは、「血清 Na 濃度が 145 mEq/L を上回る状態」と定義されています。体内 Na 量に対して体液量が不足していることを意味します。
- 主な症状は口渇です。

高齢者は口渇中枢の感受性が低化している

- 高齢者は、ADH 反応性低下による尿濃縮力の低下に加えて、口渇中枢の感受性が低下しており、水分摂取不足に伴って高 Na 血症をきたしやすくなっています。
- 脳血管障害で使用される浸透圧利尿薬やステロイドの使用時にも高 Na 血症に注意する必要があります。
- 水分摂取が不十分な高齢者が感染による発汗過多により、高 Na 血症を呈することはよく経験します。
- 利尿薬を使用している患者、口渇を訴えられない高齢者、輸液不足などでも高 Na 血症を発症します。

- 慢性高 Na 血症の急速な是正は、**脳浮腫**をきたすため注意を要します。

高齢者でみられるカリウム異常

高カリウム血症

- 一般的に高K血症の原因としては**腎不全**が最も多いです。一方、高齢者ではレニン・アンジオテンシン系の低下に伴い生理的に高K血症をきたします。
- したがって、高齢者に対してRAS阻害薬を開始する際は、細心の注意が必要です。外来であればなるべく少量から開始し、入院中であれば血清Cr値やK値の上昇の有無を慎重にモニターする必要があります。
- 明らかな心電図異常を認める高K血症に対しては、グルコン酸カルシウムの静注、グルコース・インスリン（GI）療法を行います。
- 腎不全に伴う慢性の高K血症に対しては、食事制限（K制限）やイオン交換樹脂であるポリスチレンスルホン酸（アーガメイト® ゼリー、ケイキサレート® ドライシロップ）などで対応します。

低カリウム血症

- 高齢者では若年者に比べ、低K血症の頻度が高いとされています。基礎疾患としては、糖尿病や高血圧などの生活習慣病、脳血管障害、悪性腫瘍、肝硬変が多いです。
- 低K血症の成因は、食欲不振やうつ病による摂取不足、吸収不良や下痢・嘔吐によるK喪失、利尿薬や漢方薬などの慢性的な使用が挙げられます。
- 診察の際に食事量と内容を確認するとともに、服薬状況の確認も重要です。

低カリウム血症を引き起こす薬剤

- **利尿薬**（サイアザイドやループ利尿薬）
- **インスリン製剤**（Kの細胞内移動を促進）
- **甘草**（成分のグリチルリチンにアルドステロン作用あり）などの漢方薬
- **ステロイド薬**（二次性アルドステロン症を惹起）

- 薬剤や食品が原因の場合は、服用を中止し、原疾患の治療を行います。軽度の低K血症であれば、果物や野菜などKを多く含む食品で補給を行います。
- アルドステロン分泌が亢進している場合（肝硬変など）は、スピロノラクトンなど**ミネラルコルチコイド受容体拮抗薬**の併用が効果的です。

高齢者でみられる高カルシウム血症

- 血清 Ca 濃度は、腸管（経口摂取）、腎臓（尿中排泄）、骨（貯蔵）のバランスで規定されています。特に骨は体内 Ca の 99% を保管する貯蔵庫として機能しています。Ca 異常はこのバランスが崩れることにより生じます（☞ 110 ページ）。
- 一般的に高 Ca 血症の原因疾患として、原発性副甲状腺機能亢進症、悪性腫瘍（多発性骨髄腫、骨転移による骨融解、PTHrP 産生腫瘍など）などがあります。
- 易疲労感、嘔気・嘔吐、記銘力障害、意識障害、腎濃縮障害、腎不全、脱水など非特異的な症状が多く、高齢者では症状がわかりにくいです。

薬剤性高カルシウム血症に注意！

- 高齢者では、薬剤による高 Ca 血症の頻度が高いです。骨粗鬆症の治療として、多量のビタミン D や Ca 製剤を処方されるケースが多く、**ビタミン D 過剰摂取**により高 Ca 血症をきたすことがあります。
- 長期臥床をしている高齢者では、**骨からの Ca 融解**により高 Ca 血症をきたすこともあります。このような高 Ca 血症発症の背景には、腎機能障害や脱水を伴っていることが多いです。

- いずれにしても、定期的な血清 Ca 値のフォローが必要です。また、高齢者では低アルブミン血症を呈することが多いため、**補正 Ca 値**（☞ 113 ページ）を把握する必要があります。
- 治療としては、生理食塩水による利尿、ループ利尿薬の使用、ビスフォスフォネート製剤の使用、血液透析などで対応します。

第⑫章

腎臓病で注意して使用すべき薬剤

腎機能障害のある患者さんに対して、どの程度の量の薬を投与したらいいのか？　腎臓専門医でも迷うことが多いです。

常用量で処方していいのか、少し減量した方がいいのか。「すでに血清クレアチニン値が上昇し、腎機能が低下している方」に薬を処方する際は、かなり慎重になります。

なぜなら、腎機能が低下しているにもかかわらず、腎排泄性薬剤を通常量投与すると、薬剤の血中濃度が上昇して重篤な副作用を生じる可能性があるからです。

ということで、腎臓専門医が薬剤を投与するときに必ず確認している点を紹介します。

１つは腎機能の正確な評価、もう１つは薬剤の排泄経路です。

特定の薬剤については、薬剤の蛋白結合率と薬物代謝酵素もチェックして処方を行う場合があります。

それぞれの項目について細かく説明してみたいと思います。

腎機能を正確に評価するには

- 腎機能障害のある患者さんに薬を処方する際、まず行うことは何といっても腎機能の正確な評価です。

血清クレアチニン値は筋肉量に影響される

- 通常使用される腎機能のマーカーは**血清クレアチニン値**です。簡便に検査できる有用な指標ですが、正確か？と聞かれると、実はあまり正確ではありません。
- 血清クレアチニン値は、筋肉量に影響されるという弱点があります。筋肉量が少ない方（高齢者、やせている人、長期臥床している入院患者）は、腎機能がかなり悪くても、それほど血清クレアチニン値は上がらないことがあります。
- 一方、多くの薬の本には、血清クレアチニン値ではなく、**クレアチニン・クリアランス**（Ccr）に基づいた薬の用量調節が示されています。もちろんCcr を測定した方が正確なのですが、蓄尿が必要であり、外来患者では現実的な検査ではありません。

薬物投与の際は、eGFR に基づいた用量調節が基本

- そこで、腎機能を正確に評価するときには、血清クレアチニン値から推算された **eGFR**（☞55ページ）を用いることが推奨されています。100％正確ではありませんが、少なくとも血清クレアチニン値よりも正確に腎機能を示す指標です。
- 腎機能別の用量調節が記された薬の本がいくつか出版されています。外来診察の際は、手の届くところに置いておくことをお勧めします。

腎排泄 or 肝代謝
That is the question!

- 何らかの薬剤を投与する際は、薬剤の排泄経路の確認が重要です。

- 飲み薬の多くは腸管で吸収されて体内に入ります。肝臓で処理され、未変化体あるいは代謝物として標的臓器に運ばれ、薬効を示します。その後、肝臓で代謝を受けて胆汁から腸管に排泄されるか、または腎糸球体から濾過され尿細管で代謝を受けて尿中に排泄されます。

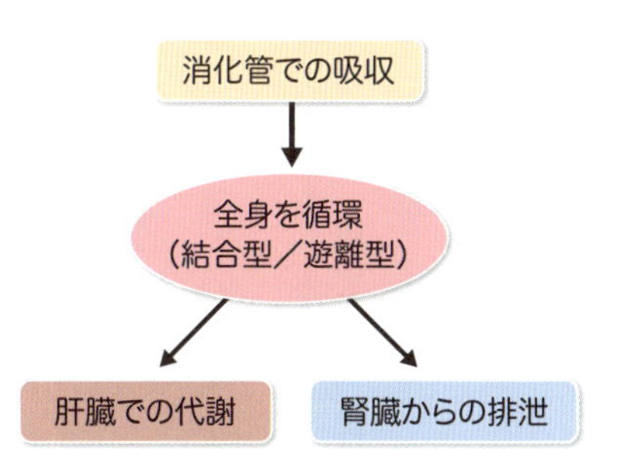

- したがって、薬の排泄経路は主に以下の 2 種類に分けられます。

薬の排泄経路

- **腎臓**から排泄されて消失する薬剤
- **肝臓**で分解されて消失する薬剤

- 腎機能低下症例で減量すべきなのは、腎臓から排泄されやすい薬（**腎排泄性薬剤**）です。腎排泄性薬剤は尿中への活性体の排泄率が高いため、腎機能低下によって蓄積し、副作用を生じやすくなります。
- 腎排泄型薬物を腎不全患者に投与すると、血中消失半減期が延長します。そこで、その延長の程度に応じて、投与間隔をあける、あるいは 1 回の投与量を減らすことによって、有効血中濃度内に入るように飲み方を調節します。
- また、水に溶けやすい薬（水溶性薬物）も腎臓から排泄されやすいので、腎臓が悪くなると減量する必要があります。

- 一方、腎機能が低下したからといってすべての薬物を減量する必要はありません。降圧薬の α 遮断薬や Ca 拮抗薬などは肝代謝によって消失する脂溶性薬物です。腎不全でも常用量を用います。

尿中未変化体排泄率

- Drug Information には必ず書いてありますが、「尿中未変化体排泄率」とは何でしょうか？

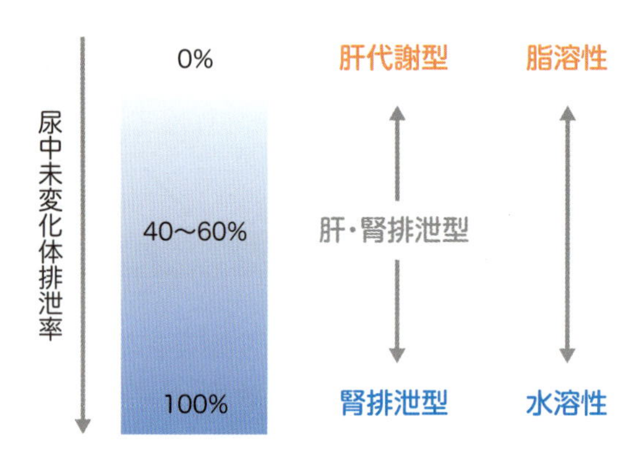

- **尿中未変化体排泄率**とは、投与された薬が代謝などで活性を失わないまま、腎臓を通って尿中から排泄される割合のことです。
- 肝代謝型と腎排泄型を見分ける目安になります。尿中未変化体排泄率が 40%以下の薬物は肝代謝型薬物、60%以上の薬物は腎排泄型薬物に分類されます。
- 一般的に脂溶性薬物は肝代謝型で、水溶性薬物は腎排泄型の性質を持っています。

- 同じ薬効の薬剤であっても、肝代謝型と腎排泄型の違いがあることがありますので、注意が必要です。たとえば…

DPP-4 阻害薬の場合

- **リナグリプチン**（トラゼンタ®）
  → 尿中未変化体排泄率 1%以下。**肝代謝**なので腎不全でも常用量
- **シタグリプチン**（ジャヌビア®）
  → 尿中未変化体排泄率 79 〜 88%。**腎排泄**なので腎不全では要減量

（日本医薬品集一般薬 2017-18 より抜粋）

腎排泄性薬剤

- 尿中未変化体排泄率が高い薬剤を下に示します。これらは腎排泄型のため、腎機能低下症例では注意して使わないといけない薬剤です。

尿中未変化体排泄率が高い薬剤

分類	薬剤	尿中未変化体排泄率
強心配糖体	**ジゴキシン**（ジゴシン®）	100%
躁病治療薬	**炭酸リチウム**（リーマス®）	95%
抗てんかん薬	**ガバペンチン**（ガバペン®）	100%
抗ウイルス薬	**バラシクロビル**（バルトレックス®）	80%
抗リウマチ薬	**メトトレキサート**（リウマトレックス®）	90%
抗不整脈薬	**ピルジカイニド**（サンリズム®）	80%
高脂血症治療薬	**ベザフィブラート**（ベザトール® SR）	70%

蛋白結合率

- ほとんどの薬剤は血中において、以下の状態で存在します。

> - 蛋白と結合した状態（**結合型**）
> - 蛋白から遊離した状態（**遊離型**）

- ここでいう蛋白とは基本的に**アルブミン**のことを指しています。
- 蛋白と結合していない遊離型の薬物だけが組織へ移行し、薬としての効果を発揮します。ですので、**蛋白結合率**は各薬剤の体内分布において非常に重要な意味をもちます。

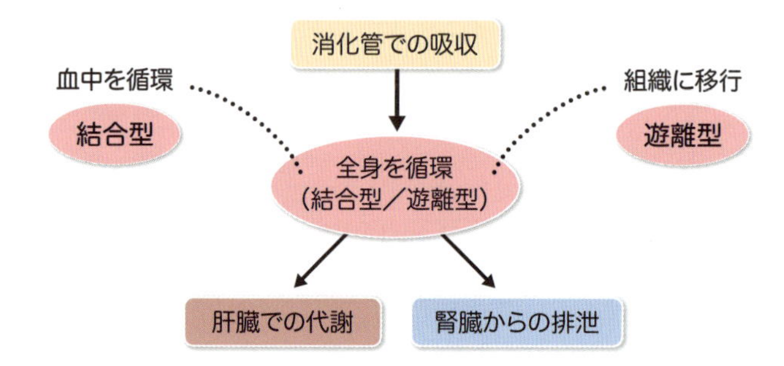

- たとえば、蛋白結合率が高い薬剤Ａと薬剤Ｂの２種類を併用した場合、蛋白の奪い合いが起こります。そうすると、結合していた薬剤Ａが追い出されて、遊離型が増えることで薬剤Ａの作用が増強する可能性があります。

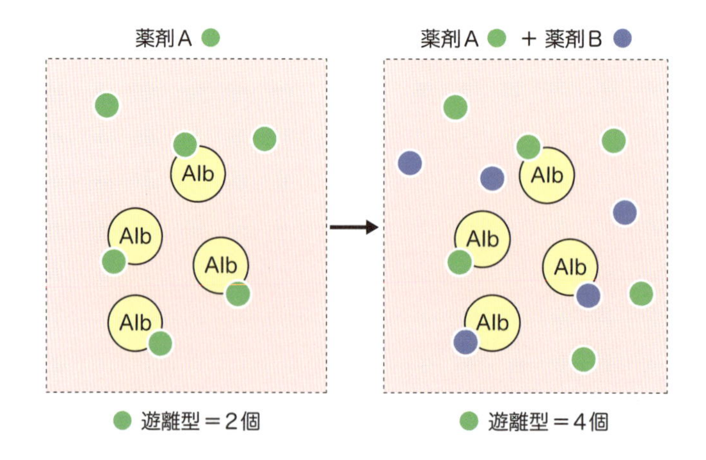

低アルブミン血症での薬物動態に注意！

- 腎障害の患者さんで副作用が出やすくなるのは、薬剤が排泄されにくいという理由だけではありません。
- たとえば、ネフローゼ症候群などで血中アルブミンが少ないときはどのようなことが起こるでしょうか。
- アルブミンと親和性の高い薬剤は、低アルブミン血症になると遊離型が増加します。遊離型が増えるということは、薬効が増強すると同時に副作用も起こりやすくなります。**ワルファリン**、**フェニトイン**、**バルプロ酸**、**ジギトキシン**などがこれに該当します。

アルブミンと親和性の高い薬剤

低アルブミン血症 → 遊離型増加 → 薬効⇑または副作用⇑

- また、腎不全では尿毒性物質が蓄積し、薬物との蛋白結合を競合的に阻害することで、蛋白結合率が低下することがあります。
- 蛋白結合率が低いということは遊離型薬物の割合が高くなり、こちらも同様に薬効が増強し、副作用も起こりやすくなります。

腎不全が薬剤の蛋白結合率に与える影響

尿毒素が蛋白結合を阻害 → 遊離型増加 → 薬効⇑または副作用⇑

- いずれにしても、低アルブミン血症（ネフローゼ症候群、肝硬変、栄養失調など）や腎不全のときは、薬剤は注意して投与する必要があります。

薬物代謝酵素

- 多くの薬剤は、肝臓において代謝を受け不活化されます。このとき代謝の中心的な役割を担っているのが**チトクロム P450（CYP450）**と呼ばれる酵素です。
- ヒトでは 50 種類以上の CYP450 が存在します。薬物代謝に関連する相互作用は、主に CYP450 の活性変化によるものです。
- **CYP3A 群**は現在使用されている医薬品の約 50% の代謝に関わっており、重要な薬物代謝酵素です。

CYP450 を阻害・誘導する薬剤に注意！

- 具体的には「CYP450 の阻害による薬物代謝阻害」と「CYP450 の誘導による薬物代謝促進」が問題になります。
- 薬剤 A と薬剤 B を併用した場合を考えてみましょう。

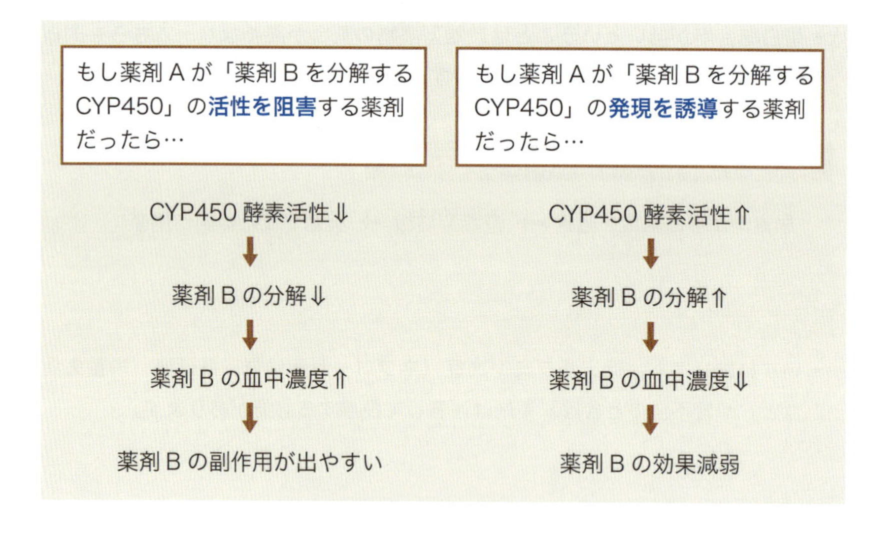

- すなわち、薬剤の併用は、薬物代謝酵素 CYP450 を介した相互作用によって互いの血中濃度に影響する可能性があるということです。
- したがって、代表的な **CYP450 阻害薬**や **CYP450 誘導薬**は覚えておくとよいでしょう。

主な CYP450 阻害薬（併用薬の効果を増強する可能性あり）

- シメチジン（タガメット®）
- アゾール系抗真菌薬（イトリゾール®など）
- イソニアジド（イスコチン®）
- バルプロ酸（デパケン®）
- マクロライド系抗菌薬（ジスロマック®を除く）
- Ca 阻害薬
  ベラパミル（ワソラン®）
  ジルチアゼム（ヘルベッサー®）
  アゼルニジピン（カルブロック®）
- サルファ薬（バクタ®など）
- セレコキシブ（セレコックス®）
- フルバスタチン（ローコール®）
- パロキセチン（パキシル®）

- グレープフルーツジュース

主な CYP450 誘導薬（併用薬の効果を減弱する可能性あり）

- リファンピシン（リファジン®、リマクタン®）
- 抗痙攣薬
  フェノバルビタール（フェノバール®）
  フェニトイン（アレビアチン®）
  カルバマゼピン（テグレトール®）

薬物相互作用の具体例

- 薬物相互作用の具体例を紹介したいと思います。

CYP阻害薬による相互作用

- **アゾール系抗真菌薬**（イトラコナゾール、ミコナゾール、フルコナゾールなど）を内服中はCYP3A4が阻害されています。CYP3A4によって代謝されるべき薬物が代謝されにくい状態です。ということは、CYP3A4によって代謝される薬物を併用すると、血中薬物濃度が上昇し、副作用が発生しやすくなります。

Case study

【症例】 ループス腎炎に対してステロイド治療中の患者さん。日和見感染予防にアゾール系抗真菌薬を内服している。**タクロリムス**を併用開始したところ、タクロリムスのトラフ値が異常高値を示した。

【症例】 心房細動のため抗凝固目的に**ワーファリン**内服中の高齢者。ANCA関連血管炎を発症し、ステロイドにて加療開始。日和見感染予防にアゾール系抗真菌薬を内服開始したところ、PT-INRが測定不可（過延長）になってしまった。

- **シメチジン**は、すべてのCYPを阻害する薬物のため、薬物相互作用を起こすことがよくあります。テオフィリンはCYP1A2という酵素により代謝されますが、シメチジン併用によりテオフィリンの代謝が阻害され、テオフィリンの血中濃度が上がってしまいます。

- 薬物以外に、**グレープフルーツジュース**も薬剤の血中濃度に影響します。Ca拮抗薬とグレープフルーツジュースの組み合わせは有名ですね。前述のアゾール系抗真菌薬と同じように、グレープフルーツジュースもCYP3A4を阻害する作用があります。そのため、Ca拮抗薬の作用を増強し、低血圧を引き起こす可能性があります。

CYP3A で代謝される薬剤（CYP450 阻害薬併用で血中濃度が上昇する）

- Ca 拮抗薬： ベラパミル（ワソラン®）
  ニフェジピン（アダラート®）
- 免疫抑制薬：シクロスポリン（ネオーラル®）
  タクロリムス（プログラフ®）
- ベンゾジアゼピン系（ロラゼパムを除く）
- スタチン系（脂溶性のみ）：アトルバスタチン（リピトール®）など
- 副腎皮質ステロイド
- マクロライド系抗菌薬（アジスロマイシンを除く）

CYP 誘導薬による相互作用

- CYP を誘導する薬物として**リファンピシン**（抗結核薬）、**カルバマゼピン**（抗てんかん薬）などがあります。これらの薬によってシトクロム P450 が誘導され、相互作用として併用薬の作用を減弱することがあります。

その他の相互作用

- CYP とは異なる機序ですが、免疫抑制薬の**アザチオプリン**（イムラン®）と高尿酸血症治療薬の**アロプリノール**（ザイロリック®）や**フェブキソスタット**（フェブリク®）は併用注意です。ザイロリックやフェブリクはキサンチンオキシダーゼ阻害薬ですが、実はイムランはそのキサンチンオキシダーゼで代謝されます。したがって、併用することにより、イムランの血中濃度が上昇して骨髄抑制などの副作用が出てしまいます。

- 薬物相互作用によるトラブルを防ぐためにも、患者さんが普段どのような定期薬を内服しているのか、他院でどのような処方をされているのか、お薬手帳は必ずチェックしましょう。

タクロリムスの血中濃度は個人差が大きい！

- **タクロリムス**は、ループス腎炎や関節リウマチに広く使用されている免疫抑制薬です。**CYP3A4** で代謝されます。投与量は血中濃度（トラフ値）を測定しながら決定しますが、関節リウマチの場合、常用量は 3mg/ 日です。

- ところが、患者さんによっては 1mg/ 日で十分な血中濃度になっていたり、3mg/ 日飲んでいても血中濃度が検出感度以下の方もいます。非常に個人差があるのですね。
- どうもその原因は、タクロリムスの代謝酵素である CYP3A4 に**遺伝子多型**が存在するためのようです。

- つまり、薬物代謝酵素の効き目（酵素活性）に個人差があるということですね。酵素活性が強い人はすぐに薬剤を代謝してしまいます。一方、酵素活性が弱い人は薬物代謝が遅いため、血中濃度が維持されるようです。このことはタクロリムスに限らず、すべての薬剤に言えることだと思います。

- 酵素活性は弱いほうが薬剤の血中濃度が保たれるため、薬効が持続して良いのか、それとも薬剤が分解されにくいので副作用が出やすくなってしまうのか…。このような遺伝子多型と薬剤の治療効果との関係は、よくわかっていません。いずれにしても、今後の研究の進展が待たれます。

TDMって何？

- 最近、病棟カンファレンスで、こんなコメントを耳にするようになりました。

「この薬はTDM必要？」
「この薬のTDMの結果はどうだった？」
「バンコマイシンはTDMしないとね」

- TDMとはいったい何でしょう？　TDMはtherapeutic drug monitoring、すなわち**薬物治療モニタリング**の略で、薬物血中濃度を測定して投与量を決めることをいいます。
- もう少し詳しく説明すると、薬物動態学的な解析をもとに、個々の患者さんに適した投与設計を行って、最適な薬の量や投与法を決定することです。**薬物血中濃度モニタリング**とも言います。

- TDMにより得られた情報をもとに、適正な薬物療法が行えるよう配慮します。

- 薬物体内動態の把握
- 医薬品の適正量の投与
- 多剤併用の可否
- 副作用の早期発見
- ノンコンプライアンス（指示どおりに服薬しないこと）の確認

TDMが必要な薬剤

- どのような薬剤に対してTDMが必要でしょうか？　下記の薬剤は管理が難しいため、TDMによって最適な投与量を決定する必要があります。

投与量の調節が難しい薬剤

- 治療血中濃度範囲が狭く、副作用発現域と近接している薬剤
- 薬物の体内動態に個人差が大きい薬剤
- 血中濃度と薬効・副作用の発現に相関がある薬剤
- 血中濃度依存的に生じる副作用が重篤である薬剤
- 投与量と血中濃度が比例関係にない薬剤

TDM対象薬剤の代表的なもの

- アミノ配糖体系抗菌薬（アミカシン、ゲンタマイシンなど）
- グリコペプチド系抗菌薬（テイコプラニン、バンコマイシン）
- 免疫抑制剤（シクロスポリン、タクロリムスなど）
- テオフィリン
- ジギタリス製剤（ジゴキシン、ジギトキシン）
- 抗てんかん薬（バルプロ酸、カルバマゼピンなど）
- 抗不整脈薬（アミオダロン、リドカイン、プロカインアミドなど）
- リチウム製剤

- 腎機能障害のある患者さんは、腎機能低下の程度に応じて、薬物血中濃度は大きく変化します。上記薬剤を投与する際は、特にTDMが必要になります。

どのような薬剤に注意すべきか

- 腎排泄性薬剤を腎機能低下症例に投与する際は、きちんとした用量調節が必要です。
- これらの薬剤は、添付文書上「**慎重投与**」や「**禁忌**」になっていることが多いです。しかし、外来診療中、処方のたびに薬の本を調べるのはなかなか大変です。腎機能低下時の禁忌薬、慎重投与薬の代表的なものは覚えておいたほうがいいですね。
- 「CKD診療ガイド2012」で示されているCKDで注意が必要な薬物と起こりうる病態は下記の通りです。

CKDで注意が必要な薬物と起こりうる副作用

- **NSAIDs**（腎血流低下、間質性腎炎、急性尿細管壊死、ネフローゼ症候群）
- **アムホテリシンB**（尿細管壊死、腎血流低下、尿細管アシドーシス）
- **シスプラチン**（尿細管壊死）
- **シクロスポリン**（腎血流低下、慢性尿細管・間質性腎炎）
- **アミノ配糖体**（尿細管壊死）、**イホスファミド**（尿細管壊死）
- **ヨード系造影剤**（腎血流低下、急性尿細管壊死）
- **メトトレキサート**（閉塞性腎不全、尿細管壊死）
- **マイトマイシンC**（糸球体障害、溶血性尿毒症症候群）
- **リチウム**（腎性尿崩症）、**D-ペニシラミン**（糸球体障害）
- **フィブラート**（横紋筋融解症）
- **ゾレドロネート**（尿細管壊死）、**パミドロネート**（ネフローゼ症候群）

- この中で使用頻度が最も高いのは、おそらく**NSAIDs**でしょう。頭痛、腰痛、関節痛、生理痛、抜歯後の疼痛など様々な場面で使用されます。腎機能が悪いかどうか確認せず処方されるケースも多いため、注意が必要です。
- **アムホテリシンB**は抗真菌薬です。実際に長期使用していると血清クレアチニン値が上昇してきますが、減量や薬剤変更により腎機能は回復することが多いです。
- **シスプラチン**は肺癌の治療でよく使われます。「シスプラチン腎症」という名前の急性腎不全モデル動物が存在するくらい、腎障害を引き起こしやすい薬剤として有名です。

- **シクロスポリン**は免疫抑制剤ですが、疾患によって使用量が異なります。ネフローゼで使う場合はそれほど副作用が多い印象はありませんが、移植後のGVHD 予防の場合は、使用量が 3 倍以上になるため注意が必要です。
- **造影剤**は CT、MRI などの画像検査や血管造影で頻繁に使われます。当院では eGFR < 30 mL/min/1.73 m^2 の場合は原則禁忌になっています。また、過去 4 ヵ月以内に血清クレアチニン値が測定されていないと造影検査はできないことになっています。

- これらの薬剤を使用する際は、事前に腎機能のチェックが必要です。特に高齢者（潜在性慢性腎臓病）では。
- なお、以降のページに出てくる薬剤のデータはすべて「日本医薬品集」に基づいています。

慢性腎臓病で注意が必要な薬剤①

抗菌薬

- 抗菌薬の中には腎機能低下時に投与量の調節が必要なものがあります。

- **β-ラクタム系、アミノグリコシド系**のほとんど
- キノロン系、グリコペプチド系抗菌薬の一部

- 投与調整法は、1回投与量を減量する方法と、投与間隔を延長する方法、あるいは両者を併用する方法があります。それぞれの薬剤の投与量はDrug Information を参照して調整しましょう。

レボフロキサシン(クラビット®)の場合

- **常用量**:500mgを1日1回投与。
- **20 ≦ Ccr < 50mL/min**:初日500mgを1回。2日目以降250mgを1日1回投与。
- **Ccr < 20mL/min**:初日500mgを1回。3日目以降250mgを2日に1回投与。

- もし次のような患者さんにレボフロキサシンを投与するとしたら、投与量はどうしますか?

【症例】70歳女性。発熱、咳嗽、喀痰あり。血清クレアチニン値0.90mg/dL

- 腎機能はどうでしょうか。血清クレアチニン値は正常範囲を少し超えているくらいなので、常用量500mgで処方してしまいがちです。しかし、計算すると、eGFRは35.8mL/minになります。
- したがって、初回500mgで、翌日以降は250mgに減量が必要です。発熱があり脱水傾向で、糖尿病合併、NSAIDsの処方などが重なれば、薬剤性腎障害を引き起こしかねません。

- バンコマイシンなどのグリコペプチドやアミノグリコシド系の抗菌薬を投与する際は、血中濃度測定を行い、薬物治療モニタリング(TDM)を行って適正な投与量を決定する必要があります。それだけ細心の注意を払いながら慎重に使わないといけない抗菌薬もあるということを覚えておきましょう。

慢性腎臓病で注意が必要な薬剤②

経口血糖降下薬

- 経口血糖降下薬はほとんどが腎排泄です。そのため、腎機能が低下してくると、体内に蓄積して血中濃度が著明に上昇することがあります。遷延性の**低血糖**を起こすこともあり、注意を要します。CKD ステージ G4（eGFR < 30 mL/min/1.73 m^2）以降の場合は、インスリンへの切り替えが望ましいとされています。
- インスリンも尿中に排泄されるため、腎機能の悪化とともに蓄積傾向になります。そのため、中間型や長時間作用型のインスリンでは血糖コントロールが不安定になることがあります。その場合は、速効型、超速効型への切り替えを検討します。

- 腎機能低下患者（CKD ステージ G4 以降）に対する経口血糖降下薬とインスリン製剤の用量調節について、「CKD 診療ガイド 2012」では次のように記載されています。

CKD ステージ G4 以降における糖尿病治療薬

経口糖尿病治療薬		
αグルコシダーゼ阻害薬		用量調節不要、ただしミグリトールは慎重投与
チアゾリジン誘導体		禁忌
SU 薬		禁忌
ビグアナイド薬		禁忌
グリニド系	ナテグリニド	禁忌
	ミチグリニド	慎重投与
	レパグリニド	慎重投与
DPP-4 阻害薬	アログリプチン	慎重投与、用量調節　6.25 mg に減量
	ビルダグリプチン	慎重投与、用量調節　50 mg に減量
	シタグリプチン	慎重投与、用量調節　12.5 ～ 25 mg に減量
	リナグリプチン	用量調節不要
皮下注の糖尿病治療薬		
GLP-1 アナログ	リラグルチド	慎重投与、用量　0.3 ～ 0.9 mg
	エキセナチド	禁忌
インスリン製剤		投与量の調節

（日本腎臓学会編：CKD 診療ガイド 2012，東京医学社，p74 より引用）

- ざっと見ていかがでしょうか。CKD ステージ G4 以降、つまり eGFR 30 未満の場合は、ほとんどが慎重投与あるいは禁忌になっています。経口血糖降下薬は腎機能が低下すると効果が遷延し、低血糖を誘発しますので、早めのインスリン治療への切り替えが必要です。

経口血糖降下薬を種類別に見てみると…

- 経口血糖降下薬にはいろいろな種類があります。

- **SU 薬**（スルホニル尿素 sulfonylurea）は、多くの糖尿病患者さんで処方されていると思います。でもこの薬剤は、代謝産物が腎臓から排泄されます。SU 薬は腎機能が低下すると一定の臨床効果が得られないうえ、低血糖などの副作用を起こしやすいため、早めにインスリン治療に切り替える必要があります。

- **グリベンクラミド**（ダオニール®、オイグルコン®）
- **グリメピリド**（アマリール®）、**グリクラジド**（グリミクロン®）
  Ccr ＞ 50 mL/min：常用量
  重篤な腎機能障害患者は**禁忌**

- **速効型インスリン分泌刺激薬**（**グリニド薬**）の作用機序は、SU 薬と同じ β 細胞上のレセプターに結合して、インスリン分泌を刺激します。

- **ナテグリニド**（ファスティック®、スターシス®）の場合
  Ccr ＞ 50 mL/min：常用量
  10 mL/min ＜ Ccr ≦ 50 mL/min：減量の必要はないが**慎重投与**
  10 mL/min ＞ Ccr：低血糖が起こりやすいため**禁忌**

- **ビグアナイド**は、肝臓での糖新生を抑制して血糖値を安定化させたり、腸管からの糖吸収抑制作用を有する薬剤です。腎機能低下例では乳酸アシドーシスなどの副作用に要注意です。特にヨード造影剤を使用する際には、一時的に腎機能が低下し乳酸アシドーシスのリスクが高まるため、検査前後48時間は服用を中止します。手術予定の場合は、手術2日前から休薬します。

- **メトホルミン塩酸塩**（メトグルコ®）の場合

eGFR（mL/min/1.73 m^2）	1日最高用量の目安
60 ≦ eGFR ＜ 90	2250 mg
45 ≦ eGFR ＜ 60	1500 mg
30 ≦ eGFR ＜ 45	750 mg
30 ＞ eGFR	**禁忌**

- **ピオグリタゾン・メトホルミン配合錠**（メタクト®）の場合

  60 ≦ eGFR：常用量

  30 ≦ eGFR ＜ 60：**慎重投与**

  （なるべく本剤は使用せず、ピオグリダゾンとメトホルミンを個別に用量調節する）

  30 ＞ eGFR：**禁忌**

- **チアゾリジン**は組織のインスリン抵抗性を改善し、肝臓および骨格筋でのブドウ糖取り込みを増加させる薬剤です。

- **ピオグリタゾン**（アクトス®）の場合

  Ccr ＞ 50 mL/min：常用量

  10 mL/min ≦ Ccr ≦ 50 mL/min：**慎重投与**

  10 mL/min ＞ Ccr：**禁忌**

- **αグルコシダーゼ阻害薬**は、腸管での糖質摂取に関与するαグルコシダーゼを阻害して、食後血糖値の上昇を抑える薬剤です。腎機能低下例でも問題なく使用できます。

- **アカルボース**（グルコバイ®）
- **ボグリボース**（ベイスン®）
- **ミグリトール**（セイブル®）

  Ccr ＞ 50 mL/min：常用量

  Ccr ≦ 50 mL/min：常用量を**慎重投与**

- **DPP-4 阻害薬**は、腸管から生理的に分泌されているGLP-1（glucagon-like peptide-1）を分解するDPP-4（dipeptidyl peptidase-4）を阻害します。GLP-1濃度を高め、インスリン分泌促進をもたらす薬剤です。減量が必要なものと常用量でよいものと両方あります。

- **シタグリプチン**（グラクティブ®、ジャヌビア®）の場合
  Ccr > 50 mL/min：1日50～100mg（分1）
  30 ≦ Ccr ≦ 50 mL/min：**減量が必要**、1日25～50mg（分1）
  Ccr < 30 mL/min：**減量が必要**、1日12.5～25mg（分1）

- **リナグリプチン**（トラゼンタ®）の場合
  Ccr > 50 mL/min：常用量
  Ccr ≦ 50 mL/min：常用量

- **SGLT2 阻害薬**は、SGLT2を介した尿細管でのブドウ糖の再吸収を抑制し、尿に糖を排出することで高血糖を改善します。発売当初、eGFR < 30では禁忌でしたが、その後、腎機能低下例での低血糖のリスクはそれほど高くないことが報告され、「禁忌」から「効果が期待できないため使用しない」へ表現が修正されました。
- その後さらに臨床データが蓄積し、2022年11月に日本腎臓学会より「CKD治療におけるSGLT2阻害薬の適正使用に関するrecommendation」が公表されています。そこでは「eGFR < 15では新規に開始しない」という表現になっています。

インスリン製剤はどうなの？

- 血糖を下げるホルモンであるインスリンは、一部が腎臓によって分解されています。腎不全になるとインスリンの分解が遅くなり、血糖を下げる効果が遷延してしまいます。したがって、低血糖に注意が必要です。
- 腎機能の低下とともに必要インスリン量が少なくなるのは、よく経験します。これは糖尿病が良くなっているのではなく、腎機能の悪化とともにインスリンの排泄や分解が低下し、血糖降下作用が遷延するためです。

慢性腎臓病で注意が必要な薬剤③

RAS 阻害薬

- RAS（レニン・アンジオテンシン系）阻害薬は抗蛋白尿効果を期待して、多くの腎疾患患者さんに処方されています。
- RAS 阻害薬は腎糸球体の輸出細動脈を拡張させて糸球体内圧を低下させます。これが抗蛋白尿効果につながるわけですが、同時に GFR を低下させることにもなり、そのため症例によっては RAS 阻害薬により血清クレアチニン値が上昇する場合があります。

- RAS 阻害薬投与後に下記のような変化があった場合は、減量または休薬を検討しましょう。

1）血清クレアチニン値が投与前の 30% 以上上昇している場合

例：血清クレアチニン値 0.75 mg/dL → 0.98 mg/dL
血清クレアチニン値 1.00 mg/dL → 1.30 mg/dL
血清クレアチニン値 1.50 mg/dL → 1.95 mg/dL

2）血清カリウム値が 5.5 mEq/L 以上になっている場合

- 実際のところ、RAS 阻害薬を投与すると、多くの症例で血清クレアチニン値の上昇を認めます。でも、投与前値の 30%以上に上昇することは少なく、むしろ腎保護作用を期待して慎重にデータをフォローしながら継続しているケースが多いです。

- ただし、以下のような組み合わせは、血清クレアチニン値や血清カリウムが急激に上昇することがあるので注意しましょう。

- 腎機能障害＋RAS 阻害薬 → 血清クレアチニン値上昇
- RAS 阻害薬＋脱水 → 血清クレアチニン値上昇
- RAS 阻害薬＋NSAIDs → 血清クレアチニン値上昇
- RAS 阻害薬＋抗アルドステロン薬 → 高カリウム血症
- RAS 阻害薬＋β遮断薬 → 高カリウム血症

慢性腎臓病で注意が必要な薬剤④

NSAIDs

- 慢性腎臓病患者ではNSAIDsはできるだけ内服しないことが推奨されています。NSAIDs坐剤も、内服と同様に腎障害のリスクとなります。
- NSAIDsは、プロスタグランジン産生を阻害して様々な効果を発揮します。プロスタグランジンは炎症を増強しますが、NSAIDsはこれを阻害して解熱鎮痛作用を発揮します。
- 一方、プロスタグランジンには**血管拡張作用**があります。腎機能が低下した患者さんでは、残存した糸球体で有効な糸球体濾過が行われるように、プロスタグランジンが輸入細動脈を拡張させる方向に働いています。
- そのような患者さんにNSAIDsを使用した場合、プロスタグランジン阻害により、糸球体濾過が低下して**腎虚血**となり、腎前性急性腎不全を引き起こす可能性があります。

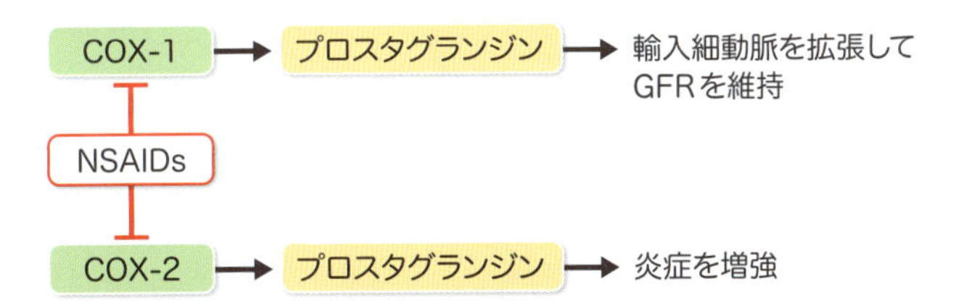

- またNSAIDsは、薬物アレルギーとして**急性間質性腎炎**をきたすこともあります。まれではありますが、ネフローゼ症候群を呈することもあります。

- 慢性腎臓病患者さんへの解熱鎮痛薬はアセトアミノフェン（カロナール®、トラムセット®など）が推奨されています。アセトアミノフェンは末梢でのプロスタグランジン阻害作用が少ないため、常用量の短期使用であれば腎機能に及ぼす影響は少ないと考えられています。

NSAIDs使用に際して注意を要する患者背景

- 腎機能障害
- 糖尿病
- 高齢者
- 脱水
- RAS阻害薬投与中

慢性腎臓病で注意が必要な薬剤⑤

高尿酸血症治療薬

- **アロプリノール**は高尿酸血症に対して頻用される尿酸合成阻害薬です。重篤な副作用（顆粒球減少症やStevens-Johnson症候群など）を惹起することがあるため、腎機能低下患者においては減量が必要です。

アロプリノール（ザイロリック®）の場合

- **常用量**：1錠100mgを1日2回または3回投与
- **10 ≦ Ccr ≦ 50mL/min**：100mgを1日1回投与
- **Ccr < 10mL/min**：50mgを1日1回投与

- 最近は減量の必要がない治療薬も開発され、慢性腎臓病患者の高尿酸血症も治療しやすくなってきています。

フェブキソスタット（フェブリク®）の場合

- **常用量**：1日1回10mgで開始し、維持量1日20～40mg（最大投与量1日60mg）
- **10 ≦ Ccr ≦ 50mL/min**：上記に同じだが、注意が必要
- **Ccr < 10mL/min**：1日1回10mgで開始し、維持量1日5～20mg

トピロキソスタット（ウリアデック®）の場合

- **常用量**：1回20mg 1日2回で開始し、維持量1回60mg 1日2回（最大投与量1回80mg 1日2回）
- **10 ≦ Ccr ≦ 50mL/min**：上記に同じ
- **Ccr < 10mL/min**：上記に同じ

ベンズブロマロン（ユリノーム®）の場合

- **常用量**：25～150mg 分3
- **10 ≦ Ccr ≦ 50mL/min**：減量の必要はないが少量から開始
- **Ccr < 10mL/min**：尿量が減少した症例では原則禁忌

ドチヌラド（ユリス®）の場合

- **常用量**：0.5 mg/ 日で開始し、2 週間以内に 1 mg/ 日、6 週間以降に 2 mg/ 日に増量
- **eGFR < 30 mL/min/1.73 m²**：他の薬剤を検討する

クエン酸カリウム・クエン酸 Na（ウラリット® 配合錠）の場合

- **常用量**：1 回 2 錠または 1 包を 1 日 3 回、アシドーシスではその 2 倍投与。
- **10 ≦ Ccr ≦ 50 mL/min**：6 ～ 12 錠　分 3 ～ 4
- **Ccr < 10 mL/min**：血清カリウム値を上昇させることがあるため慎重投与

慢性腎臓病で注意が必要な薬剤⑥

H_2 受容体拮抗薬

H_2 ブロッカーは減量が必要

- ほとんどの H_2 受容体拮抗薬は腎排泄のため、腎機能低下例では減量が必要になります。

ファモチジン（ガスター®）の場合

- **常用量**：1 日量 20 ～ 40mg（分 1 または分 2）
- **10 ≦ Ccr ＜ 50mL/min**：1 日量 20mg（分 1 または分 2）
- **Ccr ＜ 10mL/min**：1 日量 10mg（分 1）

PPI は常用量で OK

- **プロトンポンプ阻害薬**は肝代謝のため、減量の必要はありません。

ランソプラゾール（タケプロン®）の場合

- **常用量**：1 日量 15 ～ 30mg（分 1）
- **10 ≦ Ccr ＜ 50mL/min**：上記と同じ
- **Ccr ＜ 10mL/min**：上記と同じ

慢性腎臓病で注意が必要な薬剤⑦

骨粗鬆症治療薬

- **ビスフォスフォネート**は骨粗鬆症の予防薬としてよく使われています。慢性腎臓病の場合、常用量が使えるものと減量を要するものとあります。

アレンドロン酸ナトリウム水和物（フォサマック®、ボナロン®）の場合

- 常用量：35mg/週
- **10 ≦ Ccr ≦ 50mL/min**：上記と同じだが、半減期が著明に延長するため**慎重投与**
- **Ccr < 10mL/min**：上記と同じだが、半減期が著明に延長するため**慎重投与**

リセドロン酸ナトリウム水和物（アクトネル®、ベネット®）の場合

- **常用量**：17.5mg/週または75mg/月
- **Ccr < 30mL/min**：排泄遅延の危険性があり**禁忌**

選択的エストロゲン受容体モジュレーター

ラロキシフェン塩酸塩（エビスタ®）の場合

- **常用量**：1回60mg　1日1回
- **10 ≦ Ccr ≦ 50mL/min**：1回60mg　1～2日おきに1回
- **Ccr < 10mL/min**：1回60mg　2～3日おきに1回

副甲状腺ホルモン剤

テリパラチド酢酸塩（テリボン®皮下注）の場合

- **常用量**：週1回56.5μgを皮下注（72週間まで）
- **10 ≦ Ccr ≦ 50mL/min**：上記と同じ
- **Ccr < 10mL/min**：上記と同じ

テリパラチド遺伝子組み換え（フォルテオ®皮下注）の場合

- **常用量**：1日1回20μgを皮下注（24ヵ月間まで）

慢性腎臓病で注意が必要な薬剤⑧

便秘薬

センノシド（プルゼニド®）の場合

- **常用量**：12～24mg　分1
- **10 ≦ Ccr ＜ 50mL/min**：上記と同じ
- **Ccr ＜ 10mL/min**：上記と同じ

酸化マグネシウム（マグミット® 細粒）の場合

- **常用量**：1日0.2～2.0g 分割投与
- **10 ≦ Ccr ＜ 50mL/min**：腎障害ではMg排泄障害があるため**慎重投与**
- **Ccr ＜ 10mL/min**：腎障害ではMg排泄障害があるため**慎重投与**

- 2020年8月、酸化マグネシウム製剤製造販売会社から「酸化マグネシウム製剤　適正使用のお願い」が発表されました。高マグネシウム血症を発症し、重篤な転帰に至った症例が報告されていますので注意しましょう。

慢性腎臓病で注意が必要な薬剤⑨

抗ウイルス薬

- 帯状疱疹に対する治療薬として、抗ウイルス薬を使用します。腎機能に応じて減量が必要です。

アシクロビル（ゾビラックス® 錠）

- **常用量**：1回800mg　1日5回
- **10 ≦ Ccr ≦ 50mL/min**：1回400～800mg　1日2～3回
- **Ccr < 10mL/min**：1回400～800mg　1日1回

バラシクロビル塩酸塩（バルトレックス® 錠）の場合

- **常用量**：1回1000 mg　1日3回
- **10 ≦ Ccr ≦ 50mL/min**：1回1000mg　12～24時間おき
- **Ccr < 10mL/min**：1回500mg　24時間おき

慢性腎臓病で注意が必要な薬剤⑩

抗ヒスタミン薬

- 花粉症やアレルギー性鼻炎などに対して、抗ヒスタミン薬を処方する機会が多いですが、腎機能低下例で常用量が使えるものと減量が必要なものがあります。

エピナスチン塩酸塩（アレジオン®）、エバスチンの場合

- 10 ≦ Ccr ≦ 50mL/min：常用量と同じ
- Ccr < 10mL/min：常用量と同じ

オロパタジン塩酸塩（アレロック®）の場合

- 常用量：1回5mg　1日2回
- 10 ≦ Ccr ≦ 50mL/min：1回2.5～5mg　1日1～2回
- Ccr < 10mL/min：1回2.5mg　1日1～2回

フェキソフェナジン塩酸塩（アレグラ®）の場合

- 常用量：1回60 mg　1日2回
- 10 ≦ Ccr ≦ 50mL/min：1回30～60mg　1日2回
- Ccr < 10mL/min：1回30mg　1日2回

レボセチリジン（ザイザル®）の場合

- 常用量：1回5 mg　1日1回　（最高投与量1日10 mg）
- 50 ≦ Ccr < 79mL/min：1回2.5mg　1日1回
- 30 ≦ Ccr < 49mL/min：1回2.5mg　2日に1回
- 10 ≦ Ccr < 29mL/min：1回2.5mg　3～4日に1回
- Ccr < 10mL/min：禁忌

薬剤性腎障害はCKD発症・腎障害進行のリスクファクター

- このグラフは、慢性腎臓病における腎機能の経時的変化を示したものです。

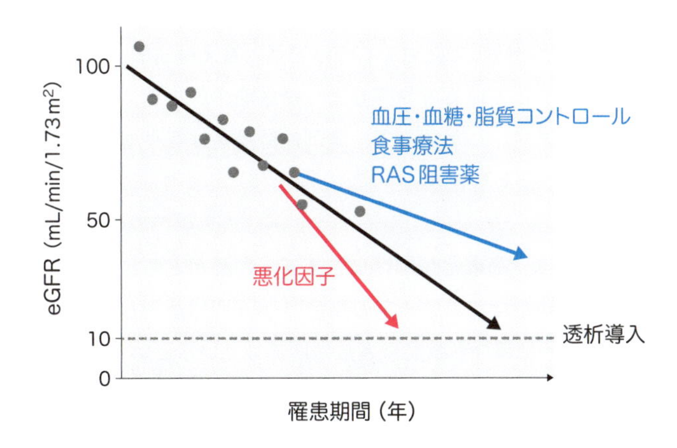

- GFRの傾きを緩やかにして透析導入を回避する、あるいは透析導入を先送りするように努めるのが慢性腎臓病の治療の基本方針です。血圧、血糖、脂質をコントロールし、RAS阻害薬を使いながら、腎障害の進行を抑制します。
- もうひとつ、GFRの傾きに影響する重要な因子があります。それは**腎障害を悪化させる因子**です。この悪化因子をなるべく除去することも重要な治療方針になります。
- 腎障害進行のリスクファクターを下に示しました。これらはほとんどが治療可能で、患者さん自身で克服することができる要素です。その中で唯一医師が介入できることがあります。それは腎毒性薬剤による腎障害の発症・悪化を防ぐことです。

腎障害進行のリスクファクター

- 高血圧
- 糖尿病
- 肥満
- 脂質異常
- 喫煙
- 高蛋白摂取／塩分過剰
- 腎毒性薬剤（NSAIDs、抗菌薬、造影剤など）

薬剤性腎障害は年々増加傾向

- 内科医だけでなく、薬を処方する医師であればどの診療科の医師でも薬剤性腎障害を経験します。薬剤は腎臓を介して代謝・濃縮・排泄されることもあり、薬剤の副作用が腎臓で発生するのは当然と言えば当然ですね。
- 特に腎機能が低下している方や高齢者、糖尿病、脱水では薬剤性腎障害のリスクが高くなります。したがって、薬剤性腎障害は年々増加傾向にあります。その理由はいくつかあります。

- 第 1 の理由として、**高齢化**が挙げられます。加齢とともに腎機能は低下していきます。腎臓病がなくても一定の割合で eGFR は低下していきます。ということは、潜在的に慢性腎臓病患者数は増加しているということです。

- 第 2 の理由として、**多剤併用**の頻度が増えていることが挙げられます。高齢化とも関連しますが、高齢者は複数の病気に罹患し、内科、整形外科、皮膚科など複数の病院で薬をもらっている場合があります。そうすると、薬剤の相互作用の心配が出てきます。

例：内科で降圧薬と糖尿病薬をもらい、整形外科で NSAIDs とビスフォスフォネートを処方してもらっている高齢者

- 第 3 に**新規薬剤**の増加です。毎年多くの新しい薬剤が世の中に出てきます。降圧薬、糖尿病薬、種々の配合薬など作用機序の異なる薬剤がたくさん出てきています。
- 少なくとも自分が処方する薬について、どのような副作用が出現しうるか、きちんと把握しておきましょう。

薬剤性腎障害が起こりやすい組み合わせ

高齢者 ＋ 多剤併用 ＋ 脱水（発熱、下痢）＋ 腎排泄性薬剤

薬剤性腎障害の発症様式

- 薬剤性腎障害は、その発生機序より次のように分けられます。

アレルギー機序（過敏型）

- アレルギーあるいは免疫学的反応により惹起されるもので、曝露量とは無関係に発症します。病理学的には**急性間質性腎炎**の所見を呈します。

- βラクタム系抗菌薬、NSAIDs、ニューキノロン薬など

腎毒性（用量依存性）

- 薬剤の直接的な腎毒性によるもので、薬剤の腎への曝露量に比例して発症します。薬剤の血中濃度と相関し、腎排泄型薬物に多いと言われています。病理学的には**急性尿細管壊死**の所見を呈します。

- アミノグリコシド、アムホテリシンB、NSAIDsなど

腎血流障害

- 腎血流低下に伴う**腎前性腎不全**を呈する場合もあります。

- NSAIDs、ACE阻害薬・ARB、造影剤など

- 何らかの薬剤を処方されている患者さんで腎障害が生じたら、可能性は低くても必ず薬剤性腎障害を鑑別に挙げて精査しましょう。

腎機能障害をきたしやすい薬剤

- 薬剤による腎障害の発症の仕方は様々です。血清クレアチニンが上昇したり、蛋白尿が出現したり、蛋白尿と腎機能低下を伴うもの、水・電解質異常を生じるものなど、様々なパターンが存在します。

薬剤性腎障害の発症パターン

腎機能低下 > 急性腎不全 > 蛋白尿・血尿 > ネフローゼ症候群 > 無尿・乏尿

- 薬を飲み始めてから尿が出にくくなった、尿の色が変わったなど何らかの症状が出れば、副作用かもしれないと自覚します。
- しかし、自覚症状も尿所見もないまま、いつの間にか腎機能障害が進行している場合もあります。腎障害を起こしうる薬剤を使っているときは、定期的に腎機能をチェックした方がよいでしょう。

腎機能障害が生じやすい薬剤

抗菌薬 > NSAIDs > 抗腫瘍薬 > 抗リウマチ薬 > 抗てんかん薬

- 頻度で見るとやはり**抗菌薬**（アミノグリコシド系、ペニシリン系、セフェム系、アムホテリシンB、ST合剤など）や**NSAIDs**は要注意ですね。
- **抗癌剤**（シスプラチン、マイトマイシンC、アドリアマイシン、メトトレキサートなど）は腎障害の副作用がよく知られています。投与前には必ず腎機能をチェックし、腎機能低下がある場合はきちんと減量して使用されていますが、それでも投与後に腎機能が悪化して当科に紹介されるケースがあります。
- 一概に薬の量を減らせばいいと言うわけではなく、脱水や併用薬との相互作用、高齢など複合的な要因を考える必要があります。
- 最近は**免疫チェックポイント阻害薬**による薬剤性腎障害が増加し、腎臓内科への相談が増えています。

電解質異常をきたしやすい薬剤

- 薬剤性腎障害に進展しないまでも、臨床的に薬剤の副作用はよく経験します。特に電解質異常は頻度の高い副作用です。

高カリウム血症

- 腎臓専門医という立場から、腎保護効果を期待して処方する機会が非常に多いため、RAS 阻害薬による高カリウム血症はよく経験します。

低カリウム血症

- **甘草**（カンゾウ）を含有する漢方製剤は、低カリウム血症に注意する必要があります。
- 甘草に含まれる**グリチルリチン酸**がコルチゾールをコルチゾンに変換する酵素を阻害し、増加したコルチゾールがミネラルコルチコイド（アルドステロン）作用を発揮して尿細管のナトリウム再吸収を促進させ、カリウム排泄を増加させます。これにより低カリウム血症になってしまうわけです。いわゆる**偽性アルドステロン症**ですね。

- **利尿薬**による低カリウム血症はしょっちゅう経験します。高血圧の治療目的に処方したり、ネフローゼで下腿浮腫が強い患者さんに処方しますが、慢性的に使用していると徐々に低カリウム血症になります。
- 一方、スピノロラクトン（抗アルドステロン薬）とトリアムテレン（カリウム保持性利尿薬）では逆に高カリウム血症になります。

ナトリウム異常

- ナトリウム異常も種々の薬剤によって認めることがあります。

- **利尿薬**（特にサイアザイド系）による低ナトリウム血症
- **リチウム、アムホテリシンB**による**腎性尿崩症**（高ナトリウム血症）

- 薬剤による **SIADH**（低ナトリウム血症）
  ビンクリスチン（抗腫瘍薬）、クロフィブラート（高脂血症薬）、カルバマゼピン（抗てんかん薬）、アミトリプチリン（抗うつ薬）、イミプラミン（抗うつ薬）など

カルシウム異常

- **サイアザイド系利尿薬**による高カルシウム血症
- **ビタミン D 製剤**による高カルシウム血症

- 高齢者に漫然と Ca 製剤とビタミン D製剤が処方されていて、高 Ca 血症に伴う腎障害のために当科に紹介されるケースがたまにあります。ビタミン D を処方している場合、定期的に血清 Ca 値をチェックした方がいいですね。

薬剤性腎障害を疑ったら何をすべきか

- 受け持ち患者さんの腎機能が急に悪化した場合、薬剤性の可能性をまず疑ってみる必要があります。これは日常診療で最も遭遇するパターンです。
- ただし、急激に腎機能が変化すればわかるのですが、徐々に血清クレアチニン値が上昇する場合もあり、しかも複数薬剤を内服している場合は被疑薬がどれなのか判断に迷うことが多いです。非乏尿性のこともありますので、腎機能、尿所見、尿量、体重などの変化に常に気を配る必要があります。

薬物性腎障害の診断

- 薬物性腎障害の診断は、検尿異常の有無、尿量減少、腎機能（血清クレアチニン値）の変化、発熱、皮疹などのアレルギー症状の有無などで判断します。尿細管障害の可能性も考慮して、尿中β_2ミクログロブリン、α_1ミクログロブリン、NAGなども測定します。
- 可能であれば**Gaシンチ**検査を行います。急性間質性腎炎では腎に集積像が認められます。ただし感度が低いので、診断には有用ですが、陰性でも否定はできません。
- 確定診断は**腎生検**による組織診断になります。特に間質性腎炎が疑わしい場合やネフローゼ症候群、急速進行性糸球体腎炎（RPGN）を呈している場合など。

薬物性腎障害の治療

- まずは疑われる薬剤を中止して、経過をみてみましょう。日常診療でよく経験するNSAIDsや抗菌薬による腎障害は、速やかに薬剤を中止することで改善する場合が多いです。
- 間質性腎炎による腎障害を呈する場合は、**ステロイド治療**を要します。
- 急性腎不全を呈するケースでは、乏尿や電解質異常、代謝性アシドーシスを生じます。対症的にコントロールできなければ血液透析療法を開始し、腎機能の回復を待ちます。腎機能の改善とともに十分な利尿が得られるまで一定期間、透析療法を必要とします。

Case study

【症例】 30代男性。発熱と咽頭痛があり、近医にて感冒薬と解熱剤としてNSAIDsを処方された。
感冒症状は治まったが、1週間後、微熱と全身倦怠感が生じ、同クリニックを再受診。下記のごとく検尿異常と腎機能障害、炎症反応の上昇を認めたため、当科に紹介受診となった。

蛋白尿（+）、血尿（3+）
血清クレアチニン2.80mg/dL、CRP 3.5mg/dL

- 入院後、腎生検を施行したところ、組織所見は**急性間質性腎炎**の所見を示しました。ただちにステロイド治療を開始し、数週間後に腎機能は正常化しました。
- 後日、DLST（薬剤リンパ球刺激試験）にてNSAIDsが陽性と判明し、NSAIDsによる急性間質性腎炎と診断されました。

薬剤性腎障害をどう予防するか

- 薬剤性腎障害はどのようにしたら予防できるのでしょうか。まず大前提として、腎機能をきちんと把握することが重要です。なぜなら、腎機能に応じて減量を要する薬剤があるからです。
- Drug Information では Ccr [mL/min] で分類して、腎機能正常、Ccr 60～90、Ccr 30～60、Ccr 10～30、Ccr 10 以下、透析患者に分けて投与量が設定されています。つまり、血清クレアチニン値だけでは不十分で、eGFR（Ccr の代わり）を確認しておく必要があります。

- もちろん、投与する薬剤の情報はきちんと把握しておきます。頻度の高い副作用にはどんなものがあるか、患者さんから聞かれてもきちんと答えられるようにしておきましょう。
- 基本的な内容は、添付文書に記載されています。特に透析患者さんについては、透析で除去される薬剤と除去されない薬剤に注意します。
- たとえばインフルエンザに対して、

- **腎機能正常の場合**　タミフル® 1回1錠、1日2回、**5日間**処方
- **透析患者の場合**　タミフル® 1回1錠、1日1回、**1回分**処方

といった具合に投与量が常用量と大きく異なります。個々の薬剤で投与量や投与間隔が異なるため、透析患者さんに薬剤を投与する際は必ず透析患者用のマニュアルを参照して「減量が必要なのかどうか」を確認するクセをつけましょう。
- 患者さんが危険因子を持っているかどうかを把握することも重要です。下記のようなリスクがある場合は、できるだけ少量から投与を開始します。

薬剤性腎障害の危険因子

- 脱水傾向
- 糖尿病（高血糖）
- 腎機能障害の存在
- 高齢（加齢）
- 多剤併用
- 薬剤アレルギー歴

造影剤腎症（CIN）とは

- **ヨード造影剤**を用いたCT検査は、日常臨床で頻繁に行われています。合併症として腎障害を引き起こすことがあり、**造影剤腎症**（contrast-induced nephropathy：CIN）と呼んでいます。ヨード造影剤だけでなく、MRI検査で用いられる**ガドリニウム造影剤**の大量投与でも起こります。
- 造影剤腎症の定義は、「造影剤投与後72時間以内に血清クレアチニン値が前値より0.5mg/dL以上または25%以上増加した場合」とされています。簡単に言うと、造影剤投与後に生じる急性腎障害ということになります。

造影剤腎症の特徴

- 約70%は非乏尿性
- 造影剤投与後2～3日程度で血清クレアチニン値はピーク
- 1～2週間程度で回復する
- 病理学的には広範な急性尿細管壊死を呈する

- 造影剤による腎障害は、下記の2つの機序を含む複数の要因が関与していると考えられています。

- 造影剤の尿細管上皮への**直接毒性**
- 腎血管収縮による**虚血性障害**

造影検査の前に必ず腎機能を確認する

- 造影剤腎症の有効な治療法はありません。したがって、予防することが大切です。
- 造影剤腎症の危険因子として、次の項目が知られています。どれも薬剤性腎障害のリスク因子として有名ですね。
- 特に投与前の腎機能の確認は必須であり、当院でもeGFRが不明な場合、造影検査は行いません（緊急の場合を除いて）。

造影剤腎症の危険因子

- 腎機能障害
- 糖尿病
- 高齢者
- 心不全
- 脱水
- 併用薬（利尿薬、NSAIDs、RAS 阻害薬、シクロスポリン、タクロリムスなど）

- 造影剤腎症は多くの場合、腎機能は回復しますが、透析を要するまで腎機能が悪化した場合の予後は、非常に悪いと考えられています。
- なお、造影剤腎症に関する詳細は「腎機能障害におけるヨード造影剤使用に関するガイドライン」に記載されています。是非ご一読ください。

Case study

【症例】 40 代男性。心不全のため循環器内科に入院中。入院時腎機能は血清クレアチニン値 1.12mg/dL と正常であった。その後、徐々に腎機能が低下し、10 日後には血清クレアチニン値 2.12mg/dL となった。
尿検査：蛋白尿（1＋）、尿潜血（1＋）

- 本例は何らかの腎炎なのか、薬剤性なのか不明であり、ステロイド治療が必要な病態が隠れているかどうかを調べる必要があります。腎生検を施行したところ、病理学的には**急性尿細管壊死**の所見でした。
- よくよく調べてみると、腎機能が悪化する 3 日前に腹部造影 CT を行っており、最終的には造影剤に伴う急性尿細管壊死と診断されました。心不全に伴う血管内脱水がリスク因子と考えられ、補液により徐々に腎機能は回復しました。

RAS 阻害薬は術前に休薬する

- 手術前に休薬が必要な薬剤として、抗凝固薬や抗血小板薬、血管拡張薬などがあります。これは術中の出血傾向を回避するためです。実は RAS 阻害薬もその 1 つです。
- 血圧は、交感神経系、レニン・アンジオテンシン系（RAS）、バソプレッシンの 3 つの血管収縮機構によって維持されています。

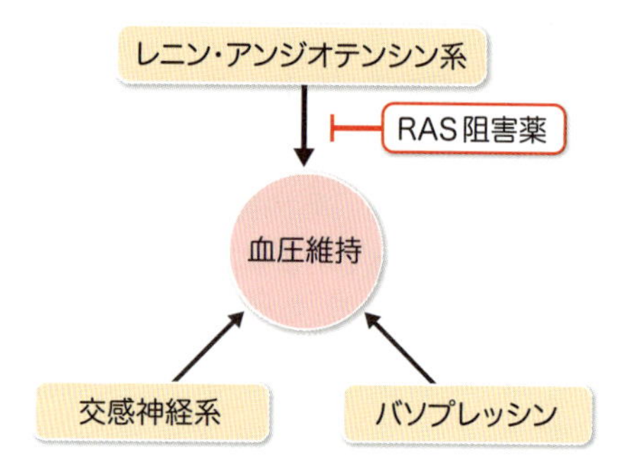

- 手術時の出血や麻酔薬などによる血圧低下に対して、生体は**交感神経系**とともに**レニン・アンジオテンシン系**を活性化して血圧を維持します。

- ところが、麻酔中に RAS 阻害薬が作用すると、心拍出量の調節に影響を及ぼして低血圧を発現するリスクが高くなってしまいます。つまり、代償的な血圧維持システムを妨げてしまうわけです。
- 全身麻酔下において急激な血圧低下を引き起こす可能性があるため、これらの薬剤の添付文書には「手術前 24 時間は投与しないことが望ましい」と記載されています。

第⑬章

透析治療

腎機能が低下していくと、本来尿として排出されるべき水分や老廃物が体内に貯留します。これが「尿毒症」と呼ばれる状態です。このような状態になると、腎代替療法として透析治療が必要になります。

すなわち透析治療とは、「腎臓の代わりに水分や老廃物を除去し、体に必要な物質を補充する治療」のことです。

透析治療は大きく分けて血液透析と腹膜透析の 2 種類があります。それぞれ長所と短所があるため、患者さんの病態やライフスタイルを考慮して選択する必要があります。日本では 95% 以上の方が血液透析を施行しているのが現状です。

増え続ける透析患者数とその原疾患

- 透析患者数は年々増加しています。2021 年末の時点で日本の透析患者数は **34 万人**を超えました。
- 透析機器や透析膜の性能向上に伴って透析治療は日々進歩しています。今や透析歴 20 年という患者さんも少なくありません。
- 世界中では 2010 年時点で約 200 万人の方が透析治療を受けており、2030 年にはその数が 2 倍以上に予想されています。いかにして透析導入患者数を減らすかは、日本に限らず世界的に見ても重要な課題です。

透析導入原疾患の第 1 位は？

- 毎年 3 万人以上の方が新規に透析治療を始められています。その原因として最も多いのは、なんといっても**糖尿病性腎症**です。

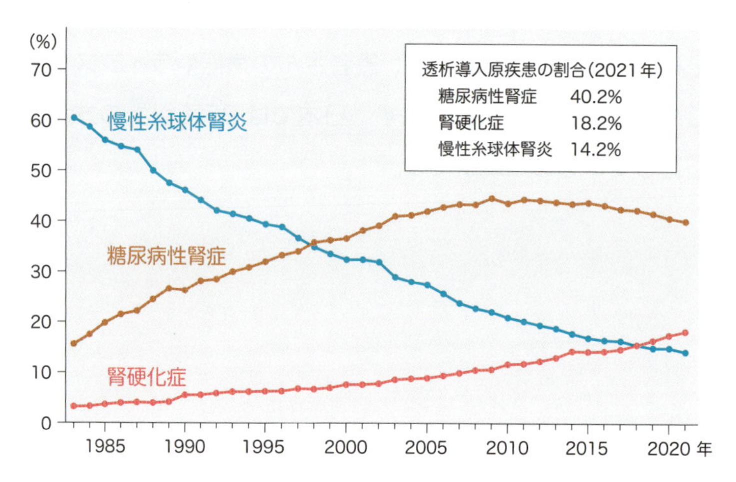

日本透析医学会：図説 わが国の慢性透析療法の現況（2021 年 12 月 31 日現在）

- 図をみておわかりのように、1998 年頃に第 1 位が入れ替わりました。以前は**慢性糸球体腎炎**が第 1 位だったのですが、検尿システムの普及により早期診断・治療が行えるようになったため、減少傾向を示しています。
- 代わりに、高血圧を原因とする**腎硬化症**が徐々に増え続け、慢性糸球体腎炎を追い越して第 2 位となっています。
- いずれにしても、生活習慣病に伴う腎不全が増加しているということが言えます。

透析治療の目的

- 透析治療の目的には大きく分けて４つあります。

透析の目的

①蛋白代謝最終産物の除去
②血清電解質の正常化
③酸塩基平衡の是正
④体内余剰水分の除去

①**蛋白代謝最終産物の除去**：腎不全になると様々な**尿毒素**が体内に蓄積してきます。蛋白代謝最終産物の除去とは、この「体内に溜まった老廃物を取り除くこと」を意味します。

②**血清電解質の正常化**：電解質バランスは腎臓によって精密に制御されています。したがって、腎機能が低下すると**電解質異常**を生じます。透析は、血液中にある Na、K、Ca、P などのバランスを整えることによって血清電解質の正常化を目指します。

③**酸塩基平衡の是正**：腎不全になると**代謝性アシドーシス**になります。透析は、酸性に傾いた血液を弱アルカリ性に戻して酸塩基平衡を是正します。

④**体内余剰水分の除去**：腎不全になると**体液貯留傾向**になります。透析は、本来尿として排泄すべき水分を血中から取り除くことによって、体内の余剰水分を除去します。

- このように、本来腎臓が行っている機能を、何とか透析によって代償しようとするのが透析治療の目的です。

- 腎臓の働きには上記以外にも、ホルモンの産生・代謝や血圧コントロールなどがありますが、これらは透析治療では代償できないため、薬によって調整します。

透析導入の開始基準

- 慢性腎不全では、どれくらいの腎機能になったら透析を開始するのでしょうか。何か基準はあるのでしょうか。
- 一応、「慢性腎不全透析導入基準」というのがあります。臨床症状、腎機能、日常生活障害度を点数化して、**合計 60 点以上**を導入基準としています。

慢性腎不全透析導入基準（1991 年）

- **臨床症状**

  体液貯留、体液異常、消化器症状、循環器症状、神経症状、血液異常、視力障害

  上記 7 項目のうち、3 個以上（30 点）、2 個（20 点）、1 個（10 点）
- **腎機能**

  血清 Cr 値　8 mg/dL 以上（30 点）

  5 ～ 8 mg/dL（20 点）

  3 ～ 5 mg/dL（10 点）
- **日常生活障害度**

  尿毒症のため起床できない（30 点）

  日常生活が著しく制限される（20 点）

  通勤、通学、家庭内労働が困難になった（10 点）

- ただし、この基準は 1991 年に作成されたものであり、当時と現在では透析を取り巻く環境がかなり違います。透析導入する患者さんの平均年齢も高齢化しています。
- 正直なところ、透析導入のタイミングは個々の臨床的判断による部分が大きいと思います。現実的には、次のような状況になったら導入を検討しています。

透析導入開始基準

- 尿毒症の症状が生じた場合
- 体液量のコントロールができなくなった場合（著明な浮腫、肺水腫）
- 電解質や酸塩基平衡のバランスの維持ができなくなった場合

透析を考慮すべき腎不全症状

- 腎機能と腎不全症状の程度や頻度は必ずしも比例しません。患者さんによっては、腎機能がそれほど低下していなくても、顕著な腎不全症状が出現する場合もあります。たとえば、糖尿病性腎症の方では血清クレアチニン値がそれほど高くなくても、体液貯留が著明になり、早めに透析導入するケースもあります。
- 下記のような腎不全症状が顕著であり薬剤でコントロールできない場合、あるいはこれらの症状により日常生活や仕事に支障が出ている場合は、血清クレアチニン値にかかわらず透析導入を検討した方がよいでしょう。

透析を考慮すべき腎不全症状

- **体液貯留**：浮腫、胸水、腹水、心外膜液貯留、肺水腫
- **体液異常**：高度の低 Na 血症、高 K 血症、代謝性アシドーシス
- **消化器症状**：食欲不振、悪心・嘔吐、下痢
- **循環器症状**：心不全、不整脈
- **神経症状**：意識障害、不随意運動

透析の原理

- 透析は、透析膜を介した血液と透析液との間で生じる、溶質の拡散と限外濾過という２つの原理を使って行われます。

透析の原理

- **拡散**：溶質分子が濃度の高いほうから低いほうへ移動する現象
- **限外濾過**：溶質分子の一部が圧力差により体液とともに膜を透過し、透析液側へ移動する現象

拡散

- 尿素などの小分子物質は、透析膜を自由に通過します。そのため、濃度勾配に従って透析膜を通って血液から透析液へと移動します。このような現象を**拡散**といいます。

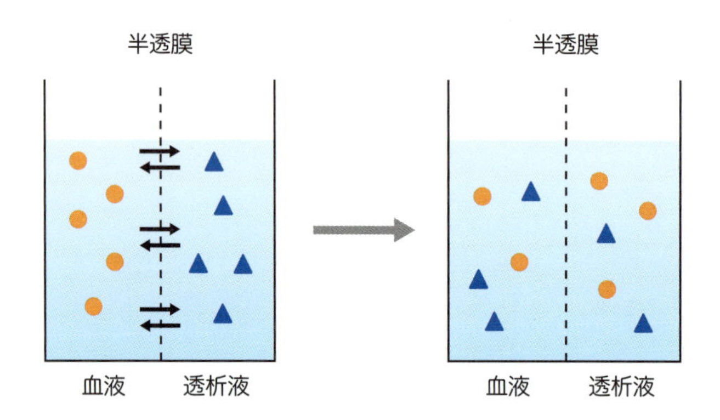

- 透析液の成分は細胞外液に類似していますが、カリウムやリンなど血中から除きたい成分は低濃度にし、補充したいもの（HCO_3^- など）は高濃度にしてあります。物質の濃度が平衡に達すると移動がなくなります。

限外濾過

- 水分は透析膜の両側に同じように存在するので、拡散で除去されることはありません。水の除去は、透析膜を介して静水圧の格差を作り濾過を行います。これを**限外濾過**といいます。

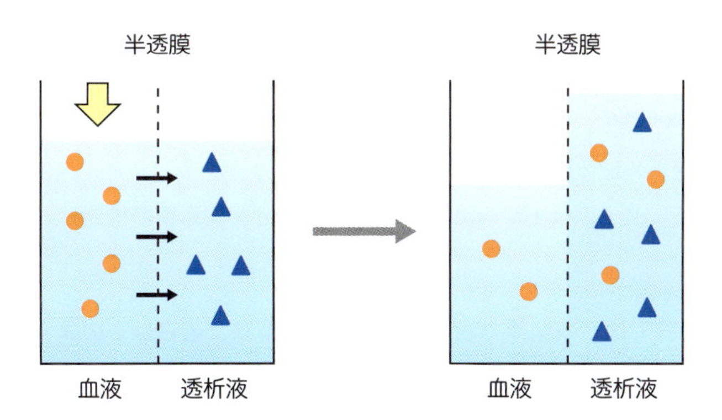

- 血液側に陽圧を加えるか、透析液側に陰圧を加えることによって、水分を血液側から透析液側に濾過することができます。

- 拡散を行わず、限外濾過による水の除去だけを行うこともあります。このような治療法を**ECUM**（extracorporeal ultrafiltration method：**体外限外濾過法**）といいます（イーカムと発音します）。利尿薬でもコントロール困難な難治性心不全の治療に用いられます。

ダイアライザーを用いて血液をきれいにする

- 血液透析では、体外循環の方法で**ダイアライザー**（半透膜などからなる透析器）に血液を通して老廃物を濾過します。

腎臓と透析の比較

- **腎臓**：糸球体濾過、再吸収、分泌 ➡ 尿の排泄
- **透析**：ダイアライザーによる浄化 ➡ 水分と尿毒素の排泄

- 本来腎臓では、糸球体で濾過された水、電解質、蛋白はそのまま尿に出てしまうわけではなく、下図のように尿細管で再吸収されたり、分泌されたりして微調整しながら尿として排泄されます。

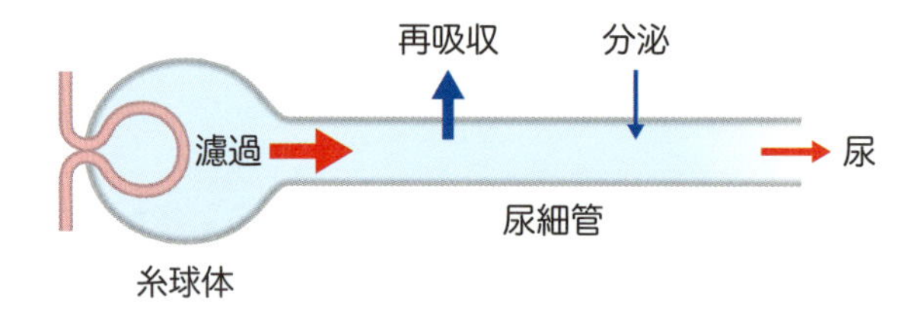

- 透析では、そのような精密な微調整はなく、再吸収や分泌といった機能はありません。基本的にダイアライザー（半透膜）を介して血液を濾過する行程のみになります。

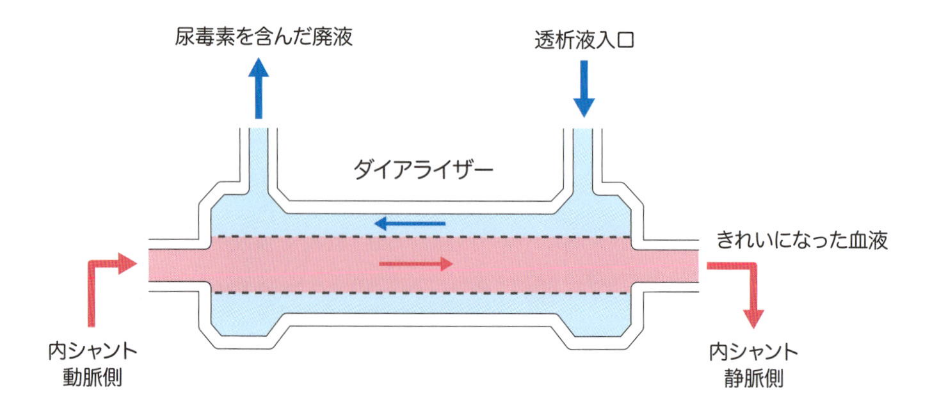

ダイアライザーによる血液浄化

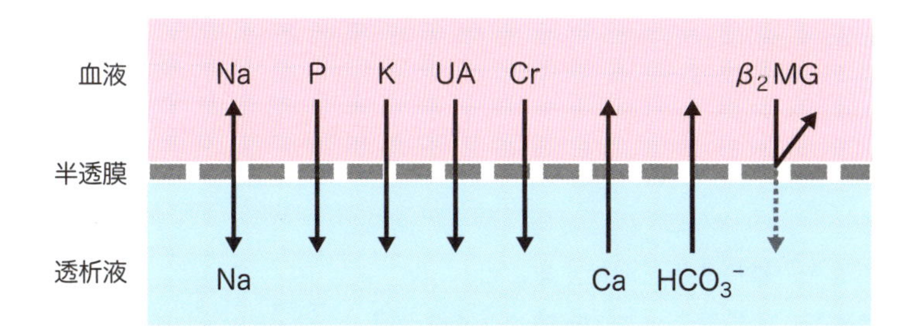

半透膜を通過するもの

- 尿毒素（BUN、クレアチニン、尿酸など）
- 電解質（Na、K、Ca、P など）
- 水分

半透膜を通過しにくいもの

- β_2 ミクログロブリンなどの低分子蛋白

半透膜を通過しないもの

- 細胞（赤血球、白血球）、ウイルス、細菌

血液透析患者さんの生活パターン

- 透析は腎不全の根治的治療ではありません。通常は腎移植をしないかぎり、透析を続けることになります。

> - **透析導入**：維持透析を開始すること
> - **維持透析**：慢性腎不全での継続的な透析治療

- 維持透析では、週３回、１回４時間程度の血液透析を行うことが一般的です。透析日は拘束時間が長いですが、透析のない日は通常の生活ができます。

- **透析スケジュール**の具体例を示します。

		月	火	水	木	金	土	日
例１	午前	透析		透析		透析		
	午後							
	夜間							
例２	午前							
	午後		透析		透析		透析	
	夜間							
例３	午前							
	午後							
	夜間	透析		透析		透析		

- 例１の患者さんは、月水金の午前中に病院に来る必要がありますが、火木土はお休みです。８時から 12 時頃まで透析を受けられます。
- 例２の患者さんは火木土の午後のパターンです。13 時から 17 時頃まで透析を受けられます。
- 例３の患者さんは月水金の夜間に透析をしている方です。日中仕事をされている方は、このような夜間透析を選ばれています。仕事が終わってから病院に来院し、18 時から 22 時頃まで透析を受けられて帰宅されます。

- このように普段の生活スタイルに応じて、透析スケジュールを組むことができます。

透析治療で腎臓の機能を 100% 代償できるか？

- 答えは「No」です。血液透析の場合、週 12 時間の透析で、週 168 時間休まず機能している腎臓の働きを代償しようとしています。

• 血液透析の時間：　　　1 回 4 時間×週 3 回＝週 12 時間
• 腎臓が働いている時間：1 日 24 時間× 7 日＝週 168 時間

- 腎臓の機能のうち、水分・老廃物の除去、電解質の除去、血液の pH の補正などは代償できます。

透析で代償できる腎臓の機能

• 排泄機能（ある程度）
• 体液量の調節
• 電解質バランスの維持
• 酸塩基平衡の調節

- しかし、すべての腎臓の機能を再現できるわけではなく、たとえばエリスロポエチン産生やビタミン D の活性化などは代償できません。

透析では代償できない腎臓の機能

• **内分泌機能**：エリスロポエチン産生
　ビタミン D 活性化
• **血圧調節**：　レニン産生
　プロスタグランジン・キニン産生
• **骨代謝**：　　Ca 再吸収（副甲状腺ホルモンの作用による）

- これら血液透析が代替できない部分については、薬剤による補充などの内科的な治療を併用することが必要になります。

ドライウェイトとは

- 透析終了時の目標体重として、**溢水**（過剰な水分）がなく、しかも透析中に血圧が下がりすぎないような目標体重を設定する必要があります。
- この「体内に余分な水分貯留がない体重」のことを**ドライウェイト**（**dry weight**）といいます。

- 以下の項目を定期的にチェックして、ドライウェイトを設定します。

ドライウェイト設定に必要な情報

- 血圧
- 浮腫の有無
- 胸部Ｘ線像上の**心胸郭比**
- 透析後の血漿 **ANP** 濃度（ANP：心房性 Na 利尿ペプチド）

- 健康な方でも、一年を通じて体重変化がほとんどない方もいれば、±2kgくらい変化する方もいます。透析患者さんでも同様に体重は変化しますので、ドライウェイトも変化しています。
- つまり、ドライウェイトは一度決めたらそのまま固定ではなく、定期的な見直しが必要になるのです。通常は１～２ヵ月に１回、胸部レントゲンで心胸比を評価してドライウェイトを設定します。

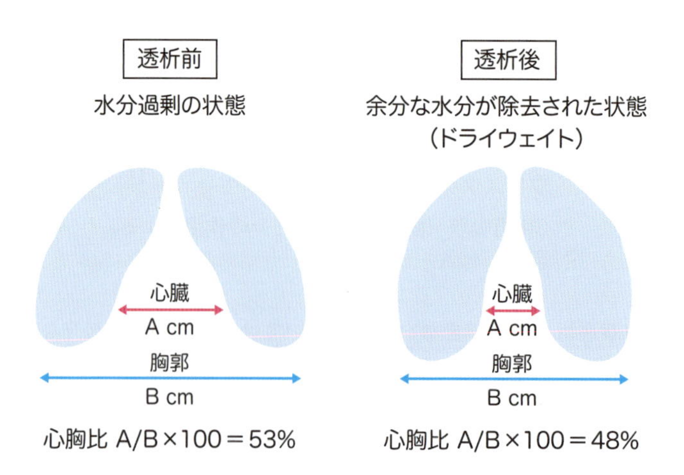

- ドライウェイトがきちんと設定できていないと、何が起こるでしょうか。たとえば、食欲が亢進して太った場合、ドライウェイトを見直さないまま透析を行うと、過剰に除水してしまい、透析中に血圧低下を引き起こします。
- 食欲低下が続いてやせた場合は、逆に水分貯留状態で透析が終わってしまい、高血圧、浮腫をきたします。透析後のANPの値は、体内の水分貯留の指標になります。

- 真の体重61kgなのにドライウェイトを60kgに設定した場合
  ➡ 透析終了時1kg分余計に水分を除去 ➡ 血圧低下、足のつれ
- 真の体重59kgなのにドライウェイトを60kgに設定した場合
  ➡ 透析終了時1kg分余計に水分が貯留 ➡ 高血圧、むくみ

透析間の体重増加に注意

- ドライウェイトを60kgに設定した場合、1週間の体重の変化は下図のようになります。1回の透析で2～3kg除水し、透析後はドライウェイトになっています。しかし、無尿の場合、摂取した水分がそのまま体重増加につながるため、次の透析前にはまた数kg増えています。

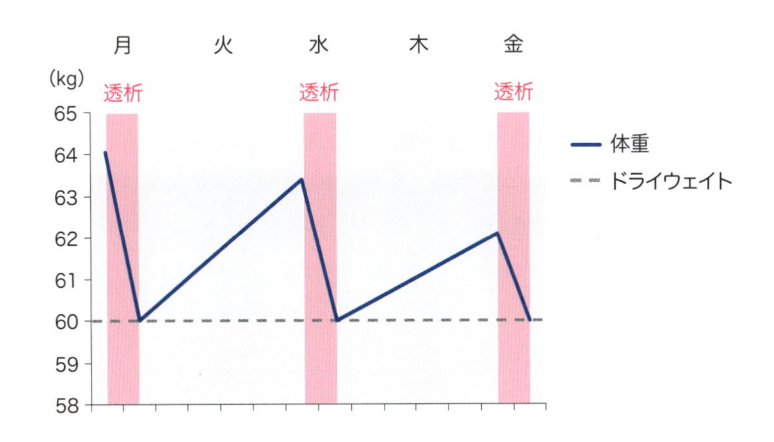

- 体重増加が多いほど、ドライウェイトに達するまでの必要な除水量が多くなり、当然心臓への負荷が大きくなります。したがって、いかに透析間の体重増加を少なくするかが透析をスムーズに継続させるコツといえるでしょう。

透析で使用する抗凝固薬

- 血液透析を行うときは、いったん血液を**体外循環**させる必要があります。その際、血液が凝固しないように**抗凝固薬**を投与します。
- 抗凝固薬は出血のリスクに応じて、次のように使い分けをしています。

抗凝固薬の使い分け

- 出血している、出血のリスクが高い ➡ **メシル酸ナファモスタット**
- 出血する可能性が否定できない ➡ **低分子ヘパリン**
- 出血するリスクが非常に低い ➡ **ヘパリン**

- **ヘパリン**は安価です。効き過ぎた場合の中和剤（プロタミン）があります。安定した抗凝固作用を示し、即効性があります。半減期が比較的短いです。一方で、凝固時間の延長による出血の助長、脂質代謝への影響、まれにヘパリン誘発性血小板減少症などが問題となります。

- **低分子ヘパリン**はヘパリンの低分子分画製剤です。ヘパリンより抗凝固作用が弱いため、透析による出血傾向の増強が少ないとされています。ただし、ヘパリンより半減期が長いです。

- **メシル酸ナファモスタット**は出血のリスクが高い場合に用いられます（観血的手術後など）。本剤を用いても透析中に循環血液の凝固時間は延長しません。作用時間も短いです。

不均衡症候群はなぜ起こる？

- 透析によって老廃物は血液中から速やかに除去されます。それに対して脳内の老廃物は除去されにくく、透析後は脳内とそれ以外の体液に老廃物の濃度差が生じます。
- このとき、老廃物濃度の高い脳は、血液中の濃度と同じ濃度に保つために周囲の水分を吸収し、**脳浮腫**を引き起こしてしまいます。そのため、頭痛、嘔気・嘔吐、不安などが生じることがあります。このような状態を**不均衡症候群**といい、透析導入時に起こりやすいです。

不均衡症候群の原因

- 透析による「急速な高窒素血症の是正」によって生じる脳内とそれ以外の老廃物の濃度差

不均衡症候群を予防するには

- 不均衡症候群に対する予防策は、透析導入時にできるだけ透析の効率を落として行うことです。血液ポンプの速度を遅くして、血液の処理量を少なめにし、膜面積が小さく毒素の除去クリアランスが低いダイアライザーを選択し、透析時間を短くします。透析に慣れてきたら、標準的な透析条件に設定していきます。
- 症状が強い場合は、グリセオールやマンニトールを投与し、脳浮腫を軽減させる方法もあります。

不均衡症候群に対する予防策

- 透析時間を短めにする
- 血流を少なめにする
- クリアランスの低いダイアライザーを選択
- 膜面積の小さなダイアライザーを選択

ブラッドアクセス

- 透析を行う際、血液を体外に循環させるには、ある程度の血流を確保することが必要です。通常の採血や点滴で使用している皮下静脈では、細すぎて十分な血流量が得られません。
- 簡便に穿刺できて、十分量（具体的には 1 分間に 200mL 前後）の血流量が得られるルートが必要になります。このような血流を確保するルートを**ブラッドアクセス**（blood access）といいます。
- ブラッドアクセスは、急性腎不全などで一時的に用いる場合と、維持透析で長期にわたって用いる場合に分類されます。

- **緊急時のブラッドアクセス**　：ダブルルーメン・カテーテル
- **維持透析用ブラッドアクセス**：内シャント

ダブルルーメン・カテーテル

- 一時的なブラッドアクセスとして**ダブルルーメン・カテーテル**がよく用いられます。皮膚からの穿刺が比較的簡単で、内頚静脈や大腿静脈に留置します。
- 透析を行う際は、ダブルルーメン・カテーテルを挿入し、そこから血液を体外に取り出して（**脱血**）、体外で浄化して再度体内に戻す（**返血**）ということを行います。ダブルルーメン・カテーテルの赤色が脱血するための動脈側、青色が返血するための静脈側になります。 色を間違えてはいけません。

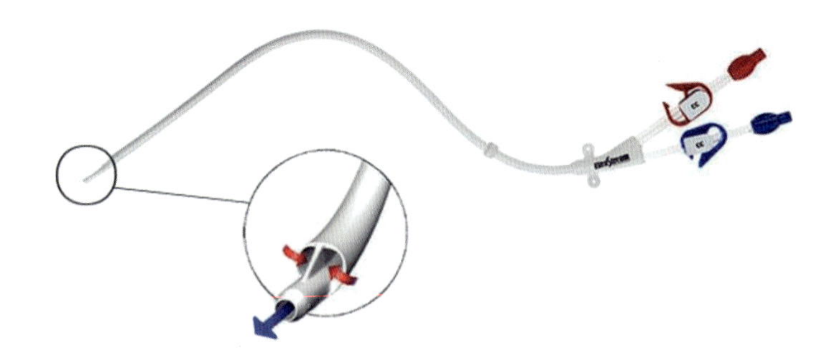

（Argon Medical Devices 社 HP より）

内シャント

- 長期に用いるブラッドアクセスで最も一般的なのは、**内シャント**です。
- 内シャントは、動脈と静脈を吻合し**動静脈瘻**を外科的に形成したものです。動脈血の一部を静脈に流して、皮下静脈の血流を増加させます。これにより静脈が太く発達して、太い針でも穿刺可能になります。

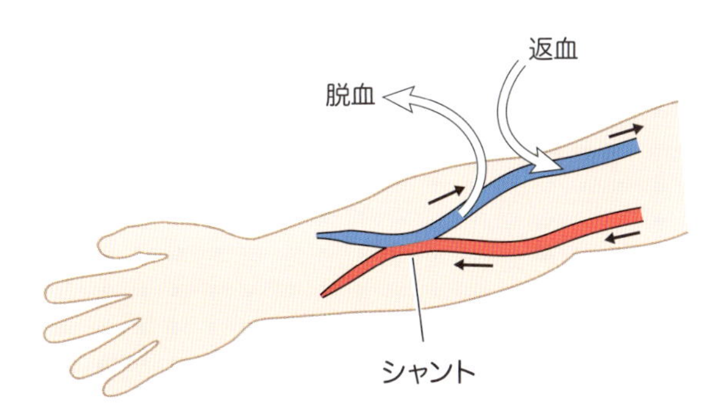

- 通常、利き手でない側の前腕に作製します。なぜなら透析中、シャント側の腕は透析のルートが入っていて動かせないからです。透析中はテレビを見たり、本を読んだりするので、利き手が動かせないと非常に不便です。
- 透析導入が間近になったら、シャント作製予定の腕は、なるべく採血や点滴に使わないようにします。将来シャントになる血管をなるべく傷つけないようにするためです。
- 内シャントが作れないような症例では、グラフト留置や動脈の表在化などが行われます。

いつ内シャントを作るのか

- 内シャントは手術後にすぐ使えるものではありません。穿刺に適した太さに血管が発達するのに 2 週間くらいかかります。ですので、透析導入が必要な場合は前もって内シャントを作っておかなければなりません。
- 尿毒症症状が出てきたらもちろんですが、症状がなくても血清クレアチニン値が 7.00 mg/dL、BUN が 70 mg/dL を超えたら、透析の準備を始めています。このへんの数値は、担当する先生によって多少異なるかも知れません。
- eGFR に換算すると 10 mL/min 以下になったらシャントの準備をして、実際には eGFR 5 mL/min くらいで透析を開始するケースが多いようです。

腹膜透析（CAPD/APD）の方法

- 腹膜透析は、腹膜を透析膜として利用して血液を浄化する方法です。腹膜の毛細血管を流れる血液と透析液の間の濃度勾配による**拡散**と、透析液の膠質浸透圧による**限外濾過**によって、透析が行われます。透析液には、浸透圧物質としての**ブドウ糖**が含まれています。

腹膜透析の方法

- **連続携行式腹膜透析**
（continuous ambulatory peritoneal dialysis：**CAPD**）
→ 継続的に行う
- **自動腹膜透析**（automated peritoneal dialysis：**APD**）
→ 透析液の自動交換を夜間のみ行う

- 開発者 Henry Tenckhoff の名前がついた**テンコフカテーテル**という管を腹腔内に留置して透析液を注入します。
- 腹腔内に透析液（500～2500mL）を留置すると、腹膜が透析膜の役割をして、老廃物が透析液中に拡散します。一定時間（3～6時間）貯留している間に、体内の老廃物が透析液中に除去されます。これを排液して、また新たな透析液を注入するわけです。
- **CAPD** では、この過程を１日４～５回繰り返します。

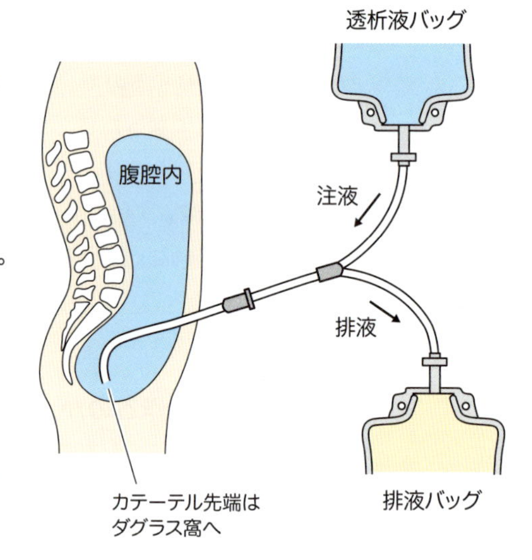

- CAPD の変法として、自動腹膜透析装置を用いて夜間に集中的に血液浄化を行う **APD** があります。機械が注排液を自動的に行うシステムで、昼間の交換はほとんど必要ありません。

腹膜透析のメリットとデメリット

- 血液透析と比較して、腹膜透析には次のような利点があります。

腹膜透析のメリット

- 通院の回数が少ない（投薬などのための通院のみ）
- 透析時間が長く体に優しい
- 内シャントが必要ない（心臓に優しい）
- 食事制限が緩やか
- 残腎機能が保たれやすい

- CAPD は 24 時間連続した透析であるため、体液や血圧の変動が少なく、体への負担は血液透析より軽いのです。

- 一方、腹膜透析には短所もあります。

腹膜透析のデメリット

- 腹膜炎を合併しやすい
- 数年で腹膜機能が劣化

- 腹膜透析の最大の欠点は**腹膜炎**を起こしやすいことです。また、長期間の腹膜透析により腹膜は劣化し、イレウス症状を伴う**被囊性腹膜硬化症（EPS）**という予後不良な腹膜炎を合併しやすくなります。
- したがって、血液透析のように永続的に続けられる治療法ではありません。腹膜透析を続けられる年数は患者さんによって異なりますが、約 8 年程度と考えられています。

- さらに腹膜透析患者では、透析液中に蛋白が漏出し、**低蛋白血症**となります。この低蛋白血症を補うために代償性に蛋白合成が亢進し、高脂血症を合併することがあります（ネフローゼ症候群の場合と同様です）。
- 腹膜透析を選択する場合は、きちんとした自己管理（または家族などによる管理）ができるということが絶対に必要な条件になります。

腹膜透析の適応

- 比較的若い患者さんで、血液透析のための通院が大きな負担になる方や、まだ第一線で働きたい意欲がある方などの場合には、腹膜透析の選択を検討します。
- 心疾患があり、できるだけ心臓に対し低侵襲の治療が必要とされる場合も、腹膜透析の適応と思われます。

CAPDの適応

絶対的適応

- 心機能低下、低血圧など血液透析困難な患者
- シャント作製不能の患者
- 幼小児の腎不全患者

相対的適応

- 週2～3回の通院が困難（透析施設より遠隔地に居住、仕事の都合上）
- 出血性素因が強い（ヘパリン使用困難）

CAPDの禁忌

絶対的禁忌

- 横隔膜欠損
- 高度の換気障害
- 頻回の腹部手術の既往
- 人工肛門、精神障害、知的障害あり（介助により可能な場合も）

相対的禁忌

- 視力障害、性格がルーズ、理解力に乏しい
- 肝硬変、重篤な栄養障害
- 下肢の閉塞性動脈硬化症

（友雅司：CAPD療法．下条文武監修：専門医のための腎臓病学，第2版，医学書院，2009，p227より作成）

透析関連アミロイドーシス

- 一口に「アミロイドーシス」といっても、多くの種類があります。真っ先に思いつくのは、多発性骨髄腫に合併するALアミロイドーシスでしょうか。形質細胞が免疫グロブリンの軽鎖を異常産生し、これがALアミロイドを形成して組織に沈着して臓器障害を引き起こします。
- **透析関連アミロイドーシス**は、β_2ミクログロブリンからなるアミロイド蛋白の沈着に起因する疾患です。**β_2ミクログロブリン**は透析での除去が難しいため、血液中に蓄積してしまいます。長期透析患者の骨や滑膜組織に沈着が認められます。
- 画像所見では、骨嚢胞が長管骨の骨端部、特に大腿骨頭や上腕骨近位部に認められることが多く、中手骨、手根骨、足根骨にもみられることがあります。

手根管症候群

- 透析関連アミロイドーシスの臨床所見として最もよくみられるのが**手根管症候群**です。横手根靱帯（屈筋支帯）や腱鞘滑膜に沈着して正中神経を圧迫し、手指の痛みやしびれをきたします。母指球筋麻痺と萎縮も認められます。

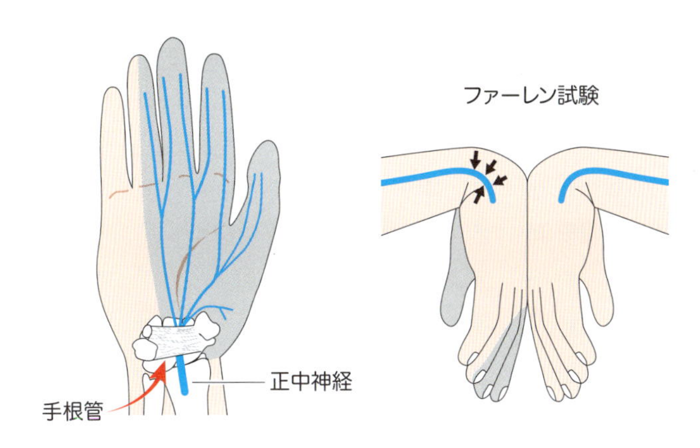

- 手根管症候群の確認には**ファーレン試験**を行います。手関節部を強く掌屈位に保持して1分以内に疼痛が増強した場合、陽性とします。
- また、**ティネル徴候**の有無を調べます。手関節部のハンマーによる叩打で手掌から手指にかけて疼痛が生じれば、ティネル徴候ありと判断します。
- 手根管症候群の治療は、NSAIDsによる疼痛コントロールが難しい場合は、内視鏡下あるいは直視下における手根管開放術の適応となります。

様々な血液浄化療法

- 透析治療の対象疾患は腎不全だけではありません。血液浄化療法の中には、いわゆる血液透析だけではなく、他にもたくさんの種類があります。
- たとえば、血中から人体に有害な病因物質（自己抗体、免疫複合体、エンドトキシン、炎症性サイトカインなど）や細胞（リンパ球や顆粒球など）を除去し、病態を改善する治療法もあります。

血液浄化療法の種類

• **血液透析**	HD（hemodialysis）
• **血液濾過**	HF（hemofiltration）
• **血液濾過透析**	HDF（hemodiafiltration）
• **持続的血液浄化**	
持続的血液透析	CHD（continuous hemodialysis）
持続的血液濾過	CHF（continuous hemofiltration）
持続的血液濾過透析	CHDF（continuous hemodiafiltration）
• **限外濾過**	ECUM（extracorporeal ultrafiltration method）
• **血漿交換**	
単純血漿交換療法	PE（plasma exchange）
二重濾過血漿交換	DFPP（double filtration plasmapheresis）
• **吸着療法**	
血液吸着療法	DHP（direct hemoperfusion）
血漿吸着療法	PA（plasma adsorption）

血漿交換療法

- 自己抗体が関与する病態に対して、血漿交換療法が行われます。血漿分離膜により患者血液を血球成分と血漿成分に分離します。病因物質を含んだ血漿成分を廃棄し、新鮮凍結血漿（fresh frozen plasma：FFP）などの置換液で補充する方法です。

- たとえば、肺胞出血を認める**ANCA関連血管炎**や**CNSループス**（意識障害などの脳症を合併したSLE）の場合は、ステロイドパルスなどの免疫抑制療法に加えて血漿交換を行うことがあります。いずれも、生体に対して有害な因子である自己抗体の除去を目的としています。

- **抗基底膜抗体病**でも自己抗体の関与が強いと考えられています。血漿交換で積極的に除去することが有効とされています。

- **血栓性血小板減少性紫斑病**（TTP）では、von Willebrand因子特異的切断酵素であるADAMTS13の活性が低下します。そこで、ADAMTS13の補充とその阻害因子（インヒビター）の除去を目的として血漿交換を行います。血小板数の回復が認められるまで、繰り返し血漿交換を行います。

血液吸着療法と血漿吸着療法

- 血液吸着療法は、血液を吸着器に通し、病因物質を吸着・結合させて除去する方法です。より選択的な物質除去が可能です。
- たとえば、**敗血症性ショック**の際、原因物質である**エンドトキシン**を除去するために、ポリミキシン固定化ファイバという吸着器が用いられます。

- 一方、血漿吸着療法は、血漿分離膜にて分離した血漿を、疾患に合わせた吸着材を含むカラムに灌流して、病因物質を血漿から除去する方法です。
- 重症筋無力症やギラン・バレー症候群、慢性炎症性脱髄性多発神経炎など自己抗体が関与する**自己免疫疾患**に対して選択されます。免疫複合体や抗DNA抗体、リウマチ因子、抗アセチルコリン受容体抗体などを吸着除去することによって、病態の改善を図ります。

吸着療法の種類

- **血液吸着**
  血液から病因物質を吸着して除去
  除去物質：**エンドトキシン**、**β_2ミクログロブリン**、薬剤など
- **血漿吸着**
  血漿分離後、分離された血漿中の病因物質を吸着して除去
  除去物質：**免疫グロブリン**、LDLコレステロールなど
- **血球成分除去**
  血液から病因となっている血球成分を吸着して除去
  除去物質：**白血球**、**顆粒球**など

第14章

腎臓に関するよもやま話

どの分野でも同じだと思いますが、腎疾患の診療や研究を行っていると、わからないことや疑問に思うことがいくつも出てきます。でも文献的に調べてみると、実はすでに検証されていたり、判明している事実もたくさんあります。

そこで、この章では、教科書には書かれていないけれど、腎臓病患者さんを診療するにあたって知っておきたい知見やデータを紹介したいと思います。

- ネフロンの数は誰でも同じなの？
- 老化に伴う腎機能の低下はどの程度か？
- 腎再生医療はどの程度進んでいるの？
- 指定難病になっている腎疾患は？
- 正常範囲だけど正常を意味しないケースとは？
- 蛋白尿を消すことが治療のゴールなの？
- 糖尿病患者で蛋白尿を認めたら、必ず糖尿病性腎症か？
- 腎臓専門医の守備範囲はどこまで？

腎機能はどのくらいの速さで悪化するの？

- 生理的な GFR の低下速度について、いくつか報告があります。
- 欧米の文献では、1 年あたり 1 mL/min/1.73 m^2 程度との報告があります。

- 日本では、eGFR の低下速度は 1 年あたり 0.3 ～ 0.4 mL/min/1.73 m^2 と欧米に比べて遅いことが報告されています。

eGFR の低下速度（日本人の場合）

- **全体** ………………………… 0.36 mL/min/1.73 m^2/year
- **高血圧あり** …………… 0.3 ～ 0.5 mL/min/1.73 m^2/year
- **蛋白尿あり** …………… 0.6 ～ 0.9 mL/min/1.73 m^2/year

（Imai E *et al. Hypertens Res* 2008; 31: 433-41 より引用）

- 高血圧や蛋白尿があると、やはり腎機能の悪化が早いことがわかります。

腎疾患に対する治療のゴールは様々

- どんな病気でも、治療の最終的なゴールは治癒です。病気をなくすことが最終目標です。腎疾患の治療も基本的にはそうなのですが、腎疾患の種類、年齢、生活環境などによって多少変更する場合があります。

- 特に高齢者の検尿異常は、治療方針の決定に悩むことがあります。

  「ステロイド治療を行えば、尿蛋白が消えて将来透析になる可能性はなくなるかも知れない。でも、免疫抑制療法により重症肺炎（日和見感染）を起こして、逆に寿命を縮めてしまうのではないか」

- とりあえず、現在の症状（むくみなど）が改善すれば、それでもいいのでは？として対症的に利尿薬だけで様子を見る場合もあります。

腎炎の治療ゴール

- **若年〜中高年** ➡ 治癒
- **高齢者** ➡ 臨床症状（むくみなど）の改善

腎不全の治療ゴール

- **透析導入前**：現状維持（これ以上腎機能が悪くならないようにする）
  ➡ **透析導入を回避**
- **透析中**：現状維持（血圧、貧血、高リン血症に対する治療）
  ➡ **心血管イベントを回避**

腎疾患って難病？

- 一口に腎疾患といっても、症状の軽いものから重いもの、予後の良いものから難治性のものまで様々です。
- 厚生労働省で指定されている難病として、医療費助成の対象となる「**指定難病**」というものがあります。主治医（難病指定医）が申請書を作成して承認されると、患者さんは一部医療費の補助が受けられます（医療費３割負担が２割負担になるなど）。
- 令和４年現在、338の疾病が認定されており、腎臓関連の病気も含まれています。主に膠原病に合併した腎疾患が多いです。

腎臓に関連した指定難病

- **原発性腎疾患**

IgA腎症
一次性ネフローゼ症候群
一次性膜性増殖性糸球体腎炎

- **膠原病関連**

急速進行性糸球体腎炎
抗糸球体基底膜腎炎
顕微鏡的多発血管炎
多発血管炎性肉芽腫症
好酸球性多発血管炎性肉芽腫症
全身性エリテマトーデス
全身性強皮症
混合性結合組織病
シェーグレン症候群
血栓性血小板減少性紫斑病
サルコイドーシス
IgG4関連疾患
紫斑病性腎炎

- **先天性腎疾患**

多発性嚢胞腎
アルポート症候群
先天性腎性尿崩症
ネフロン癆（令和３年11月に追加）

腎疾患に関するガイドライン

- 腎疾患の個々の病態について、診療ガイドラインが作成されています。最終的には主治医が治療方針を決定するわけですが、日常診療においてとても参考になります。日本腎臓学会 HP からダウンロードできます。

腎疾患に関するガイドライン

- エビデンスに基づく難治性腎疾患診療ガイドライン 2020 エッセンス版
- エビデンスに基づく多発性嚢胞腎（PKD）診療ガイドライン 2020
- エビデンスに基づくネフローゼ症候群診療ガイドライン 2020
- エビデンスに基づく急速進行性腎炎症候群診療ガイドライン 2020
- エビデンスに基づく IgA 腎症診療ガイドライン 2020
- IgG4 関連腎臓病診断基準 2020
- 腎生検ガイドブック 2020
- 腎代替療法選択ガイド 2020
- エビデンスに基づく CKD 診療ガイドライン 2018
- 腎障害患者におけるヨード造影剤使用に関するガイドライン 2018
- 腎障害患者におけるガドリニウム造影剤使用に関するガイドライン
- 腎疾患患者の妊娠：診療ガイドライン 2017
- AKI（急性腎障害）診療ガイドライン 2016
- 思春期・青年期の患者のための CKD 診療ガイド
- がん薬物療法時の腎障害診療ガイドライン 2016
- 非典型溶血性尿毒症症候群（aHUS）診療ガイド 2015
- 医師・コメディカルのための慢性腎臓病生活・食事指導マニュアル
- 慢性腎臓病生活・食事指導マニュアル～栄養指導実践編～
- 慢性腎臓病に対する食事療法基準 2014 年版
- 生体腎移植のドナーガイドライン
- 血尿診断ガイドライン 2013
- CKD 診療ガイド 2012

糖尿病患者で尿蛋白を認めたら、100%糖尿病性腎症なのか？

- 糖尿病患者で尿蛋白を認めたら、100%糖尿病性腎症でしょうか？
- 答えは「NO」です。現在、糖尿病の患者数は非常に多いため、糖尿病に何らかの腎炎を発症しても珍しくはありません。つまり、糖尿病を合併したCKD患者に遭遇することもまれではない、ということです。

糖尿病性腎症か、他の腎炎か

- 「糖尿病性腎症」なのか、「糖尿病性腎症以外の腎炎を合併したのか」をきちんと鑑別することは重要です。
- なぜなら、糖尿病性腎症の場合、非常に予後が悪く、水分過剰などで早めに腎代替療法を要することがあります。血管合併症対策も必要になってきます。
- 一方、何らかの腎炎を合併した場合は、その種類にもよりますが、免疫抑制療法により寛解を目指すことが可能かもしれません。合併する疾患の頻度は、IgA腎症や膜性腎症が多いとされています。

Case study

【症例】 60代女性。2年前に糖尿病と診断され、経口血糖降下薬内服中。糖尿病性網膜症なし。尿蛋白（3+）、尿潜血（－）。血清クレアチニン値0.67 mg/dL。糖尿病性腎症が疑われたが、腎炎の可能性も否定できないため、腎生検を施行。結果は、膜性腎症であった。

糖尿病性腎症の臨床経過

- 2型糖尿病の腎病変は、ほぼ一定の段階を経て進行します。糖尿病罹患後5～10年で、**微量アルブミン**が尿中に排泄されるようになります。その後、試験紙法で検出できる尿蛋白（**顕性蛋白尿**）を認めるようになり、その頃から次第に腎機能が低下してきます。
- この進行段階からわかることは、糖尿病性腎症は腎機能が低下している段階でかなりの量の蛋白尿を認めることが多いということです。逆に言えば、腎機能が低下しているのに尿蛋白が陰性か、少ない例では、糖尿病性腎症以外の腎疾患の存在を示唆しているともいえます。

- 糖尿病性腎症は、**糖尿病性網膜症**とよく相関します。したがって、糖尿病性網膜症がないのに蛋白尿を認めたり、腎機能が低下している糖尿病患者さんは、ほかの腎疾患を合併している可能性があります。

Case study

【症例】 30代女性。3年前に糖尿病を発症し、現在インスリン治療中。糖尿病性網膜症あり。尿蛋白（3+）、尿潜血（+）。血清クレアチニン値1.20mg/dL。糖尿病歴がそれほど長くなく、何らかの腎炎の可能性も否定できないため、腎生検を施行。結果は、糖尿病性腎症であった。

- 糖尿病性腎症以外の腎実質疾患が考えられる場合は精査が必要です。腎臓専門医へコンサルトしましょう。

腎臓専門医に相談した方がよい糖尿病のケース

- 網膜症がないのに蛋白尿を認める場合
- 腎機能低下があるが尿蛋白陰性の場合
- 糖尿病歴が短くコントロール良好なのに蛋白尿を認める場合
- 蛋白尿とともに肉眼的血尿を認める場合
- 突然の経過で大量の蛋白尿を認める場合

血圧はどこまで下げればいいの？

- わが国の高血圧患者数は約 4300 万人と推定されています（高血圧治療ガイドライン 2019）。ところが、その 72％がコントロール不良とされていて、内訳は「未治療」が 43％、「治療を受けているがコントロール不良」が 29％です。

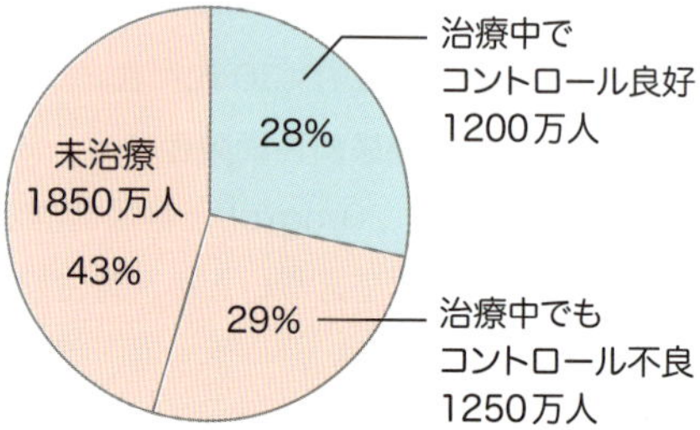

- 2019 年 4 月、日本高血圧学会による高血圧治療ガイドラインが 5 年ぶりに改訂されました。新ガイドラインでは治療の適正な目標値を示すだけでなく、メタボリックシンドロームや糖尿病、心房細動の併存疾患を持っていたり、高齢者、フレイルや認知症、自立生活が難しい方など、個人の状況を勘案して慎重な降圧の考え方が示されています。
- 高血圧と診断される基準は、従来通り 140/90 mmHg 以上（診察室血圧）ですが、血圧が高いほど脳心血管病の発症リスクが上昇することが明らかになり、降圧目標が厳格化されました。

血圧分類の変更

（旧ガイドライン）		（新ガイドライン）
至適血圧 120/80 mmHg 未満	➡	**正常血圧** 120/80 mmHg 未満
正常血圧 120〜129/80〜84 mmHg	➡	**正常高値血圧** 120〜129/80 mmHg 未満
正常高値血圧 130〜139/85〜89 mmHg	➡	**高値血圧** 130〜139/80〜89 mmHg

降圧目標値の変更

（旧ガイドライン）		（新ガイドライン）
若年・中年・前期高齢者 140/90 mmHg 未満	➡	130/80 mmHg 未満
後期高齢者 150/90 mmHg 未満	➡	140/90 mmHg 未満
生活習慣指導で十分な降圧が得られない場合	➡	高値血圧（130〜139/80〜89 mmHg）でも降圧薬の開始へ

腎疾患に対する新規治療薬がなかなか出てこない理由

- 現在、残念ながら腎疾患に対する特効薬は存在しません。もちろん、疾患によっては、免疫抑制療法（ステロイドや免疫抑制薬）が奏効するケースがあります。しかし、いったん腎機能が低下し始めると、元に戻すことは不可能です。
- 基礎研究レベルでは、様々な腎障害モデル動物を用いて、多くの標的分子が同定されていますが、臨床応用には結びついていません。

慢性疾患における治験の難しさ

- 腎疾患に対する治療薬がなかなか登場してこない理由はいくつかあります。
- まず、腎疾患の多くは慢性疾患であるということです。すぐに悪くなる病気ではありません。基礎研究では短期間の腎障害モデルを使っているため、数日から数週で結果が出ます。一方、ヒトでは臨床試験を組んで治療薬の有効性を証明するには、数年から十数年くらいかかってしまいます。莫大な費用がかかり、現実的ではありません。

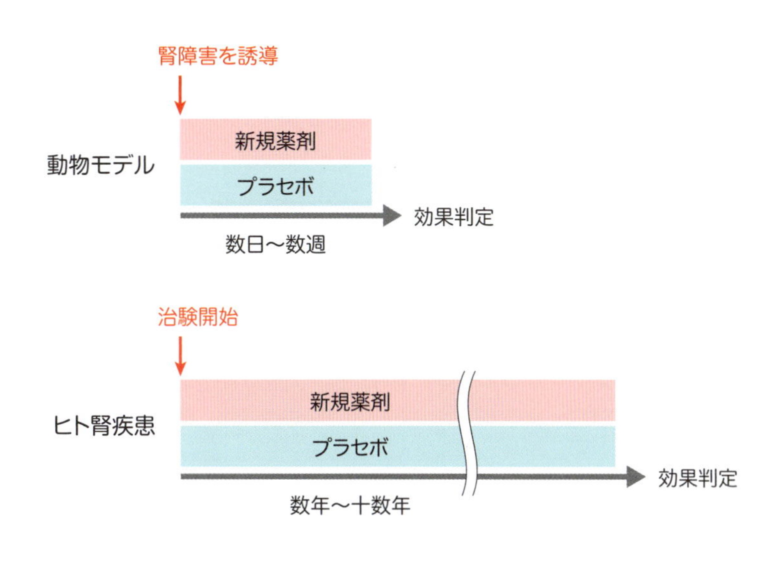

治療効果判定の難しさ

- もう 1 つは治療効果を反映する良い指標がないことです。高血圧なら血圧、糖尿病なら HbA1c、高脂血症なら LDL といったように、各疾患にはそれぞれ治療効果を判断する指標があり、これを利用して新しい治療薬の効果を判定します。骨粗鬆症であれば骨密度や骨折率、ウイルス性肝炎であればウイルス量ですね。
- 関節リウマチであれば、CRP、ESR や MMP-3 が疾患活動性の良い指標です。疼痛関節数、腫脹関節数、自覚症状、CRP などから計算される Disease Activity Score といった臨床指標も作成されていて、臨床試験の際の効果判定に利用されています。

- ところが、腎疾患にはそれに相当するものがありません。**血清クレアチニン値**も指標にはなりますが、先述の通り腎疾患の腎機能は急には悪くなりません。悪くなるには数年から十数年かかりますので、鋭敏な指標とは言えません。
- **尿蛋白量**は 1 つの候補ですが、尿蛋白量が減ることが 100%良いかというと、そうではありません。なぜなら、慢性腎不全では、血清クレアチニン値の悪化とともに尿蛋白が減少することもよく経験するからです。糸球体が潰れれば潰れるほど尿蛋白も漏れにくくなるためと思われます。
- 上記のような理由から、近年、腎疾患の活動性や予後を反映する新規**尿中バイオマーカー**の探索が活発に行われています。いくつかの候補因子が同定されており、今後の研究の発展が期待されます。

腎疾患に対する治療の効果判定に用いられる指標

◎ **血清 Cr 値** ➡ でも、感度が鈍い。効果判定に時間がかかりすぎる

△ **尿蛋白量** ➡ 多くの場合は指標になるけど、例外もある

? **尿中バイオマーカー** ➡ 使えそうだけど、腎予後ごとの相関は？

腎臓病に対する臨床試験が少ないのはなぜ？

- 筆者が医師になってから、数多くの新規薬剤が登場しました。最近ではジェネリックも増えており、薬の名前を覚えるのにもひと苦労です。では、腎疾患に対する治療薬はどれくらい増えているのでしょうか？

- 下のグラフは、これまでの各分野における臨床試験の数の推移を示したものです。心疾患、神経疾患、癌の分野の治験は年々増えているのがわかります。

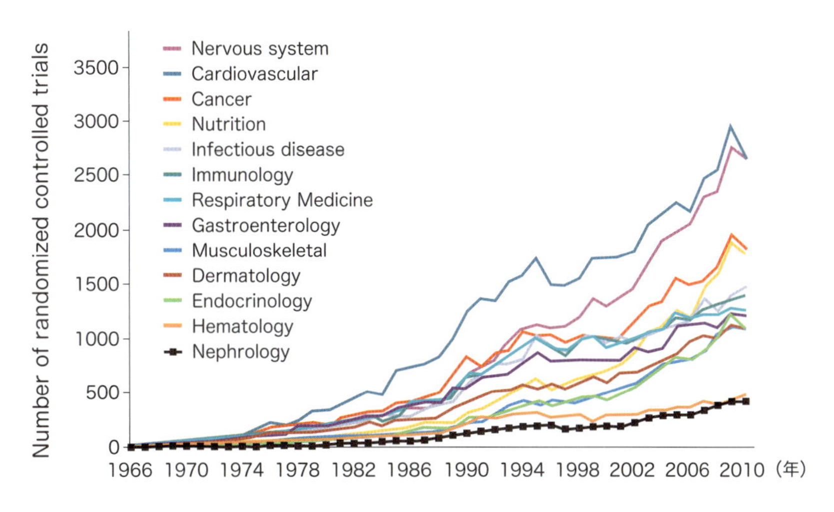

（Palmer SC *et al. Am J Kidney Dis* 2011; 58 : 335-7 より引用）

- 治験の数が一番少ないのは、残念ながら腎疾患の領域ですね。基礎研究では腎疾患に対する治療薬の候補がたくさん報告されているのに、臨床に結びついていません。どうしてでしょうか。
- 1つは**エンドポイント**の設定が問題と言われています。つまり、治療目標が高すぎるということです。
- 腎臓病は慢性的にゆっくりゆっくり進行します。したがって、治験薬の有効性を血清クレアチニン値を指標にして証明しようとすると、10年以上の臨床試験を計画しなければなりません。非現実的ですね。
- 現在、血清クレアチニン値に代わるサロゲートマーカーの探索が活発に行われています（血清・尿中バイオマーカー、eGFR変化率など）。有用な指標が見つかれば、腎疾患に対する治療薬の開発ももっと進むでしょう。

ノーベル賞の研究テーマに基づいた新規薬剤

- 近年、細胞が転写調節因子である**低酸素誘導因子**（**HIF**：hypoxia-inducible factor）を介して酸素レベルを感知応答する機構が明らかになり、酸素濃度依存的な**プロリン水酸化酵素**（**PH**：prolyl hydroxylase）の酵素活性によって制御されていることが判明しました。
- これらのメカニズムを解明したGregg Semenza、Peter Ratcliffe、William Kaelin Jr.の3氏は、2019年にノーベル生理学・医学賞を受賞しています。

正常酸素濃度（Normoxia）　　pVHL：VHL蛋白質　Ub：ユビキチン

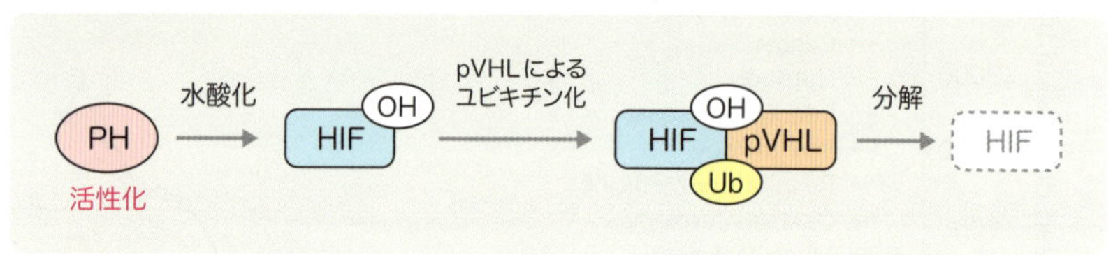

低酸素環境（Hypoxia）

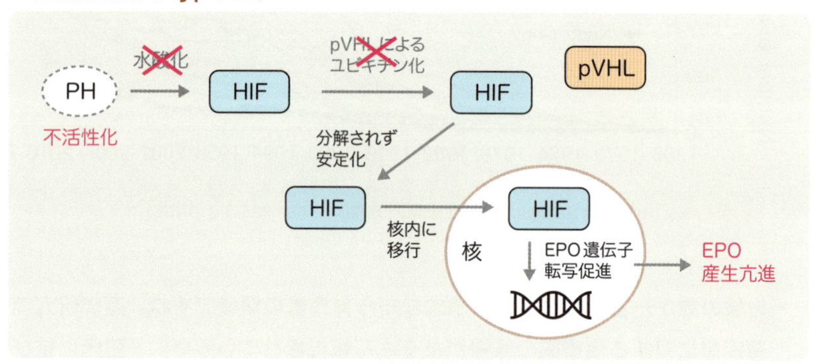

（永山 泉・前嶋明人：CKD患者の貧血管理，日本医事新報社，2021）

- このメカニズムに基づいて**HIF-PH阻害薬**が開発され、2019年、腎性貧血に対する新規治療薬として登場しました。酸素濃度センサーとして機能するPH活性を抑制し、正常酸素濃度においてもHIFを介した低酸素応答を活性化する薬剤です。PHを阻害してHIFを安定化させ、**エリスロポエチン**遺伝子の転写を誘導することにより赤血球造血を促します。
- ノーベル賞受賞に繋がった基礎研究の成果が創薬に応用され、開発された薬剤が日常診療で使用できる時代になっているのですね。

腎臓内科医の守備範囲

- 慢性腎臓病は年々増加していますので、腎臓内科医の需要はそれなりにあります。
- 腎臓内科医は、「検尿異常 ➡ 腎炎・ネフローゼ ➡ 腎不全 ➡ 透析医療」といった腎臓の病態を一貫して管理することが可能です。
- 腎臓に不具合が生じると、全身のいろんな部位に合併症を生じます。一方、腎臓は全身の様々な病気の影響を受けます。したがって、腎臓内科医は腎臓だけでなく、全身に生じる様々な症状に対処しなければなりません。すなわち、全身をトータルに診る能力が要求されます。

他科との連携が重要

- 腎臓病は、糖尿病、高血圧、膠原病などの全身疾患と密接に関連しているため、腎臓内科医は他科からコンサルトを受けることが多いです。過去 3 年間の当科への紹介患者の内訳を示します。

内訳	(%)	紹介理由
腎機能障害	45.0	心不全入院中に Cr 値が徐々に悪化、抗癌剤治療中に腎機能低下、透析導入目的など
検尿異常	27.9	蛋白尿、血尿、腎生検依頼など
ネフローゼ症候群	7.0	急に下腿浮腫を認めた、尿が泡立つなど
嚢胞腎	4.7	腹部エコーで嚢胞複数、腹部膨満感など
電解質異常	2.3	低 Na 血症、高 Ca 血症、高 K 血症など
腎炎合併妊娠	1.6	
その他	11.6	

- 総合病院における腎臓の専門家の仕事は多岐にわたります。他領域の診療科と連携して診療する場面も少なくありません。
- たとえば、手術後の血清クレアチニン値の上昇、腎不全患者の周術期管理、電解質異常（高 K 血症、低 Na 血症、高 Ca 血症など）などです。抗癌剤や免疫抑制薬による薬剤性腎障害も増加しています。

腎臓内科の臨床研修で何を学ぶか

- 腎臓内科医は、腎臓という専門領域はもとより、広範囲にわたる知識と判断が要求される Generalist であることが必要不可欠と言えます。
- 当科の後期研修プログラムの習得目標を示します。

腎臓専門領域の習得目標

- 腎生検の手技と腎生検標本の評価ができる
- 腎臓の生理学、病理学の基礎的知識を習得する
- 腎疾患一般（腎炎、糖尿病性腎症、膠原病など）の診断・治療ができる
- 急性腎不全患者の診断・治療ができる
- 慢性腎不全患者の管理、透析患者の導入、管理ができる
- 水電解質異常、酸塩基平衡異常の診断・治療ができる
- 降圧薬の種類と使い方を習得する
- ステロイドや免疫抑制剤の使い方を習得する
- 日和見感染症の診断・治療法を習得する

- 研修医やシニアレジデントの先生には、「上記項目の1つでもいいから習得できるよう臨床研修を頑張りましょう」と説明しています。
- でも、よくよく考えてみると、自分は習得できたと言える項目が1つもありません。後輩に指導すればするほど、自分の未熟さを実感します。医者の仕事は日々勉強ですね。

問診の重要性

腎疾患の原因を突き止めるための問診

- 問診によって、腎疾患の鑑別に必要な情報がある程度得られます。
- 日本では健康診断が広く行われているので、まずは「健診での異常の有無」を確認しましょう。尿検査で以前から**蛋白尿**や**血尿**を指摘されていれば、慢性腎炎が存在します。
- 検尿異常のほかに、微熱や皮膚症状、関節痛などを認めれば、背景に膠原病が隠れているかも知れません。
- **高血圧**や**糖尿病**の患者さんでは、その罹患期間は腎障害発症のリスクにつながる情報になります。
- 出産歴のある女性の場合、**妊娠高血圧症候群**の既往を聞きましょう。
- 過去の手術歴、腎毒性のある薬剤の服用歴（特にNSAIDsなど）を聞くことも重要です。

問診で得られる有益な情報

- 糖尿病の罹患期間（糖尿病性腎症の可能性）
- 高血圧（高血圧性腎硬化症の可能性）
- 既往歴（心疾患、脳血管障害、繰り返す尿路感染など）
- 上気道感染に伴う肉眼的血尿（IgA腎症の可能性）
- 過去の健診で蛋白尿、血尿を指摘されたことがあるか
- 過去の腎機能の推移
- 妊娠歴（妊娠高血圧の有無）
- 手術歴（心臓や大血管の手術の有無）
- 家族歴（遺伝性腎疾患の可能性）
- 腎毒性物質の曝露（造影剤、抗癌剤、抗菌薬など）
- 内服薬（NSAIDsの長期服用など）
- 検尿異常以外の症状：発熱、皮疹、関節痛など（膠原病の可能性）

1日食塩摂取量を推定する方法

- 体内に摂取した塩分は、腎機能が正常であれば速やかに尿に排泄されます。
- つまり、腎からのNa排泄量は、平衡状態ではNa摂取量に一致するということです。ということは、尿中に排泄された塩分量を測定できれば、摂取した塩分量が推測できるわけです。

尿中Na排泄量から食塩摂取量を推定してみよう!!

- 食塩1g中に含まれるNa量は**17mEq**です。

NaClの分子量(23＋35.5)＝58.5　　1000/58.5＝17

- したがって、尿中に排泄されたNaの総量(mEq/日)を17で割ると、摂取した塩分量が推定できることになります。

- このように、尿中のNa量を測定することにより、1日の食塩摂取量が推定できます。食塩1gがNaとしては17mEqに相当することはぜひ覚えておきましょう。

尿中Na排泄量(mEq/日)÷**17**＝**推定食塩摂取量**(g/日)

- 以前、入院中の高齢女性の1日尿中Na排泄量を計算したことがあります。高血圧食(塩分7g制限)を摂取しているはずが、1日尿中Na排泄量から塩分摂取量を推測したところ、約13g摂取していることになっていました。よくよく問いただしてみると、「ご飯が味気ないので、家からもってきた梅干しをこっそり食べてました」と告白されました。

脱水になると BUN/Cr 比が上昇する理由

- BUN/Cr 比が上昇する病態は？ という問題がよく試験に出ます。

BUN/Cr 比が上昇する病態

- **脱水**
- **蛋白異化亢進**
- **消化管出血など**

- 脱水のときになぜ BUN/Cr 比が上昇するのでしょう。脱水があると BUN も Cr も両方同じように上昇して、BUN/Cr 比は変化しないのでは？ と思ったことはないでしょうか。

- **血液尿素窒素**（blood urea nitrogen：**BUN**）は血中の尿素の量を表しています。尿素は蛋白質の終末代謝産物です。肝臓で合成されて、腎臓から排泄されます。尿素は窒素を含んでいるので、その窒素を測定して表しているのですね。

- したがって、産生量が多くなるような状況、たとえば蛋白摂取量が多い場合、BUN は高めになります。消化管出血でも、消化管内の血液が吸収されて蛋白負荷が増加し、BUN は高めになります。
- 一方、産生量は同じでも、排泄量が低下すれば、血液中の尿素、すなわち BUN は上昇します。腎機能が低下して排泄量が減少すると、血液中に尿素がたまってきます。腎機能の低下とともに血清 Cr 値が上昇するのと同じです。

- ところが、尿素の動きと Cr の動きは一緒ではありません。Cr は糸球体で濾過され尿に出て行きますが、尿素は尿細管で一部再吸収されています。特に脱水になると尿は濃縮されて、尿細管での尿素の再吸収が増えます。ここで尿素と Cr の動きに乖離が生じるわけです。尿素の再吸収が増える分だけ、BUN/Cr比が上昇することになります。

腎性貧血があるとHbA1c値は低めに出る

- **HbA1c**は糖尿病の指標として非常に有用です。赤血球のヘモグロビンにブドウ糖が結合したものです。高血糖が持続すると、この結びつきが増えて、HbA1c値が高くなります。
- 赤血球の寿命は約120日（4ヵ月）ですが、HbA1c値は赤血球の寿命の半分くらいにあたる時期（1～2ヵ月）の血糖値の平均を反映しています。

- HbA1cの値は血糖値だけでなく、ヘモグロビンの寿命にも依存します。したがって、貧血がある場合は結果の解釈に注意が必要です。ヘモグロビンの寿命が変化すると、正しい値が出ません。
- 腎機能が低下するとエリスロポエチンが不足して、**腎性貧血**になります。腎性貧血では赤血球寿命が短くなるため、HbA1cが蓄積されず、実際の値よりも低くなり、一見糖尿病が改善したように見えます。溶血性貧血でも同様です。

腎性貧血とHbA1cの関係

腎性貧血 → 赤血球寿命短縮 → Hb寿命短縮 → HbA1cが低く出る

- HbA1cに代わる指標として、透析患者の血糖指標には**GA**（**グリコアルブミン**）が推奨されています。GAはアルブミンにブドウ糖が結合したものであり、約2週間の血糖状態を反映するといわれています。

正常範囲内だけど正常を意味しない検査結果とは

- 検査結果が正常範囲内だけど正常を意味しないケースがいくつかあります。

血清クレアチニン値が正常範囲なのに末期腎不全

高齢女性で、血清 Cr 値が 0.70 mg/dL でも、腎生検をしてみると組織学的には末期腎不全であることがたまにあります。筋肉量が少ないため、腎機能が低下しても血清 Cr が上昇しにくいためです。

大量の蛋白尿を呈する患者で血清コレステロールが正常範囲

ネフローゼでは、肝臓での合成促進を反映して通常、血清コレステロール値は高値を示します。ネフローゼにもかかわらず、高脂血症治療薬なしの状態で血清コレステロール値が正常範囲を示す場合は、肝合成能障害や栄養不良などの併存を示唆しています。

ARB を飲んでいるのに血清カリウム値が正常下限

本来 RAS 阻害薬は、その副作用としてカリウム値が高めになります。ARB を飲んでいてもカリウムが低めの場合は、もともと低カリウム血症があった可能性があります。高血圧で低カリウム血症というと、「隠れアルドステロン症」の可能性が出てきます。

ステロイド内服中に好酸球数がゼロになっていない

各種疾患に対するステロイド治療中は、高用量であれば通常、好酸球数はゼロになります。もし、好酸球数が正常範囲でもゼロでなければ、ステロイドを内服していない、または、ちゃんと体内に吸収されていない可能性があります（腸管浮腫など）。

腎再生医療はどこまで進んでいる？

- 現在、日本では34万人を超える腎不全患者が透析治療を受けています。しかし、腎不全の進行を遅らせる有効な治療法は今のところありません。
- この問題を克服するため、近年、**腎再生医療**に関する研究が精力的に行われています。腎再生促進因子の探索、腎幹細胞の同定、骨髄細胞（造血幹細胞、間葉系幹細胞）を用いた腎再生医療など様々な角度から検討されて、有益な知見が着実に集積されています。

- 最近では、**iPS細胞**や**ES細胞**を利用した検討も報告されています。「iPS細胞 ➡ 中間中胚葉 ➡ 腎前駆細胞 ➡ 尿細管細胞」という腎臓の発生過程を試験管内で効率よく再現する培養条件（Mae S *et al. Nat Commun* 2013; 4 : 1367）や、ES細胞から中間中胚葉を経由して腎構成細胞へ分化誘導する手法が明らかになっています（Takasato M *et al. Nat Cell Biol* 2014; 16 : 118-26）。
- iPS細胞から「血管を含む糸球体が備わった3次元の腎臓の構築」にも成功しています（Taguchi A *et al. Cell Stem Cell* 2014; 14 : 53-67）。

- **腎臓の鋳型**を活用した報告もあります。ラット腎臓に洗浄剤を灌流して細胞成分を除去して鋳型を作成し、そこに上皮細胞と内皮細胞を注入すると新たな腎臓が出来上がります。これをラット体内の元の部位に移植すると、血液がうまく循環して尿が生成されています（Song JJ *et al. Nat Med* 2013; 19 : 646-51）。
- 3Dプリンターを用いて腎臓の作成に成功した !! といった内容も学会報告されていました（本当かな？）。

- 再生医療関連法案が施行され法的にも整備されたことから、今後、実現化に向けた再生医療に関する研究はますます加速していくものと思われます。

出生体重とネフロン数の意外な関係

- はじめに腎臓の発生メカニズムを少し説明したいと思います。下の図はマウスの腎発生を示しています。

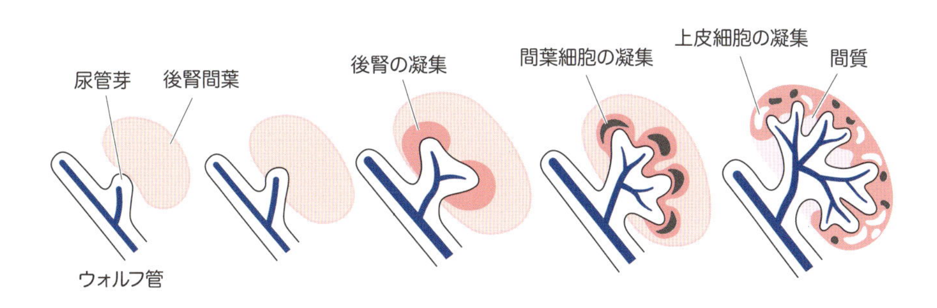

- 腎臓は**中胚葉**に由来する臓器の 1 つです。**尿管芽**と**後腎間葉**が腎臓のもとになっています。両者は液性因子を分泌して、互いの成長・分化を誘導することによって発達していきます。

ネフロン数は個人差がある

- 糸球体から尿細管を経た 1 つの機能ユニットである**ネフロン**は、1 つの腎臓に約 100 万個あると言われています。腎臓は 2 つあるので 200 万個ですね。ところが、すべての人が 100 万個というわけではありません。80 万個の人もいれば、120 万個の人もいます。なぜでしょうか。
- 腎臓の発生・成長は生後まもなくして終了します。妊娠高血圧（以前は妊娠中毒症と呼ばれていました）を合併したりすると、予定日よりも早く出産し、**低出生体重児**として生まれるケースもあります。
- その場合、腎臓の成長が十分でないまま出産することになり、結果として生まれつきネフロン数が少なめの腎臓を持つことになります。
- 多少ネフロン数が少なくても、成人までは全く問題ありません。でも、中年以降、高血圧や糖尿病、高尿酸血症などを発症すると、ネフロン数が少ないことにより腎機能低下をきたしやすいとされています（Luyckx VA & Brenner BM. *J Am Soc Nephrol* 2010；21：898-910）。

世界腎臓デー

- 腎臓病の早期発見と治療の重要性を啓発する国際的な取り組みとして「世界腎臓デー」が設定されています。
- これは国際腎臓学会（ISN：International Society of Nephrology）と腎臓財団国際協会（IFKF：International Federation of Kidney Foundations）が共同で提案し、毎年3月の第2木曜日に実施することが定められています。

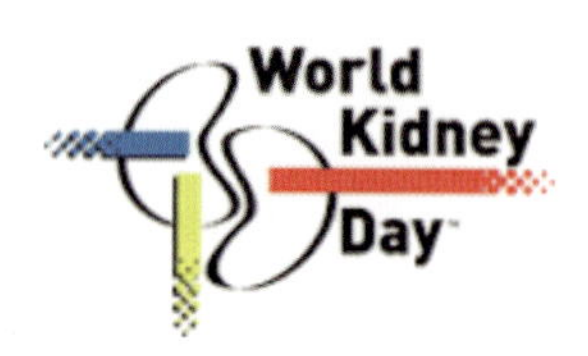

- 世界6大陸100ヵ国以上の国々でさまざまな啓発キャンペーンが開催され、各国の医師やコメディカル、患者や患者家族が主体となって啓発活動を盛り上げています。
- 日本でもこれにあわせて「慢性腎臓病をもっと知ろう」「あなたの腎臓は大丈夫？」といったタイトルで市民公開講座などのCKD啓発イベントが日本各地で開催されています。

過去の世界腎臓デーのスローガン

2023	Kidney Health for All – Preparing for the unexpected, supporting the vulnerable
2022	Kidney Health for All – Bridge the knowledge gap to better kidney care
2021	Kidney Health for Everyone Everywhere – Living Well with Kidney Disease
2020	Kidney Health for Everyone Everywhere – from Prevention to Detection and Equitable Access to Care
2019	Kidney Health for Everyone, Everywhere
2018	Kidneys & Women's Health. Include, Value, Empower
2017	Kidney Disease & Obesity. Healthy Lifestyle for Healthy Kidneys
2016	Kidney Disease & Children. Act Early to Prevent It!
2015	Kidney Health for All
2014	Chronic Kidney Disease (CKD) and aging
2013	Kidneys for Life – Stop Kidney Attack!
2012	Donate – Kidneys for Life – Receive
2011	Protect your kidneys: Save your heart
2010	Protect your kidneys: Control diabetes
2009	Protect your kidneys: Keep your pressure down
2008	Your amazing kidneys!
2007	CKD: Common, harmful and treatable
2006	Are your kidneys OK?

[ア]

[イ]

[ウ]

[エ]

[オ]

[カ]

[キ]

[ク]

[ケ]

[コ]

[サ]

索引

[シ]

[ス]

[セ]

[ソ]

[タ]

[ネ]

[ノ]

[ハ]

[ヒ]

[フ]

[ヘ]

[ホ]

[マ]

[ミ]

[ム]

[メ]

[モ]

[ヤ 行]

[ラ 行]

[ワ]

[欧 文]

レジデントのための **腎臓教室**

定価（本体 4,500 円+税）

2017 年 11 月 9 日 第 1 版
2017 年 12 月 1 日 第 1 版 2 刷
2018 年 4 月 18 日 第 1 版 3 刷
2019 年 6 月 15 日 第 1 版 4 刷
2020 年 8 月 13 日 第 1 版 5 刷
2022 年 1 月 26 日 第 1 版 6 刷
2023 年 7 月 23 日 第 2 版

著 者 前嶋明人

発行者 梅澤俊彦

発行所 日本医事新報社 **www.jmedj.co.jp**
〒101-8718 東京都千代田区神田駿河台 2-9
電話 03-3292-1555（販売）・1557（編集）
振替口座 00100-3-25171

DTP ライブコンタクト（渡瀬晃）

装 幀 Malpu Design

印 刷 ラン印刷社

ISBN978-4-7849-4714-0

電子版の閲覧方法

巻末の袋とじに記載されたシリアルナンバーで、本書の電子版を閲覧できます。

手順① 弊社ホームページより会員登録（無料）をお願いします。
（すでに会員登録をしている方は手順②へ）

会員登録はこちら

手順② ログイン後、「マイページ」に移動してください。

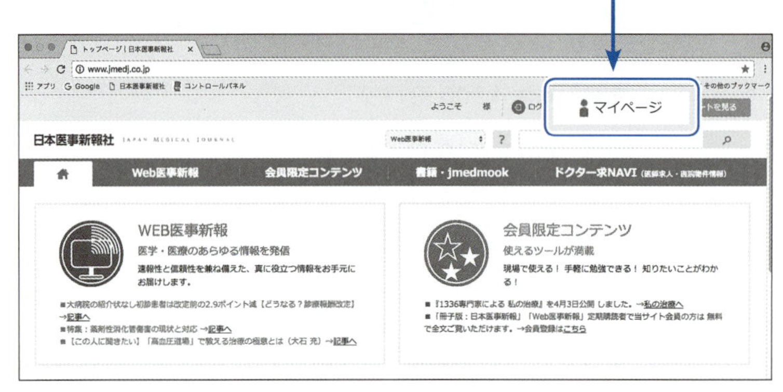

手順③ 「会員限定コンテンツ」欄で、本書の「SN登録」をクリックしてください。

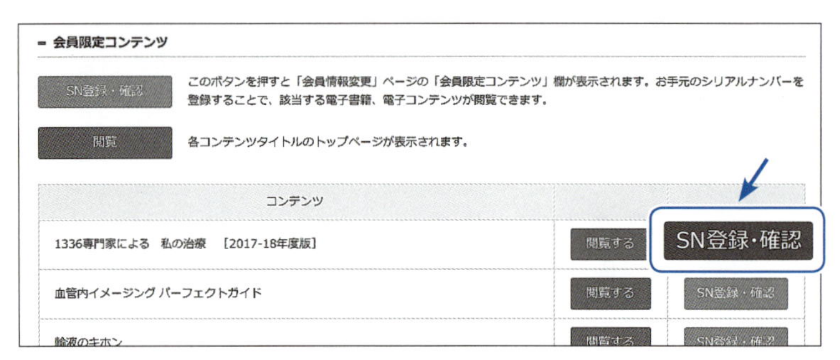

手順④ 次の画面でシリアルナンバーを入力し、「送信」をクリックしてください。

手順⑤ これで登録完了です。以降は「マイページ」から電子版を閲覧できます。